# Gevangen in het web

Wilt u op de hoogte worden gehouden van de literaire thrillers en romans van uitgeverij Signatuur? Meldt u zich dan aan voor de literaire nieuwsbrief via onze website www.uitgeverijsignatuur.nl.

*Kjell Ola Dahl*

# Gevangen in het web

Vertaald door Carla Joustra

SIGNATUUR

2008

Omslagontwerp: Wil Immink Design
Omslagbeeld: Imagestore/ Arcangel/ Marcin Klepacki
Foto auteur: Jo Michael
Typografie: Pre Press B.V., Zeist
Druk- en bindwerk: Koninklijke Wöhrmann, Zutphen

ISBN 978 90 5672 251 7
NUR 305

De vertaling van dit boek is tot stand gekomen met behulp van subsidie van NORLA.

# 1

Toen hij zijn ogen opende, waren ze droog als papier. Hij staarde omhoog naar een grijswit plafond en wist dat het ochtend was, dat hij in een vreemd bed lag, maar niet waar. Pas toen hij haar arm tegen zijn borst voelde.

De grijze dageraad hulde de kamer in zachte schaduwen. Het was ochtend en hij moest opstaan. Aan het werk.

Ze konden niet lang geslapen hebben. Het silhouet van haar lichaam stak af tegen het schemerlicht dat door het raam naar binnen viel. Haar huid glansde in het halfdonker, alleen haar benen en voeten lagen onder het dekbed, dat verkreukeld aan het voeteneind lag.

Voorzichtig kwam hij overeind. Hij leunde tegen de wand tot de mist in zijn hoofd optrok. Hij was moe. Hij wilde weer gaan liggen, het dekbed over zich heen trekken, verder slapen. Als die klootzak van een voorman maar niet vanaf het eerste halfuur loon in mindering zou brengen.

Maar het was halfzes. Hij had nog geen haast.

Hij zocht naar zijn onderbroek en de rest van zijn kleren. Rolde alles op en nam het hele pak onder zijn arm mee naar de badkamer. Het duurde lang voor er warm water uit de ouderwetse kraan kwam. Het gaf hem de tijd om zijn eigen spiegelbeeld te bestuderen. Een bleek en ongeschoren gezicht, lang, zwart haar dat nodig gewassen moest worden. Hij keek naar alle flesjes en potjes op het planchet. Hij draaide zijn hoofd om naar het droogrek boven de badkuip. Kleine, kreukelige slipjes en lange kousen hingen doodstil in het bleke licht. Langzaam trok hij zijn kleren aan, gooide met zijn handen wat water in zijn gezicht.

Hij moest maar stilletjes vertrekken, haar niet wakker maken. Hij kon haar later bellen, vanmiddag misschien, of vanavond. Maar eerst moest hij weer naar binnen om zijn sokken te zoeken. Hij zag ze nergens. Ook niet onder het bed.

Zijn knieën knakten toen hij overeind kwam. Ze leek diep in slaap, lag met haar knieën voor haar borst opgetrokken, geluidloos bijna.

Blanke huid en volle lippen. Kort, blond haar dat over haar ogen viel.

Daar. Zijn sokken lagen in elkaar gerold onder de boekenkast.

Bonk! Zijn achterhoofd sloeg tegen een boekenplank toen hij overeind kwam. Hij voelde aan zijn hoofd en vloekte binnensmonds. Tegelijk hoorde hij het zachte geluid van het dekbed. Ze werd wakker.

'Ga je?'

Haar stem klonk droog en slaperig, haar huid was warm.

'Ik hoopte dat je niet wakker zou worden.'

Er trok een rilling door hem heen toen hij haar waanzinnig zachte lippen aanraakte.

'Ik hoopte naast je wakker te worden,' fluisterde ze. Haar neus aaide in een langzame beweging over zijn wang terwijl hij met zijn handpalm over haar tepel streelde. Hij zei: 'Ik bel je,' en met tegenzin ging hij zitten op de stoel bij het bureautje, vlak naast het bed. Hij trok zijn sokken aan terwijl zij haar handen door zijn haar haalde.

Toen ging de telefoon op de tafel.

Het gerinkel scheurde door de schemerige kamer; hij keek naar haar op. Haar blik was strak op de telefoon gericht.

Hij kuste haar buik. Mooie navel, dacht hij terwijl zij aarzelend haar arm uitstak naar de telefoon, die schor bleef rinkelen. 'Denk je dat het voor jou is?'

Ze fluisterde met onzekere stem.

'Voor mij?'

Haar gezicht was niet meer dan een donkere schaduw in het ochtendlicht dat door het raam viel.

'Niemand weet dat ik hier ben.'

Ze aarzelde nog steeds.

'Trek de stekker eruit, als je nu met niemand wilt praten.'

Ze pakte snel de hoorn op. 'Met Reidun.'

Vastberaden toon.

Stilte aan de andere kant van de lijn.

'Hallo, met Reidun.'

Ze glimlachte naar hem. Ze hield de hoorn met haar hoofd tegen haar schouder en liet haar beide handen weer door zijn haar glijden.

Het bleef stil.

Hij voelde dat ze zijn haar achteroverstreek, ermee speelde.

'Zo.'

Ze glimlachte. Haar hand zwaaide met de paardenstaart waarin ze zijn haar had vastgemaakt.

Waarom niet, dacht hij. Er was niets mis met een paardenstaart. Vooral niet als zij het leuk vond.

Hij bukte zich en strikte zijn veters toen ze haar naam voor de derde keer herhaalde. Geen reactie.

Haar borsten gingen op en neer toen ze haar schouders ophaalde en naar de hoorn keek. Op dat moment hoorden ze het allebei. Een droge klik. De onbekende verbrak de verbinding.

Langzaam legde ze de hoorn neer.

'Krijg je vaak van die telefoontjes?'

Ze draaide zich om en keek naar buiten.

'Nee,' zei ze ten slotte. 'Eigenlijk niet.'

Er was iets veranderd. Ze fluisterden niet meer.

'Waarom moet je gaan?'

Haar stem had een andere klank gekregen.

'Ik moet straks aan het werk. Ik moet eerst naar huis om me te verkleden. Tot ziens,' fluisterde hij bij de deur. Hij voelde een knik in zijn knieën toen hij haar lippen aanraakte. Hij wachtte tot ze de deur had gesloten, liep op een draf de trappen af, trok de buitendeur open, haalde diep adem en hoorde de deur achter zich in het slot vallen.

Op de geasfalteerde binnenplaats stond een fietsenstalling. Het hek in de donkere poort was gesloten en er zat geen klink aan het slot.

Verbouwereerd liep hij terug, bleef midden op de plaats staan. Hij was opgesloten! Aan twee kanten torenden de huizenblokken onoverkomelijk de hoogte in. De deur naar de trap was dicht en het hek was gesloten. Aan de rechterkant stond alleen een houten schutting, geen stenen muur. Er lag vast een bouwterrein aan de andere kant, maar zeker wist hij het niet, want hij kon niet over de schutting kijken. Toch moest het mogelijk zijn om eroverheen te klimmen. Nog geen drie meter hoog. Langs de bovenrand was prikkeldraad gespannen. Verroest, maar toch agressief kringelend in een lange spiraal.

Moet lukken, dacht hij en hij trok een vuilnisbak dichterbij. Verdomme, wat een lawaai! Hij klom erop, de bak wiebelde. Niet op letten. Knieën buigen, afzetten! Zo!

Verdomme!

Hij lag op de grond, keek omhoog naar de blauwe lucht en de donkere ramen met witte spijlen in de roze muur. Boven hem zweefde een meeuw. Krijsend. Hij voelde aan zijn hoofd. Bloed aan zijn handen. Nieuwe poging. Hij moest de vuilnisbak weer overeind zetten.

Zo. De schutting kraakte en boog door onder zijn gewicht. Maar het ging. Hij wist één been omhoog te slingeren en trok zichzelf naar boven. Hij kantelde zichzelf over de schutting en merkte, eerder door het geluid dan door de pijn, dat het prikkeldraad de achterkant van zijn broek openscheurde.

Inderdaad, een bouwterrein. Grauwbruine plukken gras tussen rode stukken steen op de grond. Nog een houten schutting naar de straat. Maar die was lager. Hij zette zich af, sprong. Zijn jas bleef aan het prikkeldraad hangen. Hij stond buiten. Stilte. Hij hoorde alleen het geruis van een auto in de verte toen hij zich afklopte. Zijn overhemd hing uit zijn broek en hij bloedde erger dan hij aanvankelijk had gedacht.

Er stopte een taxi naast hem. Twee mensen stapten uit, liepen met grote passen naar de poort en gingen naar binnen terwijl de taxi verdween. Typisch! Als hij een paar minuten had gewacht, had hij gewoon naar buiten kunnen wandelen.

Raar begin van de dag, dacht hij, en hij slenterde naar het hek dat achter de passagiers uit de taxi op een kier was blijven staan. Het hek knarste toen hij het helemaal openduwde en hij liep de binnenplaats weer op. Nu zag hij de bel naast de deur. Idioot! Eén druk op de knop en ze was met een sleutel naar beneden gekomen om hem uit te laten. Bij de bel zat een briefje met haar naam. De blauwe balpeninkt was een beetje uitgelopen. Het briefje deed hem denken aan haar huid onder zijn vingertoppen.

Hij zou weer naar boven kunnen gaan. Weer naast haar kunnen gaan liggen en tot een uur of twaalf verder slapen. Samen met haar wakker worden.

Hij voelde aan de deur. Open. Hij kon gewoon naar boven lopen.

Verderop, in een zijstraat, klonk het geluid van een tram. Hij herinnerde zich haar hand die door zijn haar gleed. Weifelend bleef hij op zijn horloge staan kijken. Ergens sloeg een autoportier dicht. Er kwam iemand aanlopen. Door het hek. Op hem af.

Hij nam een besluit. Het werk wachtte. Hij liep weg, maar boog eerst beleefd naar de nieuwkomer.

# 2

Thuis trok hij schone werkkleren aan. Hij had de tijd. Daarom ging hij nog even op bed liggen. Hij wilde maar een kwartiertje dommelen, maar viel als een blok in slaap. Hij versliep zich, omdat hij had vergeten de wekker te zetten. Tot twee uur 's middags. Hij dacht aan haar toen hij wakker werd. Hij dacht aan de vorige avond, aan haar lichaam. Hoe ze zich onder hem had bewogen. Hoe ze daarna op hun zij hadden gelegen, met hun hoofd op hun handen, zachtjes pratend, en hoe hij zijn vingers over haar naakte huid had laten lopen.

Hij was vertrokken en had daarna gespijbeld van zijn werk zonder het zelf te willen. Hij had zes uur honderd procent overwerk gemist en zich bovendien de ergernis op de hals gehaald van die vette driftkop van een voorman. Maar hij belde niet naar zijn werk. Hij zou alleen maar een grote mond krijgen. Daarom kwam hij overeind, gapend zocht hij haar telefoonnummer op en belde haar.

De telefoonmaatschappij verbrak de verbinding automatisch. Hij legde neer en pakte de hoorn weer op. Belde hetzelfde nummer en liet de telefoon weer overgaan, maar ze nam niet op. Tot de telefoonmaatschappij de verbinding weer verbrak.

Dergelijke belgeluiden dragen niet ver. Maar als het appartement klein is en de deur staat open, dan hoor je het wel. Stopt het belgeluid, dan begrijp je dat er iemand thuis is. Stopt het niet, dan is er niemand thuis. Er ontstaat een probleem als alles erop wijst dat er iemand thuis is, en het geluid niet stopt. Het voortdurende gerinkel wordt een signaal, een waarschuwing dat er iets niet klopt.

Wanneer je de trap aan het boenen bent, luister je niet. Maar kleine kinderen van drie jaar hebben nog niet geleerd wat wel en niet hoort.

De driejarige Joachim had een dweiltje in een emmer, die natuurlijk op de onderste traptreden tussen de derde en de vierde verdieping was omgevallen. Joachim grijnsde. 'Nat,' riep hij en lachend begon hij enthousiast de trap te soppen. Totdat mama met haar emmer naar beneden moest komen om zijn emmer weer te vullen. Toen viel haar op dat de deur van Reidun Rosendals flat openstond. De schoot was naar buiten gedraaid en sloeg door de eeuwige tocht in het trappenhuis steeds zachtjes tegen de deurpost. De stilte binnen was opvallend. Het was een klein appartement en ze zou Reidun dus eigenlijk binnen moeten horen. Mia Bjerke kende haar benedenbuurvrouw niet zo goed, maar ze groetten elkaar, zoals buren in hetzelfde trappenhuis meestal doen.

Maar nu, terwijl ze bijna klaar was met het schoonmaken van de trap, ging binnen de telefoon over. Een hele tijd, en toen het geluid eindelijk stopte, begon het direct weer. Kleine Joachim stond onder aan de trap en zei: 'Er wordt gebeld, mama!' Hij zei het twee keer en twee keer antwoordde ze dat de telefoon wel door zou rinkelen omdat Reidun, die daar woonde, niet thuis was.

Ze zette het raampje in het trapportaal open en toen zei Joachim dat Reidun wel thuis was. 'Je liegt, mama!'

Omdat Mia het raampje opende, kon de tocht beter doortrekken. Misschien ook omdat op dat moment een windvlaag naar binnen kwam, werd de tocht zo erg dat de deur van Reiduns flat helemaal opensloeg.

'Kom hier, Joachim!' zei ze luid. En Joachim luisterde naar haar. Misschien vanwege de klank in zijn moeders stem, of misschien omdat hij werd gegrepen door de sfeer die plotseling in het trappenhuis hing.

Een blote voet op de vloer vertelde Mia Bjerke dat er de hele tijd iemand thuis was geweest.

# 3

Inspecteur Gunnarstranda werd verrast toen hij de vrouw zag die de deur opende. Maar hij liet zich niet van zijn stuk brengen door haar reactie, noch door de blik die ze eerst op hem wierp en daarna op zijn legitimatie. Hij kende die blik en was eraan gewend, want zijn kleine, magere lichaam straalde geen natuurlijke autoriteit uit. Op kousenvoeten mat hij maar één meter vierenzestig. Al zijn 57 jaren hadden hun sporen achtergelaten. Zijn gezicht was gerimpeld en zijn schedel bijna kaal. Slechts een klein plukje haar klampte zich nog vast. Iedere ochtend kamde hij de spaarzame haren als in een ritueel over zijn hoofd, van zijn ene naar zijn andere oor.

Gunnarstranda was zich bewust van zijn treurige verschijning. Daarom verdroeg hij de blik waarmee ze op hem neerkeek, alsof hij een vreemd insect was dat ze onder de mat had gevonden.

Als reactie liet hij haar zijn witste glimlach zien, waardoor haar verwarring nog groter werd. Maar weinig mensen verwachtten bij zo'n petieterig mannetje met een tot op de draad versleten jas, nicotinegele vingers en verschroeide plekken op zijn overhemd een parelwit gebit. Het was dan ook dentaal handwerk. Een soort porselein. Edel had hem erop getrakteerd toen ze een prijs in de loterij had gewonnen. 'Nu gaan we eindelijk orde scheppen in die lelijke mond van je,' had ze gezegd terwijl ze door haar brillenglazen de trekkingslijst bestudeerde. Misschien had ze gewoon genoeg gehad van het cactuslandschap in zijn mond. Hij wist het niet. En ook al was dat de reden, ze zou het toch nooit hebben gezegd. Dus hij had het nooit gevraagd. Edel wist immers altijd haar zin door te drijven. En nu was het te laat om het haar te vragen. Vier jaar te laat.

Net als altijd werd hij ook nu geholpen door zijn glimlach, die de indruk van sjofelheid liet verdwijnen. Zijn glimlach maakte mensen onzeker, zodat ze hem niet direct een dreun verkochten.

De jonge vrouw glimlachte terug, en ze waren vrienden. Ze knipoogde en had zichzelf weer in de hand. Ze deed een stap opzij en hield de deur open. Ze vroeg hem plaats te nemen terwijl zij naar het kind in de keuken ging.

Hij wachtte rustig af en keek om zich heen in de grote, ruime kamer. Een gerenoveerd appartement. Wit structuurbehang op de wanden. Gelakte parketvloer zonder kieren of andere onregelmatigheden. Gordijnen in lichte pasteltinten hingen voor de grote ramen. Sober, duur meubilair. Manilla en gekleurd leer. Het speelgoed op de vloer verried dat er een kind in huis was, hoewel de salontafel van dik, roetkleurig glas en een glazen vitrinekast erop duidden dat men zich hier binnenshuis gedisciplineerd gedroeg.

Aan de wanden hingen drie originelen van een moderne kunstenaar die Gunnarstranda niet kende, maar zijn geoefende oog merkte onmiddellijk de klasse van echte, gesigneerde olieverfschilderijen op.

De woning wekte een indruk van jonge welgesteldheid.

Verrassend.

Op zich was het geen verrassing om in een woonblok in Grünerløkka een mooi ingericht appartement te vinden, maar het standsbewustzijn viel hem op. De olieverfschilderijen en de stijl van de lange, jonge vrouw die sympathiek op hem overkwam. Ze maakte een solide indruk, hoewel haar accent nogal snobistisch klonk. 'Wilt u in de salon wachten?' had ze gevraagd. In de salon! De manier waarop ze het woord uitsprak, paste bij haar kleding en het sieraad om haar hals. Het probleem van het kind in de keuken en zijn onuitgesproken eis in de deuropening had ze professioneel opgelost.

Stilletjes had hij haar gadegeslagen toen ze door de hal naar de keuken liep. Het natuurlijke wiegen van haar heupen. Een lenige, goedgebouwde vrouw van een jaar of dertig. Waarschijnlijk had ze een studie afgerond. Het verstandige type dus. Eerst werken, dan kinderen.

Gunnarstranda stond bij het raam. Hij keek naar de straat beneden. Hij dacht aan vroeger, toen hij ging schaatsen op Dælenenga, hij dacht aan de paarden van de brouwerij in de straten, aan de buiten-wc's als het vroor en de keuken, waar je 's nachts in de gootsteen plaste.

Tegenwoordig legde de society echte parketvloeren over de oude planken. Merkwaardig, dacht hij, dat de elite op pantoffels loopt om de vloer niet te beschadigen. Hier, in deze oude huurkazernes.

Een aantal jaren geleden was het voor snobs nog salonfähig geweest om in het lager gelegen deel van Grünerløkka te wonen, aan de Markveien of in de Thorvald Meyers gate. De meesten waren daar inmiddels vertrokken, verder naar boven, en nu ontdekte hij dat het hogergelegen deel van Grünerløkka standhield. Dat was een verrassing, omdat de vrouw met haar platte schoenen een totaal andere sociale positie had dan de Pakistaan van hiernaast. De man die in kleren uit de jaren zeventig liep en zijn flat had gemeubileerd met wankel meubilair uit de kringloopwinkel. Een heel beleefde, gezette man met appelwangen en een tandenborstelsnor. Een man die zijn vrouw terugstuurde naar de keuken toen ze in de deuropening verscheen. De man leek wel een trekpop – met zijn handen op zijn rug en een verkrampte glimlach om zijn mond. Hij had niets gezien of gehoord. Nooit, en dit weekend al helemaal niet. Maar de man paste hier. Net als die twee halve kunstenaars die een verdieping hoger woonden. Twee lange, magere hippies met bonte kleren die op hun vensterbank marihuana probeerden te kweken. Hij rond de veertig en werkloos. Zij blootsvoets met een broek met wijde pijpen en geborduurde bloemen. Twee levende fossielen uit de jaren zestig die leefden tussen stapels kranten en halflege wijnflessen. Allebei hadden ze met nadruk verteld hoe weinig ze merkten van de wereld om hen heen, zeker op zondagochtend, toen ze thuis waren gekomen van een feest.

Hier, in dit appartement, ging het er anders aan toe. Waar zou ze aan denken, zo'n jonge, rijke vrouw? Een verdieping lager was een andere vrouw vermoord. Zou ze bang zijn dat zij en haar gezin in de verdorvenheid zouden worden meegesleurd? En als ze wilden verhuizen, waar moesten ze heen? Ze hadden veel in dit appartement geïnvesteerd. Ze hadden vast genoeg geld om uiteindelijk de stap te maken om te verhuizen naar Bærum of Nordstrand. Niet slechts een paar honderd meter verderop, naar de Valdresgata, waar de huizenblokken nieuwer waren en waar nog genoeg journalisten en vakbondsleiders woonden. Waar kakkers zich nog wel op hun gemak voelden.

Hij leunde met zijn voorhoofd tegen het glas en staarde naar de straat. Hij wachtte geduldig tot ze klaar was en uit de keuken kwam.

'U hebt geluk gehad met dit appartement,' zei hij luid, met zijn rug naar haar toe. 'En u hebt alles mooi gerenoveerd. Toen ik hier opgroeide hadden we zelfs geen toilet op de gang. En in die tijd was het binnen net zo koud als buiten.'

Hij draaide zich om en wees naar de zon, die door het glas naar binnen scheen. 'Jullie hebben hier ook zon. Dat hebben niet veel mensen in Grünerløkka.'

Ze knikte beleefd en een beetje nerveus.

'Daarbeneden ben ik opgegroeid,' wees hij uit het raam. 'In de Seilduksgata, onder Dælenenga. Het zou me niet verbazen als ik hier toen ook over de vloer ben geweest.'

Zijn laatste woorden gingen vergezeld van een brede glimlach.

Hij liep door de kamer en nam plaats op de ronde, roze leren bank.

Het kleine jongetje hing aan de broekspijp van zijn moeder. Hij keek met grote ogen naar Gunnarstranda. Haar lichtblauwe ogen glinsterden nerveus, en krampachtig glimlachend maakte ze hem duidelijk dat hij niet meer over vroeger moest praten. Hij keek haar over de tafel aan en besteedde geen aandacht aan het jongetje. Kinderen interesseerden hem niet.

'Ben jij politie?' wilde het kind weten.

'Mijn vader werkte bij de chocoladefabriek, bij Freia,' ging Gunnarstranda peinzend verder. 'Hij had een goed pensioen. Directeur Throne-Holst stond erom bekend; hij gaf zijn mensen al pensioen voor iemand anders erover had nagedacht. U hebt toch wel van Throne-Holst gehoord?'

De vrouw schudde nerveus het hoofd.

Hij boog vertrouwelijk naar haar toe. 'Neem me niet kwalijk,' zei hij nieuwsgierig, 'maar omdat ik in deze buurt ben opgegroeid, weet ik dat er ontzettend veel werk in dit appartement is gestoken. Dat was vast niet goedkoop, maar wel de moeite waard.'

Haar glimlach veranderde tijdens dit compliment, en Gunnarstranda begreep dat zij bij de verbouwing een enorme vinger in de pap had gehad. Maar haar glimlach verdween. Ze werd ernstig.

'Dat is nog maar de vraag,' antwoordde ze, 'nu hierbeneden een moord is gepleegd, zijn Joachim en ik bang dat de prijzen zullen dalen, en dan zijn we heel veel geld kwijt.'

'Wilt u dan verhuizen?'

Gunnarstranda probeerde ook tegen het jongetje te glimlachen. 'Dus jij gaat je geluk als makelaar beproeven?'

Ze lachte. 'Mijn man heet Joachim. Dit is kleine Joachim.'

Ze aaide het kind over zijn bol.

Kleine Joachim, herhaalde Gunnarstranda in zichzelf. Hij haalde diep adem. 'Het slachtoffer ...'

Hij ontmoette haar blik. 'Hoe goed kende u haar?'

Ze aarzelde even, dacht na.

'Wat heet kennen.'

Ze aarzelde weer. 'We groetten elkaar regelmatig. Ze leek ... best aardig. Ze leek me wel een gemakkelijk type. En Joachim ...' Ze aarzelde weer even. 'Hij kende haar niet beter dan ik ... geloof ik,' lachte ze met een bepaalde ondertoon.

Gunnarstranda ging er direct op in. 'Hoe bedoelt u?'

Ze sloeg haar ogen neer. 'Het was maar een grapje,' glimlachte ze gespannen. 'Ze was tenslotte een mooie vrouw.'

Haar gezicht verried dat ze haar man goed in de gaten hield.

'Dus hij heeft af en toe met haar gesproken?'

Gunnarstranda merkte dat de vraag haar irriteerde.

'We waren tenslotte een soort buren, en ja ... nee!'

Ze sloeg haar armen uit.

'Dus u had niet veel met haar te maken, geen gezamenlijke vrienden?'

'Nee.'

'Weet u of ze bij een speciale groep hoorde, of wie haar vaak thuis bezocht?'

'Daar kan ik u helaas niet mee helpen,' zei ze vastbesloten. Maar toen de politieman zweeg, ging ze verder: 'Ze woonde onder ons, en als ik haar zag, was ze meestal alleen. Ik heb haar weleens samen met iemand anders gezien, met een vrouw of een man, maar zo gaat dat. Ze was een doodgewone vrouw die alleen woonde, en wij ... We wonen hier nog maar een halfjaar, nog niet eens.'

'Bent u overdag thuis?'

'Halve dagen.'

Het jongetje, dat onrustig werd, hing aan zijn moeders arm, en een deel van haar aandacht verdween in het kleine jongenslichaam.

'Zou u die mensen op een foto kunnen herkennen?'

'Wie? Ophouden, Joachim!'

Ze pakte geïrriteerd de hand van het jongetje om hem in toom te houden.

Gunnarstranda keek haar geduldig aan. 'De mensen met wie u haar hebt gezien.'

'Neem me niet kwalijk,' zei ze en ze stond op. Ze boog zich naar het jongetje toe en praatte zachtjes terwijl ze hem strak aankeek: 'Mama moet met die meneer praten. Zoek maar even iets anders. Ga maar met je blokken spelen.'

'Nee!'

De kleine was allesbehalve gewillig. Hij keek beledigd naar de politieman, die zijn pakje shag en zijn sigarettenschuif pakte. De interesse van het kereltje was gewekt en hij draaide zich om om Gunnarstranda in de gaten te houden, die op de glazen tafel een paar filtersigaretten maakte.

Zijn moeder dacht even na. 'Eerlijk gezegd geloof ik niet dat ik me iemand kan herinneren met wie ik haar samen heb gezien. Ik weet het niet.'

De politie-inspecteur keek niet op. 'Maar u woont hier al een half-jaar! Zo druk is het toch niet in het trappenhuis?'

Ze gaf geen antwoord.

'En ze was best een vlotte meid,' ging hij verder. 'Een vlotte meid die de aandacht van mannen wist te trekken!'

Hij las de verwarring in haar ogen. Hij glimlachte even, niet erg toeschietelijk. Hij kon zien dat ze naar een antwoord zocht. 'Eerlijk gezegd denk ik het niet. Ik denk niet dat ik iemand die ik alleen maar even in het trappenhuis heb gezien, van een foto herken. Nee, ik denk het niet.'

Gunnarstranda pakte zijn sigaretten. Hij stond op. Op dat moment hoorden ze de voordeur. Het jongetje liep de kamer uit, gevolgd door zijn moeder. Zelf stak hij een sigaret op. Hij liep naar het raam en zette het een eindje open terwijl zij haar man begroette. Hij hoorde dat de vader wat gekheid maakte met het kind en hij hoorde het echtpaar fluisteren.

Om niemand tegen zich in het harnas te jagen probeerde hij de rook zo veel mogelijk uit het raam te blazen.

Even later stonden ze in de deuropening. 'Rook gerust,' zei ze nerveus. 'Ik pak even een asbak. Dit is de politieman.'

Dat laatste zei ze tegen de man die achter haar stond.

Ze begroetten elkaar.

De man liep tegen de veertig. Hij had klamme handen, misschien omdat hij handschoenen had gedragen. Zijn dikke, steile haar viel voor zijn ogen toen hij heel formeel een buiging maakte. In de nek was het haar recht afgeknipt. Zijn schichtige ogen benadrukten de weerzinwekkende energie die van hem uitstraalde.

'We onderzoeken de moord op de vrouw die hierbeneden woonde,' zei Gunnarstranda zacht.

'Dat werd hoog tijd!'

Gunnarstranda keek de man strak aan. Hij tipte de as van zijn sigaret in de asbak die de moeder van het jongetje had neergezet.

Een gevoelige mond. Om zijn lippen was vaag een glimlach te onderscheiden.

De politieman besloot een gok te wagen. 'Bent u ooit in haar appartement geweest?'

De zelfverzekerdheid van de man werd even overschaduwd door een aarzelend zwijgen. Een schaduw van kille beoordeling. Voor Gunnarstranda was het antwoord duidelijk.

'Ja.'

Gunnarstranda voelde de ogen van de vrouw op zijn rechterschouder branden.

'Hoe vaak?'

Nu liet het antwoord wat langer op zich wachten. 'Ik heb haar een paar keer geholpen. Ja toch, Mia? ... Ik heb haar afgelopen winter geholpen met startkabels voor haar auto, en ook ... Tja, ze was tenslotte onze buurvrouw.'

De man sloeg gespeeld lijdzaam zijn armen uit.

Gunnarstranda knikte bedachtzaam. 'Haar flat is veel kleiner dan deze. Hebt u er iets op tegen dat ik hier even rondkijk?'

'Ja, wel degelijk!'

Joachim senior trok zijn lip op. Gunnarstranda nam nog een trek van zijn sigaret. Hij keek de ander strak aan. 'U bent er toch ook bij gebaat dat deze moord wordt opgelost?'

De man keek bars terug en sneerde: 'Eerst zijn jullie hier een halve dag bezig geweest en zag het hier zwart van de mensen en de auto's. Vervolgens hebben we gisteren de hele middag op jullie zitten wachten. Ik heb twee belangrijke afspraken afgezegd. Met zo'n tempo hebben jullie die moord over tien jaar nog niet opgelost!'

'Wat doet u voor werk?' vroeg de politieman.

'Economisch adviseur, accountant.'

Gunnarstranda knikte. 'Zelfstandig?'

'Ja.'

'Hebt u misschien een kaartje?'

Gelaten pakte de ander zijn portefeuille en gaf hem een visitekaartje met firmastempel en pasfoto. Gunnarstranda's vingers speelden met het kaartje. 'Tja, mijnheer Bjerke,' zei hij terwijl hij de ander recht aankeek, 'aangezien dit appartement zo privé is, kunt u me misschien vertellen welke kamer hier het dichtst bij de flat van Reidun Rosendal ligt?'

'De slaapkamer!'

Mia, nog steeds met het kind op haar arm, mengde zich in het gesprek. Ze keek een beetje zenuwachtig naar haar man. 'Onze slaapkamer ligt ongeveer recht boven haar flat,' ging ze verder, gespannen glimlachend. 'En juist in de slaapkamer merk je hoe gehorig deze oude woningen zijn.'

Gunnarstranda draaide zich naar haar om. 'Hebt u in de nacht van zaterdag op zondag iets bijzonders gehoord?'

'Nee, we zijn vroeg naar bed gegaan, we gaan meestal vroeg naar bed, kleine Joachim wordt 's ochtends nogal vroeg wakker, en meestal gaan we zondags een stuk wandelen, en ...'

'Het is u vast opgevallen dat het een enorme chaos was in de flat,' onderbrak Gunnarstranda haar. 'Misschien vanwege een inbraak. Zo'n inbraak hoeft niet echt luidruchtig te zijn, maar een worsteling tussen de indringer en haar moet wel lawaai hebben gemaakt.'

Haar man bewoog onrustig. Hij barstte uit: 'Niemand breekt op zondagochtend in alle vroegte bij mensen in!'

Gunnarstranda wendde zich tot hem. 'Dat komt weleens voor,' zei hij ijskoud. 'En het komt ook weleens voor dat alleenstaande vrouwen worden overvallen en lastiggevallen in hun eigen huis, in hun slaap, juist op zondagochtend.'

Hij had nog meer willen zeggen. Het lag op het puntje van zijn tong, maar hij hield zich in. In plaats daarvan wendde hij zich weer tot de vrouw. 'En u hebt ook niet gehoord hoe laat ze 's avonds thuiskwam?'

'Nee, alles was net als anders.'

Ze hief haar armen op.

'En zondagochtend?'

'Ik ben om een uur of acht opgestaan,' antwoordde ze bedachtzaam. 'Toen stond Joachim onder de douche. Je was al wezen joggen,' glimlachte ze tegen haar man. 'We hebben ontbeten en de gewone dingen gedaan. Het was zondagochtend vroeg en ... tja, we hebben een stuk langs de rivier gewandeld, gewoon een ochtendwandeling.'

'U vertelde dat de deur van de plaats delict openstond toen u het lijk vond. Was u dat ook al opgevallen toen u ging wandelen?'

Joachim schudde het hoofd. Mia zat na te denken. 'Ik weet het eigenlijk niet,' zei ze uiteindelijk. 'Maar toen ik later de trap schoonmaakte, viel het me direct op. Misschien ook omdat Joachim onder aan de trap stond, maar dat weet ik niet zeker.'

'En u?'

Gunnarstranda richtte zich weer tot haar man, nadrukkelijk beleefd. 'U kwam na het joggen tegen acht uur thuis?'

De man knikte, hij had een norse trek om zijn mond.

'Hoe lang hebt u gerend?'

De ander haalde de schouders op. 'Ik ga meestal joggen voor het ontbijt. Direct na het opstaan. Voor mijn gezondheid.'

Hij keek met een scheef oog naar Gunnarstranda's asbak op tafel. 'In tegenstelling tot bepaalde gewoontes die anderen zich aanmeten.'

De politieman deed alsof hij de steek onder water niet opmerkte. 'Bent u nog iemand tegengekomen?'

'Als ik al mensen ben tegengekomen, kan ik het me niet herinneren.'

'Was de buitendeur afgesloten toen u 's ochtends vroeg wegging?'

'Nee.'

'Zeker weten?'

'Ja, ik weet het zeker.'

'Is dat normaal?'

De man haalde zijn schouders weer op. 'Soms is de deur afgesloten, soms niet. Dat ligt eraan wie is binnengekomen, denk ik.'

'En het hek, was dat afgesloten?'

'Dat zat niet op slot.'

'Is dat gewoon of niet gewoon?'

'Allebei. Ligt er ook aan.'

Gunnarstranda ondersteunde zijn kin met zijn hand en keek hem zwijgend aan. Toen dat geen effect had, concentreerde hij zich op Mia: 'U hoorde niet dat Joachim het appartement verliet; hoorde u hem ook niet thuiskomen?'

Ze keek eerst nerveus van haar echtgenoot naar de politieman en toen weer terug. Ze had problemen met het antwoord.

Hij richtte zich weer tot de echtgenoot: 'Hebt u, toen u de deur uit ging, op de binnenplaats of in de buurt iemand gezien?'

'Nee.'

'En toen u terugkwam?'

'Misschien een taxi of een auto die de straat in reed, of de tram. Ik heb eigenlijk nergens speciaal op gelet, ik was aan het hardlopen.'

'En de deur van de plaats delict, stond die open?'

'Op die vraag heb ik al antwoord gegeven.'

'Maar u bent zondagochtend maar liefst drie keer vlak langs die deur gekomen.'

'Ja, dat klopt.'

'Bent u toen in haar flat geweest?'

'Nee, natuurlijk niet!'

'En u hebt op zondagochtend of vroeg in de middag geen enkel geluid uit de flat gehoord?' Gunnarstranda wendde zich tot beiden, maar Mia gaf antwoord.

'Nee.'

'Bent u ooit in haar flat geweest?' Hij richtte zich rechtstreeks tot de vrouw.

Joachim antwoordde voor haar. 'Nee, dat is ze niet.'

Gunnarstranda keek schuin omhoog. Hij wist zelf dat hij te scherp reageerde, maar zijn wangen brandden van woede. 'Uw vrouw is ouder dan achttien en meerderjarig. Ze kan zelf antwoord geven, zonder uw hulp. Hier in uw eigen huis of tijdens een officieel verhoor op mijn kantoor, zonder dat ze door u wordt onderbroken!'

De andere man zweeg. Gunnarstranda wendde zich weer tot Mia. Hij haalde diep adem en keek haar met zijn witte glimlach aan. 'Bent u ooit in haar flat geweest?'

Nog voor hij klaar was met de vraag had ze al een paar keer met haar hoofd geschud.

De politieman stond op en pakte zijn notitieblok van de tafel. 'Dat was alles voor dit moment,' concludeerde hij. 'We gaan in deze zaak op dezelfde manier te werk als in andere zaken. We zetten het onderzoek in eerste instantie zo breed mogelijk op. We zullen daarom zeker nog weer terugkomen, om nader op de details van uw verklaring in te gaan. We zijn altijd afhankelijk van de goede wil van de getuigen. Dat is een van de voorwaarden van een onderzoek.'

Meer hoefde hij niet te zeggen. Ze waren geen van beiden geïnteresseerd. Hij vertrok. Niemand liet hem uit.

# 4

Op straat moest hij precies vier minuten wachten tot Frank Frølich met de dienstauto naast hem stopte.

Gunnarstranda nam plaats zonder zijn veiligheidsgordel om te doen. 'Wat heb je ontdekt?' bracht hij hijgend uit terwijl hij zijn best deed om zijn jas niet helemaal te verkreukelen.

'Ik heb naar haar werk gebeld.'

Frølich reikte naar achteren en pakte een donkerbruine, versleten leren tas van de achterbank. Hij nam er een pak papier uit. 'Ze werkte als een zogenaamde cliëntadviseur, dat betekent waarschijnlijk verkoper. Ze is een halfjaar geleden aangenomen nadat ze op een advertentie had gereageerd.'

Hij draaide zich weer om. 'Ik heb met een vrouw van dat kantoor gesproken, met Sonja Hager. Het is waarschijnlijk een klein bedrijf, die indruk kreeg ik tenminste. Ze hechtten veel waarde aan flexibiliteit van het personeel, zei ze. Dus waarschijnlijk hield ze zich ook met andere dingen bezig.'

Het was krap op de voorbank met Frølich als chauffeur. De grote man zat haast met z'n knieën tegen het stuur geklemd, terwijl hij zijn stoel zo ver mogelijk naar achteren had geschoven. Toen hij in de papieren op zijn schoot zocht, moest de hoofdinspecteur zich helemaal tegen het raam aan drukken om plaats te maken voor Franks armen.

'Ze heeft in haar geboorteplaats de middelbare school gevolgd, ergens in West-Noorwegen, in Møre og Romsdal.'

De man achter het stuur krabde in zijn baard. Net als zijn haar was zijn baard zwart met hier en daar een grijze haar; beide zo stug als een straatbezem. Tot Gunnarstranda's afgunst. Zijn enige troost waren de grijze haren; de man was nog geen dertig.

'En daarna is ze naar Oslo verhuisd.'

Frølich sprak altijd een beetje nasaal als hij een samenvatting gaf van zijn aantekeningen. Hij ademde door zijn neus en gebruikte zijn mond om mee te praten. 'Ze heeft een paar maanden voor uitzendbureaus gewerkt,' las hij voor. 'Verder is het nog wat onduidelijk, maar ze heeft ook een jaar bij de post gewerkt. Ze is daar anderhalf jaar geleden gestopt, omdat ze wilde studeren. Sinds 13 januari vorig jaar staat ze ingeschreven bij de universiteit, maar ze heeft nog geen examens gedaan. Sinds 4 mei staat ze ingeschreven bij het arbeidsbureau. Begin oktober vorig jaar is ze begonnen bij A/S Software Partners, zoals het bedrijf heet. Ondertussen heeft ze nog een paar weken als caissière in een supermarkt gewerkt.'

Gunnarstranda knikte. De ander bladerde verder in de stapel papieren op zijn schoot en vertelde dat het appartement waarin ze woonde eigendom was van een leraar die op het moment in Finnmark werkte om zijn studiebeurs sneller af te betalen. Ze woonde er al twee jaar.

'Die leraar heeft trouwens al twee keer gebeld en zit te zeuren dat wij een nieuwe huurder moeten zoeken.' Frank Frølich zuchtte, bladerde nog wat in de papieren. 'Droogkloot, die schoolfrik.'

'Ga door.'

Gunnarstranda had zijn blik nog steeds op de straat gericht. Hij keek naar de beide hippies die hij eerder had gesproken en die nu door de poort naar buiten kwamen. Twee magere, kraaiachtige gedaantes die in grote, fladderende kleren in de richting van de Sannergata liepen, terwijl Frølich vertelde dat de vader van de vrouw dood was, maar dat haar moeder nog leefde en dat ze een twee jaar oudere zus had die was getrouwd met een olieplatformwerker en in Flekkefjord woonde, en dat ze af en toe op bezoek ging bij haar moeder en bij haar zus en dat de moeder met vragen zat over de praktische zaken rond de begrafenis.

'Financiële situatie?'

'Voorlopig nog onduidelijk.'

'Haar brievenbus was leeg,' voegde Gunnarstranda er na een moment van stilte aan toe.

Frølich bladerde in de papieren. 'Noch haar zus, noch haar moeder kan zich een speciale naam herinneren, behalve de naam Software Partners, het bedrijf waar ze werkte. Ze hebben haar al een tijdje niet gezien en ze hadden ook geen afspraak gemaakt. Ook in haar laatste brieven is hen niets opgevallen, met andere woorden: de moord was voor hen een volslagen verrassing.'

'Geld op de bank?'

'Niets. Zoals ik zei is het nog niet helemaal duidelijk, maar haar lopende rekening is leeg.'

'Goed,' mompelde Gunnarstranda zacht. Frølich had een hoop informatie boven tafel weten te krijgen. Hij had het meisje in een kader weten te plaatsen, zodat ze nu wat meer was dan alleen een dode. Maar het beeld was nog vaag, zonder details. 'Niemand heeft iets gezien of gehoord,' voegde Gunnarstranda eraan toe. 'Zelfs geen geluid van vallende voorwerpen of een gevecht.'

Hij stak een sigaret op. De andere man draaide langzaam het raampje open.

'We hebben dat stel dat zondagochtend thuiskwam van een feest.'

Gunnarstranda knikte naar het hippiepaar dat door de straat liep. 'Die twee. Ze beweerden dat er een man met een paardenstaart met zijn gezicht onder het bloed bij de poort rondhing toen ze thuiskwamen. Maar ze kunnen zich geen van beiden herinneren of ze de poort of de deur achter zich hebben afgesloten.'

Frølich knikte. 'We kunnen een compositiefoto laten maken en vragen of ze een signalement willen geven.'

'Ze zijn onbruikbaar,' zei Gunnarstranda. 'Ze waren zo onder invloed dat ze er al een kwartier over deden om zich te herinneren dat de man een paardenstaart had. Nee, dat heeft geen zin.'

Hij bleef een tijdje zwijgend zitten roken. 'Ze is vaak met het mes gestoken. Dat betekent dat op het moment van de moord de sfeer heel grimmig was.'

De sigaret brandde scheef op. Gunnarstranda blies tegen het gloeiende deel, in de hoop de fout te herstellen. 'Maar ik zet vraagtekens bij die enorme chaos. Die laden die leeg waren gehaald en al die rotzooi op de vloer. Het lijkt dat iemand op zoek was naar dingen van waarde.'

'Er is niets gestolen,' antwoordde Frølich zakelijk. Hij las voor uit het rapport: 'Stereo-installatie onaangeroerd, televisietoestel en geld op hun plaats.'

'Misschien heeft ze zich gewoon verweerd,' mompelde Gunnarstranda. 'Toch bevalt het me niet dat de voordeur onbeschadigd is. Hoewel de deur openstond toen Mia Bjerke het lijk vond.'

'Een moerslot,' zei Frølich met zijn neus in de papieren. 'Dat valt niet weer in het slot.'

Hij haalde zijn hand door zijn baard, boog zijn hoofd achterover. 'Misschien is ze gisteravond vergeten de deur af te sluiten, of ze heeft de deur voor de dader geopend en hem binnengelaten.'

Gunnarstranda keek de straat in. 'Niemand is door het raam naar binnen geklommen,' stelde hij vast. Hij draaide zich naar de ander toe. 'Denk je dat ze verkracht is? Ze had alleen een ochtendjas aan.'

Frølichs donkere ogen kregen een in zichzelf gekeerde uitdrukking. 'We weten niet op welk tijdstip van de nacht het is gebeurd,' mompelde hij. 'Maar als ze sliep en er belde een man aan ...'

Hij zweeg, zocht naar woorden. Gunnarstranda boog zich voorover en kneep de askegel van zijn sigaret in de asbak. De peuk hield hij in zijn hand.

'Als ze haar ochtendjas heeft aangetrokken,' ging Frølich verder, 'en ze opende de deur voor een man die haar daarna verkrachtte, dan moet iemand het hebben gehoord.'

Gunnarstranda dacht aan de familie Bjerke. Hun slaapkamer lag precies boven de flat van het slachtoffer. 'Niemand heeft iets gehoord,' herhaalde hij nors. 'Geen van de buren heeft iets te vertellen, alleen dat ze een mooie vrouw was. Maar dat wisten we al. Niemand kende haar en het lijkt erop dat niemand contact met haar had.'

De ander knikte. 'Zo gaat dat. Ik woon al vier jaar in mijn flat. Maar ik heb geen idee hoeveel mensen er op dezelfde etage wonen.'

'Niet iedereen is zo suffig als jij!'

'Het punt is dat mensen elkaar niet kennen, ook al wonen ze dicht bij elkaar.'

'Nee, mensen kennen elkaar niet, maar ze houden elkaar wel in de gaten! Mensen zijn nieuwsgierig!'

Ze zwegen.

'En als ze een vriend had?' vroeg Frølich na een tijdje.

Gunnarstranda draaide langzaam het raampje naar beneden. Hij knipte de verkreukelde sigarettenpeuk op straat. 'Jaloezie? Ruzie?'

Hij hield zijn hoofd scheef. 'Dat zou kunnen kloppen met alleen die losse ochtendjas om haar lichaam. Maar dan bevalt het me niet dat de deur van de flat openstond. Haar vriend zou de deur achter zich hebben dichtgedaan.'

'In paniek gevlucht,' stelde Frølich voor. 'Of hij had geen sleutel.'

'Tja.'

Gunnarstranda herinnerde zich het bovenlichaam van het dode meisje. 'Je hebt toch gezien hoe ze eruitzag, hè?'

'Ja.'

Gunnarstranda streek met zijn hand langs het portier. 'Kan een geliefde zoiets doen?' vroeg hij. Hij wachtte niet op antwoord en opende het portier. 'Kom op, Frenk,' mompelde hij. 'Aan het werk!'

# 5

Frank Frølich bleef even zitten met een ironisch lachje om zijn mond. Het was grappig dat zijn chef hem 'Frenk' noemde. Hoewel veel mensen zijn naam zo uitspraken. De jongens uit de straat vonden vroeger al dat Frenk een stuk stoerder klonk dan Frank en beter paste bij appels jatten en voetbaltraining, en sindsdien had zijn bijnaam hem achtervolgd. Maar Gunnarstranda was niet iemand die hem zo noemde. 'Nou, Frølich?' lag meer in zijn lijn. 'Wat vind jij, Frølich?'

Geforceerd gekuch en rusteloze vingers. Dat hij door dat afstandelijke heethoofd met zijn stekende blik Frenk werd genoemd, klonk haast komisch.

Hij pakte zijn spullen bij elkaar en liep achter Gunnarstranda aan, die snel de straat overstak, bleef staan en naar boven keek. Toen draaide hij zich om en liep terug om de voorgevel van het gebouw te bestuderen.

Frank keek ook omhoog. Zoals altijd verrasten hem ook nu de mooie richels en reliëfs op dergelijke oude woonkazernes. Een van de gebouwen was nieuwer. Vierkante ramen zonder ornamenten.

'Daar,' wees Gunnarstranda. 'Dat huis heeft het goede uitzicht. We moeten maar eens naar de bovenste verdieping gaan.'

Toen ze eindelijk boven aankwamen, waren ze allebei buiten adem. Op de galerij was het licht kapot, dus de naambordjes waren nauwelijks te lezen. Twee appartementen, maar er was er maar één bewoond. De andere deur ging gedeeltelijk schuil achter kartonnen dozen en andere rommel die tegen de muur was opgestapeld. Frank bukte zich en noteerde de naam die in het verschoten messing was gegraveerd.

'Arvid Johansen.'

'Smerissen?' mompelde de oude man die de deur opendeed. 'Ik zat al op jullie te wachten.'

Ze gingen een kleine, bedompte flat binnen. Een zware stank van rook, stof en iets wat aan oud visafval deed denken sloeg hun tegemoet. Grote plukken stof lagen in de hoek van de hal. De linoleumvloer zat vol vlekken en was zo vies dat hun schoenen bleven plakken toen ze erover liepen.

Een stevig gebouwde bejaarde, vroeger een sterke kerel met een rechte rug. Maar zijn benen waren stijf en zijn ademhaling klonk astmatisch. Hij had een dikke, kortgeknipte, grijze bos haar. Onder zijn ogen en kin hingen diepe plooien gerimpelde huid. Het rechteroog was rood doorlopen, waarschijnlijk een gesprongen ader.

Hij slofte voor hen uit de kleine kamer in en ging zitten in een grijze, versleten fauteuil bij het raam. Aan de andere kant van de kamer stond een kleine kleurentelevisie op een videospeler.

Op de tv was te zien hoe een vrouw kreunend op een pik zoog. Het duurde even voordat Frølich in zijn hoofd de koppeling maakte en begreep wat er speelde.

Toen had Johansen de afstandsbediening al gepakt en het beeld op het scherm bevroren. Hij legde de afstandsbediening weer weg en pakte een shagje uit de asbak op tafel. De sigaret was nog niet uitgegaan, dus hij pafte eraan tot hij weer goed brandde en nam een diepe trek, die werd gevolgd door een enorme hoestaanval. Het rochelde in zijn keel. Toen de aanval eindelijk wegzakte, spuugde hij in een zakdoek en keek hij afwachtend naar Gunnarstranda, die bij het raam ging staan. Frank keek de kamer rond. Kale muren. Maar overal lagen stapels pornobladen. Glanzend papier vol vrouwenlichamen. Hoerengezichten met uitgestoken tong. Op de tafel lag een opengeslagen foto op posterformaat van een naakt meisje met een kerstmannenmuts op haar hoofd en een gele banaan in haar kruis. Twee stevige mannenhanden dwongen haar benen uit elkaar.

'Daar word je warm van, hè?'

Johansen had Frølichs blik gevolgd. Hij lachte achter zijn samengebalde vuist. Het lachen ging over in een hoestbui.

Gunnarstranda keek uit het raam tot de man weer normaal ademhaalde. 'Kom eens hier, Johansen,' beval hij zonder zich om te draaien. De man in de stoel gehoorzaamde. Gunnarstranda's kleine hoofd reikte tot halverwege zijn borstkas.

'De flat daar schuin beneden in dat roze huis, waar de gordijnen zijn dichtgetrokken.'

'Daar woonde ze.'

Johansen was weer gaan zitten. 'Ons veulentje,' knipoogde hij tegen Frank. 'Peervormige tieten, die zo lekker op en neer bengelen.'

Hij illustreerde het met zijn handen. 'Strakke kont. Rond, en rood haar op haar kutje.'

De hand met de sigaret trilde. De man ademde zwaar, stond op en wees naast Gunnarstranda naar buiten. 'Daar woonde ze,' hijgde hij, nog eens wijzend. 'Daar woonde ze.'

De oude man liep rusteloos en stijf op en neer door de kamer.

Frank probeerde niet naar het oog met de gesprongen ader te kijken. Steeds als de man zich op zijn hakken omdraaide, knipperde het als een remlicht.

'Jullie moeten op zoek naar een jonge vent,' hijgde de oude man, 'in de twintig, niets bijzonders, maar met lang, zwart haar, dat hij in een paardenstaart draagt. Dat vinden ze mooi, die meisjes.'

Voor hij weer ging zitten, keek hij naar het plafond. Zijn sigaret was uitgegaan, maar hij stak hem weer aan met een oude, afgeschilferde aansteker. De aansteker deed het niet direct. De beide politiemannen zagen hem worstelen om zijn vingers onder controle te krijgen bij elke poging die hij waagde. Eindelijk lukte het. Hij blies een rookwolk uit en ging verder: 'Ik heb ze de hele nacht in de gaten gehouden. Het was echt menens.'

Frank keek op. Hij ontmoette Gunnarstranda's blik.

'Ze was mijn kleine roos, ze wist wat oude kerels lekker vinden.'

Hij grijnsde kwijlend. Knipoogde naar Gunnarstranda.

'Wat hebt u gezien?' vroeg hij.

'Wat ik heb gezien?'

De oude man haalde rochelend adem. 'Wat denk je dat ik gezien heb?'

Hij tilde zijn rechterhand op en maakte een ring met zijn duim en wijsvinger. Daarna wreef hij met zijn linkerwijsvinger door het gat heen en weer. Het was een komisch gezicht. De oude man lachte, kreeg problemen met zijn ademhaling en moest zijn gebalde vuist voor zijn mond houden om het astmatische lachhoestje te stoppen dat naar boven kwam.

Frank liep ook naar het raam, zette het een klein stukje open. Hij hield zijn gezicht in de stroom frisse lucht. Even werd het stil. Het geluid van de auto's buiten vermengde zich met het geluid van Johansens astmatische ademhaling.

'Ze hadden het grote licht aan,' ging de krakende stem verder, 'met de gordijnen helemaal open. Ik zat me hier heerlijk te vermaken terwijl zij daarbeneden op haar rug met haar tieten lag te draaien!'

Het werd weer stil. Alleen het gerochel van de oude man in de stoel die zich vooroverboog en het vuur van zijn sigaret kneep, was te horen.

'Gratis!'

De ogen van de oude man stonden duister. 'En ik begrijp er verdomme helemaal niets van,' zei hij op een heel andere toon.

Frank keek hem aan. De zure geur van afval was iets minder geworden en het getekende gezicht van de man had een kwetsbare uitdrukking gekregen. De oude man zocht naar woorden. Hij verborg nu zijn gezicht achter zijn handen. 'Ik kan niet begrijpen waarom hij haar moest vermoorden!'

De palmen van zijn handen waren grof en gerimpeld.

'Hoe heeft hij haar vermoord?'

Gunnarstranda's stem sneed door de stilte, hoewel zijn toon vriendelijk was, alleen maar nieuwsgierig.

Johansen schrok op. 'Hoe? Maakt me niet uit, als jullie hem maar te pakken krijgen.'

De zweem van kwetsbaarheid in zijn stem was verdwenen. Zijn blik was weer net zo kil als toen hij de deur opendeed.

'U hebt geen antwoord gegeven op mijn vraag! Hoe heeft hij haar vermoord?'

'Hij heeft haar verdomme met een mes doodgestoken!'

De stilte in de kamer werd nu voelbaar.

'Heb ík iets fout gedaan of hij?'

Gunnarstranda ging voor hem staan. 'Hoe is het gebeurd?' herhaalde hij zachtjes.

Johansen gaf geen antwoord. Hij keek strak naar de priemende ogen van de politieman voor hem.

Frank probeerde de uitdrukking op Johansens gezicht te lezen. Was het angst, of alleen maar onwil?

Opeens liep Gunnarstranda om de tafel heen; hij had het ogenschijnlijk opgegeven. Hij nam plaats op de bank en begon zonder een woord te zeggen in de tijdschriften te bladeren. 'U hebt wel smaak, Johansen!'

De toon waarop hij het zei was niet mis te verstaan.

De oude man draaide zich niet om, hij verroerde zich niet. Zijn ogen keken strak vooruit, gericht op één punt op de wand.

'Kijk dit eens!'

Gunnarstranda hield een blad in zijn handen. 'Kijk eens,' mompelde hij. 'Johansen?'

De oude man keerde zich om. De politieman legde het blad voor hem op tafel. Frank keek nieuwsgierig over zijn schouder om het te zien. Het was een blad zonder tekst. Zwart-witfoto's, amateurklasse, vanuit vreemde hoeken genomen, slechte belichting, vage contrasten. Gunnarstranda bladerde langzaam, blad voor blad verder. De serie toonde de lotgevallen van een blonde vrouw. Eerst zat ze op een stoel, vastgebonden met touwen en kettingen die in haar huid sneden. Hulpeloos, zonder kleren, met een of ander stuk stof in haar mond gepropt. Kogelronde, bange ogen en opgezwollen aderen in haar hals, alsof ze vreselijk pijn leed, dacht Frank. Hij vroeg zich af wat zo verschrikkelijk zeer kon doen. Op de volgende foto hing ze ondersteboven, nog steeds vastgebonden, nog steeds naakt en nog steeds met die zwijgende pijnkreet getekend op hals en gezicht. Daarna greep een grote mannenhand haar haar terwijl een ander een dolk hard tegen de strakke huid op haar hals zette. Frank vroeg zich af of de zwarte vlekken op het lemmet haar eigen bloed waren. Waarschijnlijk wel, kwam hij tot de conclusie.

Gunnarstranda keek op uit het blad. 'Is het misschien zó gegaan?'

Johansen gaf geen antwoord.

Gunnarstranda bladerde om. Een ander meisje. Meer touw. Zwart touw dat hard over haar borsten spande, touw dat haar benen in een onnatuurlijke houding hield. Twee mannenhanden nu. Twee handen die probeerden het meisje met een strak touw rond haar hals te wurgen.

'Vindt u het leuk om naar meisjes met een touw om hun hals te kijken, Johansen?' fluisterde Gunnarstranda. 'Misschien droomt u er wel van om zelf het touw ook eens aan te trekken, misschien droomde u daar wel van toen u hier 's nachts zat te rukken. Misschien droomde u wel dat u naar de vrouw daarbeneden toe zou gaan en langzaam een touw om haar hals zou leggen en dan maar aantrekken en aantrekken en aantrekken, totdat ze hulpeloos in uw armen zou liggen?'

Johansens ogen stonden dof. Ze staarden passief en uitdrukkingsloos naar het kleine mannetje dat was opgestaan en weer rond de tafel was gelopen.

'Je weet wel beter, oude schooier,' siste de oude man vol haat naar het vossenhoofd dat nu nog maar vijf centimeter van zijn eigen hoofd verwijderd was.

'Als het dan zo duidelijk is, Johansen, vertel mij dan maar eens in alle rust hoe u in vredesnaam iets hebt kunnen zien in die flat terwijl de gordijnen dicht waren?'

'Zij heeft ze dichtgetrokken. Zij trok ze dicht toen hij wegging. Ze liet me overal naar kijken, tot hij wegging, toen trok ze de gordijnen dicht. Ze zwaaide naar me en trok de gordijnen dicht!'

De laatste woorden klonken weer net zo kwetsbaar als daarnet.

Frank fronste zijn voorhoofd. Zwaaide, dacht hij verbaasd.

Gunnarstranda richtte zich iets op. De afstand tussen hem en de oude man bedroeg ongeveer een halve meter. 'En toen is hij weggegaan? Zonder iemand te vermoorden?'

'Hij heeft gewacht, gewacht tot zij de gordijnen had dichtgetrokken, en toen heeft hij haar vermoord.'

'Dat zuigt u uit uw duim!'

'Maar dat is toch logisch!'

Johansen had weer kleur op zijn gezicht. De dreigende sfeer was verdwenen. Zijn hand omklemde het pakje shag.

Gunnarstranda liep naar het raam en leunde met zijn rug tegen het glas. 'Ik wil precies weten wat u hebt gezien,' zei hij rustig. Hij stak ook een sigaret op. 'Verder niets, niet wat u denkt of wat u vindt, alleen wat u hebt gezien.'

Johansen stond op. 'Dan zal ik het luid en duidelijk vertellen,' zei hij kortaf. Nu hij stond, torende hij hoog boven de politieman uit, hoewel hij met zijn hand tegen het kozijn leunde en zich niet in zijn volle lengte uitrekte.

'Ik zal het je vertellen,' mompelde hij arrogant met een scheef, triomfantelijk lachje. Frank luisterde gespannen.

Johansen wees naar beneden. 'Zie je die houten schutting langs dat bouwterrein?'

De oude man wees met zijn wijsvinger naar een gapend gat in de rij woningen naast het huizenblok waar het slachtoffer had gewoond. Een hoge schutting vormde de afscheiding met het bouwterrein.

'Daar was ie,' fluisterde Johansen hees. 'Nadat ie mijn kleine roos had vermoord.'

De blik van de oude man was versluierd en in zichzelf gekeerd. Hij sprak tegen zichzelf, alsof er niemand anders was.

'Maar mij hield hij niet voor de gek, want ik heb hem gezien. Hij wilde niet gezien worden, daarom liep hij met een boog om de poort en de hoofdingang heen en sloop hij langs die kant weg, over de schutting. Zijn hele gezicht zat onder het bloed! Het duurde zeker een kwartier voor hij naar buiten kwam, nadat zij de gordijnen had dichtgetrokken!'

Gunnarstranda staarde in gedachten verzonken uit het raam. Johansen gniffelde zacht en kreeg weer een aanval van astmatische hoest.

'Een kwartier,' hoestte hij achter zijn vuist, en met dezelfde triomfantelijke uitdrukking op zijn gezicht ging hij weer zitten.

Twijfelend fronste Gunnarstranda zijn voorhoofd. 'U bedoelt dat hij de binnenplaats op liep, over de schutting naar het bouwterrein klauterde en ten slotte over de tweede schutting naar de straat, terwijl hij ook door de poort kon lopen?'

'Hoe hij op de bouwplaats is gekomen weet ik verdomme niet, maar ik zag hem over de schutting klimmen!'

'En u bent niet op de gedachte gekomen dat het wel een heel omslachtige route naar de straat is?'

Johansen lachte honend. 'Daar heeft hij vast wel rekening mee gehouden, toen hij haar eenmaal vermoord had.'

Gunnarstranda dacht even na, tot hij zich plotseling omkeerde. 'Hoe laat kwamen ze 's avonds thuis?'

Johansen haalde zijn schouders op.

'Hoe kreeg u ze in de gaten? Maakten ze lawaai op straat, of zoiets?'

'Nee,' mompelde Johansen, en hij stond weer op. 'Ik zag gewoon dat het licht in haar kamer aanging. Het was een uur of halfeen 's nachts. Ik was net naar de wc geweest, toen ging beneden ineens het licht aan, en tja, omdat ze die vent bij zich had ...'

Na een veelzeggende pauze grijnsde hij weer dat glibberige lachje. 'Nu hebben we wat te kijken, dacht opa!'

Johansens lach ging nog een keer over in een hoestaanval. Zijn hand trilde toen hij probeerde de aansteker weer aan te knippen.

'Is er nog iemand door de poort gekomen, nadat de man was vertrokken?'

De ander dacht na.

'Zag u iemand door de poort komen?' herhaalde de politieman rustig.

De oude man zweeg.

'Zag u iemand naar binnen gaan?'

'Nee,' zei de ander uiteindelijk, zonder de politieman aan te kijken.

'Zeker weten?'

'Ja!'

'Hoe laat is hij bij haar weggegaan?'

'Tussen vijf en zes.'

'Ik weet dat er tussen vijf en zes mensen door die poort zijn gekomen, Johansen.'

Johansen gaf geen antwoord.

'Misschien hebt u toch niet zo goed opgelet, Johansen?'

'Ik heb verteld wat ik heb gezien!'

'Maar niet alles?'

'Ik heb verteld wat ik heb gezien, verdomme!'

'Wat heeft de man gedaan nadat hij over de schutting was geklommen?'

'Gedaan?'

'Ja, ging hij ervandoor?'

'Ja, hij ging ervandoor.'

'De man met de paardenstaart?'

'Ja.'

'En als ik zeg dat ik twee getuigen heb die zweren dat ze die man met de paardenstaart tussen vijf en zes voor de poort hebben zien rondhangen?'

'Ja, wat dan nog?'

De politieman kwam dichterbij. 'Weet u dat zeker van die houten schutting, Johansen?'

'Ik heb verteld wat ik heb gezien!'

'Maar waarom hebt u die twee anderen niet aan zien komen?'

Johansen keek Gunnarstranda strak aan. 'Nu weet ik het weer!' zei hij op kille toon. 'Ze kwamen met een taxi. Klopt. Twee stuks. Ongeveer op het moment dat hij over de schutting klom.'

Frank bestudeerde het gesloten gezicht van de oude man. Het was onmogelijk te zeggen wat er in zijn hoofd omging. Zijn adem rochelde nog steeds zacht en ritmisch.

'Hebt u nog meer gezien?' klonk Gunnarstranda's stem.

'Ik heb verteld wat ik heb gezien.'

'Verder hebt u niemand gezien?'

De oude man schudde zijn hoofd, zijn gezicht gesloten.

'Dit is verdomd belangrijk, Johansen! Hebt u nog anderen door de poort zien komen?'

'Ik heb verteld wat ik heb gezien!'

Johansen keek Gunnarstranda strak aan. 'Een kwartier nadat zij het gordijn had dichtgetrokken, klom hij over de schutting!'

Gunnarstranda deed of hij hem niet hoorde en vroeg met een grijns: 'Hebt u gezien dat ze met anderen neukte?'

Johansen keek hem aan. Een hele tijd.

'Maar toen ze de gordijnen dichttrok, heeft ze naar u gezwaaid?'

Stilte.

'Waarom zou ze naar u zwaaien?'

De oude man rookte. Keek naar het plafond.

'U hebt gezien dat ze rood haar op haar poesje had. Dan moet u haar goed bestudeerd hebben.'

Johansen doofde zijn sigaret in de asbak en moest nog wat oude tabak uitdrukken die begon te smeulen.

'Hoe lag ze het liefst?'

De oude man begon zwaarder adem te halen.

'Boven of onder? Hoe lang ging ze meestal door?'

De oude man ademde moeizaam. Zijn adem klonk rochelend.

Frank Frølich betrapte zich erop dat hij op zijn horloge keek. Hij kreeg een knikje van Gunnarstranda, voor die zich weer op de oude man concentreerde: 'U hebt zaterdagnacht dus de hele nacht hier gezeten?'

'Ik ben hier in slaap gevallen.'

Johansen bewoog onrustig. 'Ik heb in de stoel geslapen, dat doe ik meestal. Het is zo'n gedoe om 's avonds de bank op te maken.'

Frank volgde zijn blik naar de bank en een hoop vieze kleren. Daaronder herkende hij het geruite patroon van een flanellen laken.

# 6

Frank Frølichs interesse voor zalmvissen was langzaam ontstaan. Hij was opgegroeid in Oslo en had nooit tot de kringen behoord die zich visrechten in de Namsen-rivier konden veroorloven. De visavonturen uit zijn jeugd beperkten zich tot ijsvissen in Østmarka en snoeken in de plassen en meertjes rond de stad. Maar omdat vissen zijn allesover-heersende passie was, lag er uiteindelijk toch een vlieghengel onder de kerstboom, die vervolgens in een kast werd opgeborgen. Tot er iets gebeurde wat de grote ommekeer betekende voor zijn liefde voor vissen.

Met twee vrienden van de Oslo Jacht- en Visvereniging was hij een paar jaar geleden op vakantie gegaan met zijn toen nog bruikbare Tau-nus 17M. Na een stop bij het Jazzfestival in Molde, waar Albert King een concert gaf, waren ze naar het noorden gereden en hadden ze op een nacht stiekem gevist aan een stille rivieroever, waar tussen de zwakke stroomversnellingen kalme, zwarte kolken draaiden. Het was vochtig en koud geweest, en hun handen die de hengels vasthielden, jeukten van de muggenbeten. Van de rivier steeg een koele nachtnevel op die tegelijk naar water, nectar en zomer rook. Hij had met een zelfgebouwde telescoophengel gevist en genoten van de aanblik van de onderlijn die perfect op het wateroppervlak lag, alsof het water bedekt was met een dun laagje ijs. De maan had machtig en rood aan de hemel gestaan. Hij werd eindeloos in het glasheldere water weerspiegeld en wierp een sprookjesachtige lichtzuil van oever tot oever.

En toen gebeurde het.

Een ruk aan zijn arm en de lijn stond zo strak als een tuidraad. Het begin van een gevecht waarvan hij zich niet veel meer kon herinneren. Alleen de nerveuze verlamming in zijn dijen, het gevoel in zijn benen dat in het ijswater verdween terwijl hij de lijn liet vieren en zijn vrienden riep. Hun bleke gezichten toen ze langs de oever liepen, paniekerig op zoek naar de landingshaak, terwijl ze hem ondertussen goede raad toeriepen. De stevige hengel die trillend naar het wateroppervlak boog.

De vis trok hard, en zijn bovenarmen deden pijn. De panische angst dat het snoer niet goed aan de vlieg was geknoopt. Het gevoel van over- winning bij elke meter snoer die hij wist in te halen. Tot het moment dat de zwarte rug van de zalm zich deemoedig voor zijn laarzen krom- de en de vis zich gewillig in het schepnet liet vangen.

Maar één beet. En daarna een ziekte waarvan hij niet meer genas. Vliegvissen was zijn grote passie geworden.

Het was nog vroeg in de ochtend. Om de tijd te doden, in afwachting van zijn audiëntie in het Gerechtelijk Laboratorium, was hij bij de boekhandel binnengelopen. Hij had een dik boek over insecten gekocht. Over de ontwikkeling van eitjes, larven en poppen tot insec- ten, alles wat in de Noorse zomer met klapperende vleugels rondvloog. Gunnarstranda had hem het idee aan de hand gedaan toen Frølich had verteld dat het hem aan echte modellen ontbrak. Dus had hij nu dit boek gekocht.

Daarna reed hij naar huis. Hij merkte dat hij honger had toen hij de snelweg verliet, de korte route langs de kerk van Manglerud nam en vervolgens met de stroom meereed door de Havrevei.

Zoals altijd in het voorjaar stonden overal parkeerverbodsborden. Een gele veegwagen probeerde langs de rand van het trottoir de kiezel- steentjes die in de winter werden gestrooid, weer op te ruimen. Daar- om reed hij achteruit tot voor de deur van het flatgebouw waar hij woonde en parkeerde daar. Hij nam de lift naar de negende verdieping en ging naar binnen.

Toen hij de deur opende, hoorde hij de stem van Eva-Britt luid en ongegeneerd neuriën, zoals alleen mensen doen die een koptelefoon ophebben en denken dat ze alleen zijn. In zijn baard brak een brede glimlach door. Hij had gedacht dat hij haar een tijdje niet zou zien. Daarom legde hij het boek aan de kant en sloop de kamer binnen. In de deuropening bleef hij staan. Ze lag naakt achterovergeleund in de luie stoel. Haar borsten vielen zwaar opzij, haar benen had ze over elkaar geslagen. De kamer werd felverlicht door de zon die door de grote balkondeuren naar binnen scheen. Een groot, geel vierkant bedekte het witte tapijt met de lange, lichte haren. Stof danste in het zonlicht. Haar tenen waren lichtjes gespreid en bewogen ritmisch, alsof iemand er speels met een touwtje aan trok. De zwakke beweging deed haar borsten met de donkerpaarse tepels zachtjes op en neer deinen. Maar haar gezicht onder de koptelefoon was onwerkelijk lelijk. Ze zag eruit als een grof gehouwen gipsfiguur. Een ballon bedekt met papier- maché.

Het leek alsof ze zijn blik kon voelen, want ineens opende ze haar ogen. Het leken twee zwarte vlekken in de papperige massa.

'Wat heb je in hemelsnaam met je gezicht gedaan?' vroeg hij naar adem snakkend toen zij de koptelefoon afdeed.

'Yoghurt,' zei het paphoofd. 'Gezichtsmasker.'

'Jee!'

Hij liep de kamer in en ging naast haar zitten. Hij kon zijn hand niet tegenhouden en streelde over de vage rimpel aan haar hals. 'Ik dacht dat je op de universiteit was.'

Zijn hand werd naar haar strakke buik getrokken.

'Geen zin.'

'En de kleine?'

'Bij haar vader.'

De ogen in het papgezicht werden nog zwarter. Haar hand streelde zijn onderarm. 'Je hebt koude vingers.'

Haar stem klonk alsof ze niet genoeg lucht kreeg om alles te zeggen. Hij knikte en liet zijn vingers over haar borsten lopen. Hij boog naar voren en nam een likje van haar gezicht.

'Lekker,' smakte hij.

Ze grinnikte, drukte haar hals tegen zijn lippen terwijl hij zich naar boven likte. Hij kreeg zijn mond vol yoghurt en slikte.

'Het is pas halfelf,' hoorde hij haar zeggen terwijl zijn vingers over haar buik liepen. Verder naar beneden. Likte. Slikte. Nog meer yoghurt. Al gauw waren haar wangen en een van haar ogen schoon. Hij boog over haar heen en probeerde tegelijk zijn kleren uit te trekken. Eén hand bleef in zijn trui steken en plotseling zaten zijn beide armen achter zijn rug in een knoop.

De yoghurtklieder was bijna op. Haar rode lippen schenen door de prut heen. Hij hinkte op één been, beide armen op zijn rug. Hij viel op de vloer en kroop op zijn knieën. Ze lachte en hielp hem uit zijn kleren. Tot hij net zo naakt was als zij.

'Mijn god, wat ben jij dik!' riep ze opgetogen en ze wrong zich uit zijn armen. Hij kwam achter haar aan. Zijn geslacht sloeg tegen zijn buik.

Ze liep de slaapkamer in. Frank nam een aanloop en sprong. 'Ik heb je!' Ze gilde.

Ze kwamen midden op het bed terecht. De matras klapte op de vloer toen de bedbodem met een oorverdovend kabaal doormidden brak.

'Leef je nog?' vroeg hij voorzichtig.

Ze giechelde. 'Ik geloof het wel.'

Later lagen ze naast elkaar. De zon tekende een scherp wit vierkant op haar billen. Ze sliep. De telefoon ging. Hij probeerde zijn been te bevrijden zonder haar wakker te maken. De ombouw van het bed torende als een ingestort decor om hen heen. Hij pakte de hoorn toen zij in haar slaap zachtjes zuchtte en zich helemaal omdraaide. Zijn penis stond in een boog omhoog toen hij overeind kwam.

'Ja,' zei hij en wist al wie het was. 'Ja,' herhaalde hij. 'Ik ben al onderweg.'

Ze lag op haar rug in het zonlicht. Haar hoofd lag op haar armen en ze trapte lui tegen het frame van het bed.

'Wie was dat?' vroeg ze slaperig.

'Gunnarstranda.'

'Je moet dus weg.'

'Ja.'

'Je pik heeft geen zin om te gaan.'

Hij grijnsde.

'In alle boeken die ik heb gelezen, hebben mannen een slappe lul na het vrijen,' zei ze en ze wees verwijtend naar het zaakje, dat recalcitrant terugwees.

'In alle boeken die ik ken, neuken mannen wel drie of vier keer achter elkaar.'

'Dat komt omdat je van die slechte boeken leest.'

Hij keek uit het raam. Blauwe lucht en het dak van het volgende flatgebouw. Ramen.

'En je hebt het bed kapotgemaakt,' voegde ze eraan toe toen hij naar de douche liep.

Eva-Britt en hij hadden ooit in dezelfde klas gezeten. Daarna waren ze elkaar uit het oog verloren, tot ze elkaar drie jaar geleden in lijn 23 weer hadden ontmoet. Een zandlopervormige vrouw met een kinderwagen probeerde in de bus te stappen en hij had haar herkend toen hij opsprong om haar te helpen.

Twee uur later lagen ze in hetzelfde bed in zijn studentenkamer herinneringen op te halen aan vroeger, terwijl Julie van zestien maanden in de gemeenschappelijke keuken in haar wagen lag te slapen. Ze woonden met z'n tweeën in een flat, Julie en haar mama. Eva-Britt had slechte ervaringen met relaties.

'Neem je een fles wijn mee?' riep ze uit de keuken toen hij de kraan dichtdraaide.

Hij liep naar haar toe. Haar borsten schreeuwden om te worden aangeraakt toen ze een ochtendjas aantrok. Ze las grinnikend zijn blik.

'Oké,' mompelde hij, genietend van de lichte ademtocht van haar lippen toen ze in de badkamer verdween. 'Ik neem rode wijn mee.'

# 7

Hij stopte in Manglerud om wijn te kopen. De nieuwsgierige buurman liet hem niet los. In de rij stond hij zich af te vragen of Reidun Rosendal had geweten wat voor buurman ze had. Hij probeerde zich voor te stellen wat voor vrouw ze was geweest. Nou ja. Het oude zwijn was misschien gek genoeg om te geloven dat de vrouw hem die nacht met opzet had laten toekijken, maar was dat echt zo? De gedachte dat iemand anders toekeek, paste eerder bij echtparen in een midlifecrisis die hun seksuele leven weer probeerden op te fleuren.

De gedachte liet hem niet los. Ze waren die nacht tenslotte met z'n tweeën geweest. Een man en een vrouw. Onder normale omstandigheden alleen bezig met elkaar en waarschijnlijk zo verliefd dat de gordijnen voor het raam niet belangrijk waren. Maar dat was het juist. De vrouw was vermoord. Was de man die bij haar was geweest, verliefd op haar? Bestonden er echt van die idioten die de vrouw neerstaken met wie ze de hele nacht gevreeën hadden?

Frank haalde Gunnarstranda bij Grønland op en reed naar het Gerechtelijk Laboratorium, waar ze door professor Schwenke werden opgewacht. Hij liep met lange stappen voor hen uit, zijn witte jas fladderend achter hem aan. Door zijn dunne benen zag zijn keurige broek eruit als een hippiebroek uit de jaren zeventig.

De professor nam hen mee naar zijn kantoor en begon een monoloog, geïllustreerd met foto's van het dode meisje. Zijn achterovergekamde, grijswitte haar was zo onhandelbaar dat de voorste lok niet op zijn plaats wilde blijven zitten en steeds over zijn voorhoofd viel. Hij droeg een goudkleurige, rechthoekige bril, de huid van zijn gezicht was droog en geel van kleur. De arts legde de bovenste foto voor hen op tafel, terwijl hij zijn hoofd naar voren boog en het verloop van de gebeurtenissen analyseerde.

'De hoek van de steekwonden wijst erop dat de moordenaar haar ook nog in haar borst heeft gestoken toen ze al op de vloer lag,' verklaarde hij professioneel. 'Drie keer zelfs. Merkwaardig genoeg heeft het mes geen bot geraakt. Het is pas bij de laatste steek vast blijven zitten.'

Schwenkes stem klonk hees, alsof hij tijdens het praten op karameltoffees zat te sabbelen.

Frank Frølich liet de beide anderen praten. Hij keek naar Gunnarstranda, die zijn armen achter zijn rug hield en zijn vingers in elkaar had gehaakt. Zijn vissenblik was strak op Schwenkes gezicht gericht. Het leek alsof de politieman aan een haak hing; de naar achteren wijzende armen duwden de schouders iets naar boven, terwijl tegelijk zijn hoofd wat naar voren knikte en zijn ogen naar boven staarden, naar het gezicht van de arts.

'Ze is vrij snel gestorven,' zei Schwenke en hij wees naar de foto. 'In totaal is ze negen keer gestoken.' Hij pakte een andere foto, waarop de opengestoken borst was uitvergroot. 'Deze steek was al dodelijk. Het mes heeft niet alleen een long doorboord, maar ook het hart geraakt.'

Hij zweeg even en hield met twee lange, knokige vingers met gele, iets te lange nagels zijn kin vast. 'Er zijn duidelijk sporen van sperma in haar vagina gevonden, dus ze moet voor de moord seksueel actief zijn geweest, hoewel niet precies te zeggen is hoe lang van tevoren. De resultaten van het onderzoek geven misschien meer duidelijkheid.'

Schwenke gaf de stapel foto's aan Frølich. Gunnarstranda verroerde zich niet.

'Gebruikte ze drugs?' vroeg hij kortaf.

'Absoluut niet,' verklaarde Schwenke overtuigd.

'Is ze verkracht?'

Schwenke aarzelde. 'Fysiek is er geen schade aan de centrale organen,' zei hij uiteindelijk. 'Maar ze heeft voor de moord seksueel contact gehad. En wat is verkrachting? Het kan hypothetisch gezien zo zijn geweest dat de dader haar gedwongen heeft ...'

'Verkrachting kan dus niet uitgesloten worden?'

Schwenke streek weer met zijn vingers over zijn kin en dacht even na. Toen nam hij een besluit. 'Verkrachting kan niet worden uitgesloten,' verkondigde hij bureaucratisch. 'Maar ik beschouw het als een juridische kwestie, afhankelijk van de omstandigheden waaronder de seksuele handelingen hebben plaatsgevonden.' Hij maakte een klakkend geluid met zijn tong en voegde eraan toe: 'Als jullie kunnen ontdekken wat er vlak voor de moord is gebeurd.'

Ze verlieten zijn kantoor en liepen naar het laboratorium. Daar waren de wanden bedekt met schappen met glazen buisjes, kolven en allerlei kleine doosjes. Een sterke formaldehydegeur vulde de hele ruimte, en Frank bereidde zich vanwege het explosiegevaar erop voor eventuele sigaretten uit de handen van zijn chef te grijpen. Op de achtergrond zoemden de ventilatoren, die niet in staat waren de doordringende geur van chemicaliën, die hen helemaal omsloot, teniet te doen. Midden in de ruimte stond een met een laken bedekte brancard. Onder het laken tekende zich duidelijk een lichaam af. Het laken leek snel over het lichaam te zijn uitgespreid en één hoek was met bloed bevlekt. Een paar vieze, binnenstebuiten gekeerde gummihandschoenen lagen op de deksel van een verdacht uitziende plastic emmer naast de brancard.

'Nee, nee, dat is ze niet!'

Professor Schwenke volgde Franks blik. Zijn gezicht had ineens een peinzende uitdrukking. 'Zelfmoord,' zuchtte hij. Hij leek tegen het lichaam op de tafel te spreken. 'Twee potten slaappillen tegelijk.'

Alle drie staarden ze zwijgend naar de brancard.

'Hoe laat is ze gestorven?'

Schwenke keek de hoofdinspecteur verward aan. 'Wie bedoel je?'

'De vrouw met de messteken.'

'We onderzoeken nu de maaginhoud. Alle analyses gaan volgens het protocol, zoals ik al zei. Over een aantal dingen kan ik nu nog niets zeggen.'

Hij knikte naar de brancard en met zijn karamelstem zei hij: 'Ik ken de golfbewegingen, de conjuncturen, zeg maar. En nu is het hoogseizoen ...'

'Zou ze geschreeuwd hebben?'

Schwenke leek wel boos toen hij zich weer tot Gunnarstranda wendde. 'Wie?'

'Hoe waarschijnlijk is het dat ze schreeuwde toen ze met het mes werd gestoken?'

'Ze kan geschreeuwd hebben, maar ze kan ook compleet krachteloos zijn geweest. De steek die de longen doorboorde, kan ook de eerste steek zijn geweest.'

Hij haalde adem en concentreerde zich op Frølich. 'Het is altijd al zo geweest. Ook vroeger, toen ik nog districtsarts in Tromsø was. Als iemand zich aan de balken in de schuur had verhangen, kon je er gif op innemen dat het die nacht volle maan was geweest.'

'Heeft de dader onder het bloed gezeten?'

Schwenke glimlachte rustig en knipoogde tegen Frølich voor hij zich weer omdraaide. Hij pakte een foto en gaf hem aan Gunnarstranda. 'Zoals je ziet zit het heft onder het bloed. De hand die het mes vasthield zat dus in elk geval vol bloed.'

Hij wachtte even. 'Eigenlijk moeilijk te zeggen,' concludeerde hij. 'De dader heeft in elk geval bloed op zich gekregen, maar ik kan niet zeggen hoeveel. Je hebt gezien dat er niet veel bloed op de vloer lag, en voor zover ik heb begrepen waren er verder ook niet veel bloedspatten.'

De professor wendde zich weer tot Frank, maar werd onderbroken door het geluid van een grijze telefoon op een van de werkbanken. 'Voor jou!' riep hij tegen Gunnarstranda, die de hoorn met een haastig 'Ja!' overnam.

Frank en Schwenke hadden nog geen woord gewisseld toen de hoofdinspecteur de hoorn weer neerlegde. 'Frølich! We hebben de man met de paardenstaart!'

# 8

'Dus u weet zeker dat ze de deur achter u heeft afgesloten?'
 'Ja.'
 'Hebt u dat nog gecontroleerd?'
 'Nee, maar ik hoorde het.'
 'Hebt u niet iets anders gehoord? Een raam dat klapperde, of zoiets?'
 'Nee. Het was het slot.'
 'Hm.'
Hoofdinspecteur Gunnarstranda ondersteunde met één hand zijn hoofd. In de andere hand hield hij een sigaret, die hij over de rand van de asbak streek om de as eraf te tippen. Frank zag tot zijn verbazing dat er een dikke blauwe rookwolk opsteeg in de richting van Gunnarstranda's ogen, maar dat scheen hem niet te deren.

De jonge man zat op de stoel aan de andere kant van de tafel. Hij was halverwege de twintig en had lang, zwart haar dat in een paardenstaart was gebonden. Frølich zag hem en profil. Een kleine, kinderlijke neus stak naar voren uit een gezicht waarover de schaduw van een baard lag. Een pleister was te klein om een bruinrode schaafwond op zijn slaap te bedekken. Zijn kleren, allemaal donker van kleur, hingen als het ware om het slanke lichaam heen. Een goed uitziende jonge man, hoewel hij niet echt gespierd of bijzonder getraind leek.

Frank begreep dat het moeilijk zou worden om alles op te schrijven wat er zou worden gezegd. Daarom zette hij de cassetterecorder aan en draaide hij de stoel weer naar zijn scherm. Klaar om op te schrijven wat hij mee zou krijgen.

'Hoe lang bent u op de binnenplaats gebleven?' hoorde hij Gunnarstranda vragen.

'Ik weet het niet.' De man schraapte angstig zijn keel. 'Hooguit tien minuten.'

Frank Frølich schreef het antwoord op. Het gedempte geluid van vingers op het toetsenbord was het enige wat in de kamer te horen was.

'Heeft iemand u gezien?'

'Weet ik niet.'

'Weet u dat niet? U moet behoorlijk wat lawaai hebben gemaakt als u daar tien minuten hebt rondgehangen. Denk nog eens na!'

De ander schraapte nogmaals zijn keel. 'Ik weet het eerlijk waar niet.'

Frank gaf het schrijven op. Zijn stoel kraakte toen hij hem ronddraaide. Hij keek naar Gunnarstranda, die zijn sigaret doofde, opstond en om de tafel heen liep. Hij zakte door zijn knieën en steunde met zijn handen op zijn bovenbenen. 'U bent bang,' constateerde hij en hij ging zachtjes door: 'U beeft.'

De ander wendde zijn blik af.

De sigarettenrook hing als een dikke, blauwe wolk in het schijnsel van de bureaulamp.

'Waarom bent u over de schutting geklommen?'

'Dat heb ik al gezegd, ik wilde naar huis.'

'Waarom hebt u niet bij haar aangebeld, zodat ze de poort voor u open kon maken?'

'Omdat ...'

'Waarom?'

'Ik weet het niet.'

Gunnarstranda draaide zich om en ging weer zitten. 'Waarom bent u naar ons toe gekomen?'

'Waarom?'

'Ja, hoe hebt u van de moord gehoord?'

'Ik heb het gelezen.'

'In de krant stonden geen naam en adres.'

'Ik voelde het.'

'Voelde?'

'Ze nam de telefoon niet op. Ik heb gebeld en gebeld, maar ze nam de telefoon niet op. Ik moest weten of zij het was.'

'En u had haar dus niet eerder ontmoet?'

'Nee.'

'Dus u bent zaterdag gelijk met haar naar bed gegaan?'

De ademhaling van de jonge man stokte even. Hij gaf geen antwoord.

'Wilt u alstublieft antwoord geven?'

'Ze is dood.'

'Ja, daar ben ik me van bewust.'

De stilte daalde weer neer. Er klonk alleen een zacht gezoem in de kamer; het geluid van Franks pc.

'Hoe vaak hebben jullie seks gehad?'

Het antwoord liet op zich wachten.

'Geeft u antwoord. Hoe vaak hebben jullie seks gehad?'

'Twee keer.'

'Enige vorm van bescherming?'

'Nee.'

'Zelfs geen condoom?'

'Nee, ik ging ervan uit dat zij ... een spiraaltje of zoiets had.'

'In deze tijd van aids?'

'Tja, maar ik had geen condoom.'

'Dus u gaat stappen om een vrouw te versieren, maar zij is verantwoordelijk voor de praktische gang van zaken?'

'Ik ging niet stappen om een vrouw te versieren.'

'Maar u bent met haar naar bed geweest!'

Stilte.

'Geef verdomme antwoord!'

De man in het zwart haalde diep adem.

'Oké, u ging niet stappen om een vrouw te versieren. Hoe ging het dan?'

'We kwamen elkaar tegen, zoals ik al zei, we hebben samen gepraat, wijn gedronken ... en ... tja ... we besloten naar haar huis te gaan.'

'Waar hebben jullie elkaar ontmoet?'

'In een bar. Scarlet.'

Hij aarzelde. 'Ja, Scarlet. Ik was er voor het eerst, ik kende haar niet, had haar nog nooit gezien, ze zat alleen ... we dansten ... en ... tja ... toen ben ik bij haar gaan zitten ... en ...'

'Was ze alleen?'

'Volgens mij wel.'

'Wat bedoelt u daarmee?'

'Het leek erop.'

'Dus ze zat alleen en ze wilde versierd worden?'

'Nee.'

'Wat bedoelt u met "nee"? Was ze niet alleen?'

'Jawel.'

'Maar ze zat er niet in haar eentje?'

'Jawel, ze was alleen, maar zo was het niet.'

'Hoe was het wel?'

'Ze danste niet met één man in het bijzonder.'

'O, nee? Ze danste dus met meerdere mannen?'

'Ja.'

'En u hebt haar een tijdje in de gaten gehouden?'

'Ja.'

'En u hebt ook met haar gedanst?'

'Ja.'

'En dan durft u te beweren dat u niet op de versiertoer was. U liegt!'

Gunnarstranda was met zijn bureaustoel een stukje van de tafel weggerold. Hij draaide ongeduldig heen en weer. De ander zat beweging-loos voor zich uit te staren.

'Waarom bent u daar zaterdag heen gegaan?'

'Weet ik niet. Het was zaterdag, ik had overal naartoe kunnen gaan, ik was de stad in gegaan.'

'En wat gebeurde er verder?'

'Tja, we zaten samen te praten, we leerden elkaar kennen.'

'Goed. Wat is er bij haar thuis gebeurd?'

'Tja ... we hebben met elkaar geslapen.'

'Hoe hebben jullie met elkaar geslapen?'

Stilte.

'Ik vroeg hoe jullie met elkaar geslapen hebben. Hoe hebben jullie gevreeën?'

'We ...'

'Heeft zij zich aangeboden?'

'Aangeboden?'

'Heeft ze zich uitgekleed, is ze op bed gaan liggen en heeft ze haar benen gespreid?'

'Nee ... we ...'

'Vertel dan wat er is gebeurd!'

'U praat over iemand die dood is!'

'Ik heb al gezegd dat ik me daarvan bewust ben!'

Gunnarstranda zette zich af en rolde de stoel met een enorm kabaal naar de tafel toe. Hij boog naar voren. 'Dus vertel me verdomme nu maar eens wat er gebeurd is vanaf het moment dat jullie binnenkwamen!'

'Ik heb mijn armen om haar heen geslagen.'

'Hoe hield u haar vast?'

'We hebben elkaar gekust.'

'Hoe hield u haar vast?'

'Ik heb haar billen gestreeld.'

'En toen?'

'Toen zijn we naar bed gegaan.'

'Met kleren aan?'

'Ik heb haar uitgekleed.'

'En ze heeft geschreeuwd!'

'Geschreeuwd?'

'Ja, ze schreeuwde en ze weigerde, zo was het toch?'

'Nee, zo was het niet!'

Gunnarstranda sloeg met zijn vuist op het tafelblad. 'Zo was het niet? Zo was het niet? Ze schreeuwde! Ze bleef maar schreeuwen en toen moest u haar de mond snoeren!'

'Nee!'

'Kijk hier maar eens naar!'

Gunnarstranda stond op en smeet de foto van Reidun Rosendals vermoorde lichaam op tafel.

De jonge man pakte de foto, wierp er even een blik op. Frølich kon uit zijn reactie niets opmaken. Dode mensen zijn niet mooi, dacht hij. Deze ook niet. Het bloed en het bevlekte mes tussen haar borsten.

'Ziet u de stropdas?' vroeg Gunnarstranda zacht.

De ander schudde verbaasd zijn hoofd.

'Hij komt net onder haar ochtendjas uit.'

De ander knikte, maar keek niet weer naar de foto. Hij draaide hem andersom.

'Dat is toch uw stropdas?'

'Ik heb haar niet vermoord!'

'Is het uw stropdas?'

'Ik heb het niet gedaan!'

'Is het uw stropdas?'

'U kunt me niet beschuldigen van iets wat ik niet heb gedaan!'

'Geef antwoord op mijn vraag! Is het uw stropdas of niet?'

'Ja, verdomme! Het is mijn stropdas!'

Plotseling stond de jonge man op. Hij smeet de foto op tafel.

Het werd stil. Gunnarstranda had zijn stoel weer van de tafel weggerold. Tussen zijn lippen liet hij peinzend een sigaret wippen. Hij staarde de man aan, legde de sigaret weg en trok de stoel weer naar de tafel toe. 'Wordt u vaak boos, Sigurd?'

De agressieve houding verdween als sneeuw voor de zon. De dunne benen trilden. Hij tastte achter zijn rug naar de stoel en ging zitten.

'Ik ben niet boos.'

'Dat heb ik niet gevraagd.'

De jonge man staarde stom en hulpeloos voor zich uit.

'Ik vroeg of u vaak boos wordt.'

De ander wendde zijn blik af.

'Als u af en toe eens boos wordt, Sigurd, dan wordt u heel erg boos, hè?'

De ander haalde zijn schouders op.

'Hebben jullie 's nachts nog iets gegeten?'

'Ja ... we hebben een paar boterhammen gegeten ... met gebakken ei.'

'Wanneer?'

'Ik heb niet op de klok gekeken.'

'Was dat na de eerste vrijpartij?'

De ander knikte.

'Hoe was het om met haar te vrijen?'

De ander zweeg.

'Was ze actief?'

Stilte.

'Of lag ze erbij als een zak aardappelen en liet ze zich pakken?'

De ander gaf geen antwoord.

'Houdt u ervan als vrouwen een beetje tegenspartelen?'

Geen reactie.

'Geef antwoord als ik iets vraag!'

'U maakt iemand bespottelijk die niet meer leeft!'

'Tja.'

Frank zag hoe Gunnarstranda opstond en zijn armen uitspreidde. Hij liep een tijdje door de kamer op en neer. 'Jullie hebben dus brood gegeten,' repeteerde hij. 'Jullie hebben eieren gebakken.'

Hij bleef staan en dacht na. 'Wie heeft het brood gesneden?' vroeg hij ten slotte.

'Ik.'

Gunnarstranda liep terug naar zijn bureau. Hij deed een greep in een van de laden en pakte een mes. Frank zag hoe hij het licht van de bureaulamp met opzet in het blanke staal liet fonkelen. Het lemmet was licht gebogen, zodat de snijkant de vorm van een buikje had.

Het was doodstil in de kamer toen Gunnarstranda het mes voorzichtig op tafel legde. Het lemmet kraste met een droog geluid langs de rand van de tafel.

Frank hoorde hoe Sigurd slikte.

Gunnarstranda ging weer langzaam zitten. 'Pak het mes, Sigurd,' droeg hij vriendelijk op.

De ander slikte weer. Schoof onrustig met zijn benen.

Gunnarstranda leunde met zijn ellebogen op tafel. 'Pak het mes, Sigurd,' herhaalde hij.

Sigurd staarde een tijd lang naar het plafond.

'Pak het mes!'

De stem van de politieman weerkaatste tussen de muren.

'Nee!' Het antwoord klonk zacht. De man in de stoel haalde adem. Slikte. Probeerde de woorden eruit te persen.

'Waarom ...' probeerde hij, maar moest toen zijn neus ophalen omdat het snot eruit liep. 'Waarom ...' begon hij nog een keer. Maar weer moest hij stoppen. 'Waarom kunt u haar niet met rust laten?'

Gunnarstranda pakte het mes en speelde ermee. Maakte met de punt zijn nagels schoon. 'Hebt u weleens contact gehad met een advocaat?'

Frank Frølich zag hoe Sigurd zijn hoofd naar voren liet zakken en tegen de rand van de tafel leunde.

'Hebt u haar met het mes gestoken, Sigurd?'

Geen antwoord.

Frank zag Gunnarstranda's teleurgestelde blik. Hij knikte en zette de cassetterecorder uit.

'Frølich,' klonk Gunnarstranda's luide stem, 'breng de man naar zijn cel.'

# 9

Eva-Britt was bij het Ullevål-stadion uitgestapt. Het was nog vroeg in de morgen, maar de grootste drukte van de ochtendspits was voorbij. Frank Frølich was in een goed humeur. Hij liet Smestad redelijk snel achter zich en het was nog maar net negen uur geweest toen hij de auto parkeerde voor een betrekkelijk nieuw kantoorgebouw aan de Drammensveien bij Lysaker. Hij nam alleen een schrijfblok en een paar potloden mee.

Het was een opvallend gebouw. Een kantorencomplex geïnspireerd op de iglo-architectuur van de Eskimo's en voorchristelijke tempelbouw. De naam van de ontwerper sierde een deel van de voorgevel.

De deuren gingen automatisch open en hij liep de hal binnen. Op de vloer lagen geslepen en gepolijste natuurstenen in verschillende kleuren. Het was zonder twijfel een dure vloer, die ook een bepaalde distantie schiep. De muren waren witgeverfd. Door de hele hal liep op borsthoogte een vergulde lijst.

Tegenover de ingang lag de grote receptie. De hoge glazen ramen deden denken aan de loketten op een metrostation. In de opening tussen de grote ramen stond de receptioniste, een vrouw die onmiddellijk de aandacht wist te trekken. Ze was een jaar of dertig en droeg een typische kantooroutfit, een colbert en een rok van grijsblauwe, wollen stof. Haar dikke, bruine haar had een rode glans die hem deed denken aan autolak. Toen hij dichterbij kwam, trok zijn blik steeds meer naar een duidelijk zichtbare, zwarte moedervlek in het kuiltje tussen haar kin en haar brede mond.

Ze knikte naar hem en sprak in de telefoon, waarvan het snoer over haar schouder hing, terwijl haar handen met andere dingen bezig waren. Ze had stevige handen. Haar nagels waren kortgeknipt en ongelakt.

Hij leunde tegen de balie terwijl zij een paar knoppen indrukte en het gesprek beëindigde.

'Software Partners zit toch in dit gebouw?'

'Derde verdieping.'

Ze leek zich in haar kantooroutfit niet op haar gemak te voelen; de kleren zaten te krap, waardoor ze een onbeholpenheid uitstraalde die niet nodig was. Nu aarzelde ze en wilde ze de telefoon weer pakken. 'Dat is niet nodig.' Hij wees naar de telefoon. 'Ik vind het wel.'

Toen de liftdeuren opengingen, kwam hij in een grote kantoortuin terecht. Hij werd verwacht. De vrouw met de moedervlek had dus toch gebeld.

'Ik neem aan dat u van de politie bent?'

'Hm.' Frank Frølich schudde een hand.

'Øyvind Bregård.' De man maakte een korte buiging. 'Ik ben verantwoordelijk voor de financiële administratie.'

Hij was een lange, krachtig gebouwde man van een jaar of veertig. De uitgestoken hand was niet direct groot, maar zijn borst, armen en bovenbenen waren zonder twijfel met gewichten vormgegeven. In vergelijking met zijn enorme lichaam was zijn hoofd opvallend klein. Onder zijn neus droeg hij een dikke snor – blond, net als zijn kortgeknipte haar – aan de punten in ronde bogen gedraaid.

Achter hem zat een gezette, blonde vrouw voor een monitor.

'En u bent ...?'

Frank zette met uitgestrekte hand een stap in haar richting. Ze stond zo snel op dat haar stoel achteroverviel. Van verlegenheid maakte ze zelfs een kleine knicks. Haar hand was slap als een gummihandschoen en bleef, toen hij haar losliet, gewoon hangen.

'Lisa Stenersen.'

Haar naam kwam bij de tweede poging, nadat ze nerveus haar keel had geschraapt. Door de brede, platte schoenen leek haar lichaam kort en gedrongen, maar haar gezicht met bolle wangen en onderkin werd omlijst door mooi, blond haar.

Frank Frølich keerde zich weer om en ontdekte een klein ringetje in het linkeroor van de bodybuilder.

Het werd stil.

'Tja.'

Bregård draaide onrustig heen en weer.

'Misschien moeten we even een plek zoeken waar we in alle rust met elkaar kunnen praten,' stelde Frølich vriendelijk voor.

De boekhouder knikte en ging hem voor naar een deur aan de andere kant van de ruimte.

Met alleen een bureau was het kantoor schaars gemeubileerd. Maar de bijbehorende stoel had stijl. Velours, neksteun en ingebouwd kantelmechanisme. Een ideale stoel om in te zitten, schommelend en met de voeten op tafel, ondertussen mijmerend over de jaarlijkse vliegvisvakantie. Op een wankel krukje na was de kamer verder leeg. De politieman plaatste het krukje tegen de muur, zodat hij ergens tegen kon leunen. De wanden waren roze van kleur, gedecoreerd met reclame voor computers. Nogal fancy. Een vrouw die bezig was netkousen aan te trekken, met één been steunend op een pc. Buitengewoon mooie benen. En een buitengewoon kapsel.

Bregård ging in de bureaustoel zitten. Hij had een smalle, rechthoekige bril zonder montuur opgezet.

Frank maakte zijn ogen los van de netkousen. 'Zoals u waarschijnlijk begrijpt ...'

'Reidun,' onderbrak de ander hem. 'Ik heb het al begrepen.'

Frank glimlachte. Hij schreef met grote letters klootzak in zijn schrijfblok en tekende daarna Kilroy achter een houten schutting.

'Reidun Rosendal werkte hier als verkoper?'

Bregård knikte.

'Uw firma handelt, als ik het goed begrepen heb, in computersystemen?'

'Administratieve systemen, kantoorsystemen.'

De man trok een la van zijn bureau uit en zocht erin. 'We staan vlak voor een grote uitbreiding.'

De woorden kwamen hortend terwijl hij in de la zocht. Hij pakte een stapel brochures, gaf die aan de politieman en schoof de la hard dicht. 'Daar had Reidun ook een taak in. Zij hield zich bezig met de werving van dealers en andere geïnteresseerden. En natuurlijk ook met de verkoop van de gewone producten,' voegde hij eraan toe, en met het air van een echte zakenman vouwde hij zijn handen voor zich op de tafel.

Frank bladerde ongeïnteresseerd in de reclamefolders. Bonte staafdiagrammen en mooie woorden over winstgevendheid. Op de middenpagina keek het snorrengezicht van de man hem vanaf het glanzende papier glimlachend aan. Mooie foto. De politieman vergeleek de foto met de man aan de andere kant van het bureau. Het ringetje in zijn oor ontbrak op de foto. En hij was formeler gekleed dan in het dagelijks leven. De foto toonde een klassieke kantoorman met een wit overhemd, stropdas en grijs jasje. De bril was hetzelfde. De boekhouder hief zijn duim op zoals vliegeniers dat deden tijdens de Tweede Wereldoorlog. In een tekstballon boven zijn hoofd stonden de woorden VERTROUW OP MIJ!

'Werken er behalve Reidun nog meer mensen in de verkoop?'

'Svennebye, onze marketingchef. En ik.'

Hij spreidde zijn armen uit. 'We zijn een klein bedrijf, en dat betekent veel overlappingen. Engelsviken, onze directeur, houdt zich als hij tijd heeft ook met de verkoop bezig.'

'Hoeveel mensen werken hier?'

'Totaal vijf. Neem me niet kwalijk, vier. Vijf met Reidun erbij.'

De politieman tilde de stapel brochures op. 'Het bedrijf wil dus uit-breiden?'

'Het is de bedoeling dat we heel groot worden,' verbeterde Bregård hem onbescheiden. 'We zijn bezig met de werving van dealers door het hele land.'

'Met zelfontwikkelde producten?'

'Nee. We hebben een agentuur voor een buitenlands bedrijf.'

Hij liet de stoel naar achteren kantelen. Hij spreidde zijn vingers en tikte met zijn vingertoppen tegen elkaar. 'Het zit al in de naam. Software Partners. Het bedrijf is op dat concept gebouwd en wordt groter naarmate er meer contracten met dealers worden afgesloten.'

Frank knikte. 'Wat Reidun betreft ...'

De ander wachtte rustig af.

'Kent u een bar met de naam Scarlet?'

Bregård knipperde even met zijn ogen. Hij leunde weer naar voren en zette zijn ellebogen op tafel. Hij streek over zijn snor.

'Scarlet?'

Hij dacht even na. 'Ja ... toch wel ... ik ben er weleens geweest.'

'Lang geleden?'

'Al een paar weken geleden.'

'Niet afgelopen zaterdag?'

'Nee.'

'Waar was u zaterdag?'

'Thuis.'

Frølich zweeg even en zei: 'Is er iemand die dat kan bevestigen?'

'Ik was zaterdagavond alleen!'

'Hebt u tv gekeken?'

'Nee.'

'Er wordt ook alleen maar troep uitgezonden,' gaf Frank vaag toe. 'Ik kijk ook nooit naar de tv. Ik hou me bezig met vliegbinden.'

De ander staarde zwijgend over de tafel.

'Als ik bezig ben met vliegbinden, luister ik naar de radio,' zei Frølich en hij krabbelde wat in zijn schrijfblok. 'Veel beter dan die stomme amusementsprogramma's. Vindt u ook niet?'

Bregård glimlachte geringschattend. 'Ja, u hebt gelijk.'

'Misschien hebt u zaterdag ook wel naar de radio geluisterd?'

De glimlach verdween. 'Nee, dat heb ik niet gedaan.'

'Bent u getrouwd?'

De ander schudde het hoofd.

Frank strekte zijn benen naar voren en schopte zijn versleten schoenen uit. Een vage geur van zweetsokken vulde de kamer. Bregårds gezicht verstijfde. Frank volgde de blik van de man en ontdekte in een van zijn sokken een gat. Een knokige, kleine teen stak naar buiten en hapte wat frisse lucht. Hij spreidde zijn tenen. Bedacht dat hij zijn nagels ook weleens mocht knippen.

'Samenwonend?'

De man begreep hem niet.

Frank zuchtte. 'Ik vraag of u met iemand samenwoont?'

'Nee,' antwoordde de man geïrriteerd.

'Wat hebt u zaterdag dan gedaan, Bregård?'

'Ik was thuis!'

Zijn gezicht stond afwijzend. 'Zonder naar de tv te kijken, zonder naar de radio te luisteren. Ik ben vroeg naar bed gegaan.'

Frølich knikte.

'Ik ben vroeg naar bed gegaan, omdat ik zondag vroeg op wilde staan.'

De politieman fronste vragend zijn voorhoofd.

'Ik heb een lange boswandeling gemaakt.'

'Is het daar nu niet een beetje te nat voor?'

'Het is wel nat, maar ik maak toch lange wandelingen.'

'Alleen?'

'Ja, alleen,' bevestigde Bregård knikkend.

'Doet u dat vaak?'

'Ja, best vaak.'

Frank keek hem aan. Hij had een bruinverbrand gezicht en zag er gespierd uit. Typisch zo'n man die je in het bos tegenkomt. Niet verwonderlijk dus. Je hoefde er alleen maar andere kleding bij te denken. Een IJslandse trui in plaats van het witte, katoenen sweatshirt en een groene kunststof broek in plaats van de modieuze pantalon. Bergschoenen en grijze, wollen sokken. Ja, het was beslist een man die regelmatig in de buitenlucht kwam. Maar of hij juist afgelopen zondagochtend ook in het bos had gewandeld? Frank besloot een ander onderwerp aan te snijden: 'Kende u haar goed? Reidun, bedoel ik.'

Bregård aarzelde.

'Jullie hebben een halfjaar samengewerkt,' drong Frank aan. 'Hebt u haar goed leren kennen?'

'Redelijk.'

De man maakte een onzekere indruk.

'Het spijt me,' zuchtte hij gelaten. Hij schoof onrustig heen en weer en legde zijn handen op het bureaublad. 'Het is gewoon verschrikkelijk!'

Hij stond op, liep naar het raam en keek naar buiten. Brede schouders, slanke taille en buitengewoon stevige bovenbenen.

'Vrijdag was ze nog hier!'

Hij zei nog iets, maar de woorden verdronken in een onverwachte beweging. Zijn mimiek had goed in een theaterstuk gepast. Hij balde en opende zijn vuisten met nerveuze gebaren, terwijl hij tegelijk emotionele bewegingen met zijn hoofd maakte. Het had iets overdrevens, iets theatraals.

'Wanneer hebt u haar voor het laatst gezien?'

'Vrijdagmiddag. Ik heb gevraagd of ze met me uit wilde gaan, maar blijkbaar had ze iets anders te doen.'

De politieman wachtte, maar Bregård zei verder niets.

'Jullie zijn dus wel eerder samen uit geweest?'

'Soms.'

'Was u met haar samen?'

'Samen?'

De man draaide zich om, alsof hij iets bespeurde. Frank haalde diep adem, keek hem kil aan. 'Was u met haar samen?'

'Hoe bedoelt u dat?'

'Hebt u bijvoorbeeld met haar geslapen?'

De ander liep terug naar zijn stoel en ging weer zitten. Hij was boos. 'Ja, ik heb met haar geslapen,' zei hij met een afwijzende uitdrukking op zijn gezicht.

'Bent u vaak met haar naar bed geweest?'

'Nu weet u verdomme wat u weten wilde! Wilt u ook nog weten hoe lang het elke keer heeft geduurd?'

Frank moest ineens denken aan een toneelstuk waarin de hoofdpersoon ook zo liep te brullen.

'Hadden jullie een verhouding?' vroeg hij vriendelijk.

'Nee, we hadden geen verhouding.'

'Het is dus al een tijdje geleden dat jullie met elkaar naar bed zijn geweest?'

Bregård gaf geen antwoord.

'Of kon u haar gewoon bellen en een nummertje bestellen als het u uitkwam?'

Bregård zette langzaam zijn bril af. Zijn vingers trilden niet, maar zijn blik was dodelijk. 'U moet echt dankbaar zijn dat u hier uit hoofde van uw functie bent. Zo niet, dan had ik ...'

'Al goed!'

Frølich snoerde hem de mond en tilde demonstratief zijn schrijfblok op om de man eraan te herinneren waarom ze hier zaten. Hij ging verder: 'Toen u vroeg of ze vrijdag meeging en zij dat afwees, had ze toen al een andere afspraak?'

'U bedoelt of er een andere man was?'

Hij was weer tot rust gekomen. Hij draaide zich om in zijn stoel en staarde in gedachten naar de wand waar de vrouw met het buitengewone kapsel haar netkousen aantrok. Ze stond half met haar rug naar hen toe. Een zilverkleurige tanga eindigde als een draad in haar bilnaad. Haar gezicht was naar de fotograaf gewend en ze vormde haar lippen tot een kus.

Bregård was in gedachten verzonken. 'Nee,' zei hij ten slotte. 'Ze had geen andere afspraak.'

De politieman hield hem in het oog. 'Ze hield u dus op afstand?'

Bregård vormde zijn mond in een berustende glimlach. Hij gaf geen antwoord.

'Hoe was ze?'

De glimlach verdween. Zijn ogen werden twee zwarte stippen.

'Was ze geil?' Frank Frølich zweeg en wachtte af. Die sukkel was er nog niet rijp voor. Hij had zijn gezicht niet onder controle. Zijn vingers grepen de rand van de tafel.

'Ze wilde het liefst van achteren,' snauwde hij. 'Waarom gaat u niet naar de hoeren om zelf een vrouw te kopen? Dat moet toch beter zijn dan op te schrijven hoe anderen het doen!'

Frank voelde hoe zijn lippen een geduldige glimlach vormden. 'Als Reidun Rosendal niet van voren of van achteren werd genomen, maar hier aan het werk was, waar lagen dan haar interesses? Hoe was ze als mens?'

'Kleding,' zei de ander zonder nadenken. De uitbarsting was voorbij en de man was weer net zo melancholiek als zojuist. Hij staarde weer dromerig voor zich uit. 'Volgens mij was ze nogal bezig met kleding ... en haar hond. Ze kon hem niet in haar flat hebben, dus was hij bij haar moeder, in West-Noorwegen. Ze had het trouwens vaak over haar geboortedorp bij de fjorden.'

'Had ze het niet naar haar zin in de stad?'

'Nee, volgens mij niet. Ze was nu eenmaal zo ...' Hij wuifde met zijn vingers en zocht naar het goede woord. '... zichzelf!' Hij was tevreden. 'Zichzelf,' herhaalde hij knikkend.

'Ze was dus geïnteresseerd in kleding. Wat was haar stijl?'

'Geen speciale stijl.'

Hij haalde adem. 'Ze was een allrounder! Begrijpt u? Ze kon alles dragen! De ene keer leek ze op een schoolmeisje, de andere keer op de vleesgeworden droom van elke bajesklant. Ze ... Tja, dat maakte haar wel bijzonder.'

Bajesklant, noteerde Frølich, en hij keek op. 'Ja?'

Bregård keek op, hij speelde geen toneel meer. 'Ze was ... Nee,' onderbrak hij zichzelf. 'Achteraf klinkt dat zo plat.'

Frank Frølich wachtte, maar de ander wilde het niet zeggen. Zijn profiel was bleek en wat contourloos. Een snorhaar was uitgevallen en tussen de smalle, bloedeloze lippen blijven plakken.

'Met wie had ze hier het meest contact?'

'Sonja.'

De man met de snor draaide zich weer om en zuchtte lijdzaam.

'Sonja Hager. Ze komt zo.'

Frank trok zijn schoenen weer aan. Hij nam er de tijd voor en knoopte ze stevig dicht. Hij stond op. Bregård zat nog op zijn stoel te wippen en was met zijn gedachten heel ergens anders. Frank ging. In de deuropening draaide hij zich om. De ander draaide verstrooid een pen tussen zijn vingers.

'Als u nog iets te binnen schiet, iets wat ons zou kunnen helpen,' zei de politieman vriendelijk, 'neem dan contact met ons op.'

Hij wachtte het antwoord niet af, draaide zich om en liep terug naar de lift in het grote kantoor.

# 10

Lisa Stenersen had een glad en meisjesachtig gezicht, maar nu ze haar jas had aangetrokken, werd haar leeftijd duidelijker zichtbaar. Ze droeg een gewatteerde mantel. In deze mantel en met haar platte, pantoffel-achtige schoenen zag ze eruit als een revuemeisje. Alleen de bloem op haar hoed ontbrak. Ze maakte een verlegen indruk en keek nerveus op haar horloge toen Frølich binnenkwam. Haar mond was vertrokken in een bang lachje en ze speelde met een stuk papier.

'Misschien hebt u geen tijd?' vroeg hij om haar tegemoet te komen.

Ze bloosde. 'Jawel, hoor!'

Ze keek verward langs haar eigen lichaam, naar haar mantel, en werd nog roder.

Op dat moment ging de telefoon. Ze liep snel naar een van de tafels midden in de kantoorruimte. Ze pakte de hoorn op terwijl Frank neer-plofte op de bank die vlak achter haar stond. Hij keek naar het raam om daar haar spiegelbeeld te bestuderen.

'Nee, hij is hier vandaag nog niet geweest,' zei ze stijf en ze wilde weer neerleggen. Maar zover kwam ze niet.

'Wat zegt u?' riep ze plotseling nerveus met een hoge kopstem. Ze bewoog onrustig omdat er geen stoel vlakbij stond waar ze op kon gaan zitten.

'Dat begrijp ik. Ja, ja, natuurlijk.'

In het begin van het gesprek klonken de zinnen nog redelijk oprecht, maar hoe langer het duurde, hoe minder eerlijk ze klonk. Ze wond zich steeds meer op en had duidelijk moeite het gesprek af te sluiten.

Toen ze eindelijk neerlegde, bleef ze verward op een nagel staan bij-ten, terwijl ze de andere hand krampachtig samenbalde, alsof ze met een probleem zat.

'U komt waarschijnlijk toch te laat,' merkte Frank op.

Haar tanden lieten de nagel los. In plaats daarvan beet ze op haar onderlip. 'Ja, vermoedelijk wel.'

'Met wie hebt u zojuist gesproken?' vroeg hij zonder zich te schamen voor zijn eigen nieuwsgierigheid.

'De vrouw van Egil Svennebye. Hij is hier marketingchef.'

Ze ging een stuk verderop stijfjes op het randje van een stoel zitten. 'Ze maakt zich zorgen. Hij is gisteren niet thuisgekomen. Volgens haar is hij verdwenen.'

Ze glimlachte met neergeslagen blik. Frank Frølich wachtte tot ze hem weer aankeek. 'Heeft ze dat aan de politie doorgegeven?'

De ander haalde de schouders op. 'Ze wil de politie er niet bij halen.'

'Maar ze klonk behoorlijk overstuur.'

'Ze was ook overstuur,' bevestigde Lisa Stenersen bedachtzaam. 'Misschien kunt u eens met haar praten?'

Frank keek haar aan. 'Als ze dat zelf niet wil, kunnen wij niet veel doen.'

'Maar misschien wordt ze dan wat rustiger,' bracht Lisa Stenersen optimistisch naar voren. Ze had het stuk papier tot een prop samengeknepen. 'Ze leek ... bang!'

Frank knikte. 'Wij willen ook graag een paar woorden met haar man wisselen. Hij werkt tenslotte hier,' zei hij geruststellend. 'Ik kan dus wel even bij haar langsgaan.'

Ze leek iets opgewekter.

Frank wisselde snel van onderwerp. 'Hebt u met Reidun Rosendal samengewerkt?'

De vrouw keek even op haar horloge. 'Niet echt. Reidun ging vooral bij klanten op bezoek. Ik hou me hoofdzakelijk bezig met de administratie.'

'Maar u kende haar wel?'

'Jawel.'

Ze rilde. Kneep haar ogen even dicht. 'Heeft ze ... pijn geleden?' vroeg ze nerveus.

Frank keek haar aan. 'Dat weten we niet.'

Lisa Stenersen vouwde haar handen in haar schoot en mompelde iets met gesloten ogen. Een gouden kruisje aan een kettinkje rustte in het kuiltje van haar hals.

'Ze was een mooie vrouw,' zei ze uiteindelijk.

'U bedoelt aantrekkelijk?'

'Ja, mooi haar, mooi lichaam ...'

Frank tilde zijn wijsvinger op en tikte tegen zijn slaap.

'En hier?'

'Weet ik niet.' Lisa Stenersen glimlachte. 'Daar mankeerde waarschijnlijk niets aan, maar ... ze bleef wat op de vlakte.'

De vrouw in de gewatteerde mantel staarde naar de vloer. 'Van sommige mensen word je gewoon niet wijzer.' Toen zei ze plotseling fel: 'Ze kijken je aan zoals de mensen op televisie naar je kijken. Ze zeggen eigenlijk niets bijzonders en je weet nooit precies of ze het wel tegen jou hebben.'

Frank knikte langzaam. Lisa Stenersen zou zo aan kunnen schuiven bij het naaikransje van zijn moeder. Daarom kon hij zich goed voorstellen dat Reiduns woorden niet tot haar waren doorgedrongen als die had geprobeerd met haar te praten.

Hij keek naar haar luchtige kapsel en zag de stapel tijdschriften naast haar bruine handtas op de tafel. Haar trouwring had zich een stukje in het vlees van haar rode vinger ingegraven. Lisa Stenersen, een vertegenwoordiger van de zwijgende meerderheid die alles weet van schuimgebak, driekoningenkoek, het Engelse koningshuis en de verschillende variëteiten van de kerstster. Ze scheelde minstens dertig jaar met Reidun Rosendal. Soms hoefde zo'n leeftijdsverschil niet veel te betekenen, maar hier duidelijk wel.

Lisa Stenersen voelde zich ongemakkelijk en keek de andere kant op.

'Maar ze was waarschijnlijk niet echt dom,' probeerde hij.

Ze zweeg.

'Had ze veel aanbidders?'

'Weet ik niet. Ze had in elk geval geen vaste relatie. Zij en Bregård hadden iets samen. Maar dat paste wel bij haar, als u begrijpt wat ik bedoel. Voor Reidun waren flirts en affaires de gewoonste zaak van de wereld.'

De laatste opmerking ging vergezeld van een verlegen lachje. Ze voegde eraan toe: 'Ze straalde altijd iets vrolijks uit.'

'U had dus geen nauw contact met haar?'

'Nee, dat had ik niet.'

'Weet u met wie ze hier het best overweg kon?'

'Kristin Sommerstedt. Ze werkt niet bij ons,' voegde ze er snel aan toe, 'maar u hebt haar vast bij de receptie gezien.'

Hij herinnerde zich de receptioniste met de moedervlek onder haar lip.

'Ze hadden nogal wat gemeen, geloof ik,' voegde ze eraan toe en ze keek weer op haar horloge. 'Denkt u ...'

'Ja, natuurlijk,' verzekerde hij vriendelijk. 'Geen probleem. We nemen contact op als we nog vragen hebben.'

'Ik kan ook wel naar het politiebureau komen,' verzekerde ze hem. Ze pakte de tijdschriften en de handtas van tafel en keek op haar horloge. 'Het is alleen maar omdat ik ...'

'Geen probleem,' herhaalde Frank geduldig en hij liep met haar mee naar de lift. 'Wilt u niet ...' vroeg ze verward toen hij niet instapte.

Hij gaf geen antwoord, lachte alleen geruststellend en keek toe hoe de liftdeur zich achter haar sloot.

# 11

Frank liep langzaam door het vertrek. Het was een spaarzaam gemeubileerde kantoortuin. Bureaus en andere kantoorinventaris. Slechts één vergaderhoek, met twee banken en een paar gemakkelijke stoelen rond een tafel, gaf niet de indruk een werkplek te zijn. Een grote archiefkast vormde de afscheiding van de vergaderhoek.

Hij nam de tijd en bestudeerde de brochures in de opbergvakken. Hij las de titels van de boeken die op verschillende planken stonden en liep daarna naar de archiefkast en probeerde een la. Hij zat op slot. Frank fronste zijn voorhoofd en probeerde een andere la. Ook op slot. Alle laden waren afgesloten. Hij onderzocht het slot. Het was nieuw. Langs de kier tussen de kast en de lade zaten krassen. De laden waren opengebroken en daarna had iemand de sloten vervangen. Maar waarom zou je een archiefkast afsluiten? Vijf werknemers in een klein bedrijf. Vertrouwden ze elkaar niet?

Door de ramen viel licht op twee andere bureaus. Op het ene was naast de telefoon met tape een witte strook papier geplakt. Reidun Rosendal. Haar naam in een sierlijk blauw balpenschrift. Met kleine, scheve krullen. Haar plaats, dacht hij en hij ging zitten. Hij opende de laden en doorzocht ze, zonder iets interessants te vinden. Ze waren zo goed als leeg. Geen agenda. Geen persoonlijke papieren. Alleen pennen, een kleurencartridge voor een printer en een paar paperclips. Toen hij de onderste la opende, rolde er een leeg colaflesje naar achteren. Op het bureau lag onder een glasplaat een pasfoto. Hij tilde de glasplaat op, pakte de foto en keek ernaar. Het was een zwart-witfoto. Haar gezicht in halfprofiel. Een blonde vrouw met haar hoofd in haar nek. Ze had haar lange, gepermanente haar naar achteren gegooid, alsof ze in de spiegel keek. Een ijdele blik. Een vrouw die tevreden was met wat ze in de spiegel zag. Maar ze was jong.

Hij legde de foto op tafel. Hoe oud zou de foto zijn? Hij was genomen in een automaat en hij meende een wazige blik te zien. Misschien een beetje aangeschoten? De vrouw die hij op de vloer had zien liggen had steil en redelijk kort haar gehad. Het was dus geen recente foto.

Ze wilde het liefst van achteren genomen worden, had Bregård gezegd. Frank ontdekte iets wat hij niet had gezien in haar doorschijnende dode gezicht. Iets wat wel op de foto was vastgelegd. Iets met haar mond, met haar lippen. De combinatie van mond, ogen en lippen maakte haar gezicht sensueel.

De Bregårds in deze wereld weten niet wat ze missen, dacht Frank en hij stopte de foto in zijn binnenzak.

Op dat moment klonk het zoemende geluid van de lift. Hij stopte op deze verdieping en een vrouw betrad de ruimte.

# 12

Opnieuw een vrouw van middelbare leeftijd. Mooie, volle lippen en een discrete kleur make-up. Een elegante schoudertas sloeg tegen haar heup, terwijl ze hijgend liep te zeulen met een paar zware draagtassen. Ze viel neer in een bureaustoel en toen pas ontdekte ze de politieman, die snel opstond. Ze sprong weer overeind en liep heupwiegend op hem af terwijl ze haar zwarte, leren handschoenen uittrok. Slanke handen, elegant en zonder veel goud. Dat edelmetaal droeg ze in de vorm van een aantal dunne armbanden, die zacht rinkelden toen hij haar hand pakte. Het was een droge hand, prettig om aan te raken.

'Goedemorgen,' zei ze. 'Mijn naam is Sonja Hager.'

De frisse buitenlucht hing nog om haar heen. Ze keek hem met een nieuwsgierig glimlachje aan toen hij zich voorstelde. 'Dan hebben wij al met elkaar gesproken,' riep ze, en op gedempte toon ging ze verder: 'Het was een enorme schok. Het is al verschrikkelijk als iemand overlijdt met wie je veel te maken hebt, maar dat ze op zo'n verschrikkelijke manier is vermoord, is nog weer wat anders.'

Ze draaide zich om en hing haar pelsdieren in een hoekje achter de lift. Ze droeg een broekrok en een gebloemd vest over een soepele blouse. Dik, donker haar viel los over haar schouders. Een welgestelde vrouw. Eentje die in een dure auto reed en duur porselein verzamelde.

'Sommige mannen zouden gecastreerd moeten worden, vind ik,' zei ze luchtigjes en ze trok haar blouse recht.

Frank keek naar haar beide halskettingen; een korte gouden en een langere waarvan de hanger verstopt zat tussen haar borsten, die nauwelijks zichtbaar onder haar kleding op en neer deinden.

'Het is nog niet vastgesteld of ze wel of niet seksueel is misbruikt.'

'Maar dat ligt toch voor de hand!'

Ze zocht iets onder in een archiefkast en haalde een pak koekjes tevoorschijn, dat ze wuivend voor hem ophield. 'Wilt u een kop koffie?'

'Ja, graag.'

Ze liep naar de telefoon, toetste een kort nummer in en zei wat.

'Het is beter zo,' zei ze daarna tegen hem. 'Ik zou niet graag in de kantine verhoord willen worden.'

'Maar dit is toch geen verhoor?'

'Noem het wat u wilt.'

Ze nam plaats op de bank aan de andere kant van de tafel. 'We zijn het allemaal aan Reidun verschuldigd om mee te helpen, zodat de man die haar vermoord heeft wordt opgepakt.'

Frank hief met een verontschuldigend gebaar zijn schrijfblok op.

'Hoe goed kende u haar?'

'Nauwelijks. Ze was nieuw hier, maar erg ...' Ze zocht naar het woord. Even maakte ze een afwezige indruk. '... positief,' knikte ze na een tijdje met een naar binnen gekeerde blik. 'We konden goed met elkaar praten,' voegde ze eraan toe. 'Een intelligente vrouw die wist hoe ze zich moest presenteren en overal vrienden had. Maar tussen ons is nooit een innig contact ontstaan.'

Frank knikte. Er lag inderdaad een enorme kloof tussen het flatje aan Grünerløkka en het kasteel waarin deze vrouw resideerde.

'Ze was een goede verkoper,' stelde Sonja Hager vast.

Ze werden onderbroken door een vrouw van middelbare leeftijd die een blad met twee koppen koffie op een kastje bij de deur zette. Sonja stond op om het blad te halen. Ze haalde even een hand door haar haar, voor ze wiegend terugliep. Ze ging zitten, tilde het ene been over het andere en maakte een klein gaatje in een kartonnen pakje koffiemelk.

Frank bedankte beleefd; hij dronk zijn koffie zwart. Hij nam voorzichtig een slok en vroeg: 'Waarom was ze een goede verkoper?'

'Hoe moet een goede verkoper zijn?'

Pientere vrouw; ze stelde een tegenvraag. 'Tja ...'

Hij aarzelde.

'Glad,' stelde ze voor met voortdurend dezelfde glimlach om haar lippen. 'Verkopers zijn glad, geslepen, en je weet nooit precies wat je aan ze hebt.'

Wilde ze hem iets duidelijk maken? Hij wist niet goed hoe hij haar lachje moest interpreteren. Het leek op haar gezicht te zijn vastgeplakt. En in haar ogen zag hij twee stekende punten.

'Had Reidun Rosendal die eigenschappen?'

'Reidun was intelligent, mooi en ... jong.'

'Had ze hier vijanden?' vroeg hij rustig.

'Integendeel.'

'Had ze met iemand een bijzonder nauw contact?'

Sonja nam een slok koffie. 'Nee.'

Frank maakte wat notities voor hij verderging. 'Bregård vertelde dat hij een verhouding met haar had.'

'Wát zei hij?'

Ze staarde in haar koffiekop.

'Tja, die indruk kreeg ik.'

'Wat voor indruk?'

Haar reactie kwam iets te snel. Haar lachje, dat de scherpe ondertoon wat moest afzwakken, was te stijf. Haar lippen trilden zwak en onge-controleerd.

Frank concentreerde zich. Hij won wat tijd door naar voren te bui-gen en ook een beetje koffiemelk in zijn koffie te doen.

Daarna vestigde hij zijn blik op een punt schuin boven haar, om dat wat in de lucht hing, niet te verstoren. Hij glimlachte onbeholpen. 'Tegenwoordig kan een verhouding van alles betekenen, van verloving tot ...'

Verder kwam hij niet.

Ze onderbrak hem met opgetrokken lippen: 'Een onenightstand, zoals mensen dat graag noemen.'

Intense ogen. Haar kaakspieren waren twee lelijke, gespannen kno-pen. Alsof er achter haar iemand aan een staaldraad trok die in haar mondhoeken was vastgehaakt.

Zijn ogen vonden de hare, maar dat scheen ze niet te merken. Haar stem kwam van ver, alsof ze op een stil meer in een boot zat en praatte tegen iemand die hij niet kon zien: 'Zoals iedereen weet, laten sommi-ge vrouwen zich graag als vuilnisbak gebruiken.'

Een bel spatte uiteen. Ze staarde even in haar kopje, maar toen ze weer opkeek, was ze als voorheen. Beheerst en goedgemanierd. Haar borsten gecamoufleerd in een wijde blouse. Lange, slanke benen onder een vormeloze broekrok, haar gezicht keurig in de make-up om haar persoonlijkheid te benadrukken.

'Het is al een tijdje geleden dat we op straat pornobladen verbrand-den.' Ze lachte vol zelfspot.

Frank speelde het spel mee en glimlachte terug. Hij probeerde haar af te leiden door zijn hoofd weg te draaien en een paar tellen door het raam naar buiten te kijken. Ze hapte. Hij voelde hoe haar ogen hem onderzoe-kend opnamen. Hij keek haar weer aan. 'Het spijt me. Dat was niet zo handig van mij, maar ik wist eerlijk gezegd niet dat u en Bregård ...'

'Maar dat is ook niet het geval!'

Ze lachte met open mond. Ze was mooi als ze lachte. Mooi en be-schaafd.

'Hemeltjelief! Ben ik zo gemakkelijk verkeerd te begrijpen?'

Nee, hij had haar helemaal niet verkeerd begrepen. Maar er was iets, hij kon er niet precies de vinger op leggen. Waarschijnlijk lag het open en bloot op tafel zonder dat hij het zag.

'Ik leid dit bedrijf samen met mijn man. Hij is hier directeur.'

Frank zocht in zijn aantekeningen. 'Ik was al bang dat ik me tactloos had gedragen,' loog hij en hij glimlachte voorkomend naar de vrouw, die nu iets overmoedigs uitstraalde.

Ze hapte weer toe. Een deinende golf onder haar blouse, een blos op haar wangen.

'Terje Engelsviken is dus uw man?'

Ze knikte aarzelend. 'Ik wilde alleen maar zeggen ...'

Ze onderbrak zichzelf en fronste haar voorhoofd. 'Ik kan me daar zo druk over maken! Dingen gaan allemaal zo gemakkelijk! Het is niet goed dat alles alleen maar om seks draait!'

'Er is ook nog zoiets als liefde,' opperde hij voorzichtig.

Ze hief haar hoofd op, op haar hoede. 'Misschien,' gaf ze toe. 'Maar wat is dat? Liefde, bedoel ik.'

Kleffe vraag. 'Nou ja, ik ben niet bepaald een filosoof.'

'Maar is het filosofie?'

Het was overduidelijk dat dit onderwerp haar bezighield. Haar gezicht stond ernstig en nadenkend. 'De verhouding tussen mensen,' begon ze. 'Als twee mensen elkaar vinden en samen een bestaan opbouwen, waarop is dat gebaseerd?'

Klef, dacht Frank, als een toffeepapiertje dat aan je vingers blijft plakken.

'Liefde,' suggereerde hij, om te ontsnappen.

Ze glimlachte minzaam. Uit de hoogte. Ze keek afwezig op hem neer. 'Liefde is een vluchtig begrip.'

Belerend. Ze keek hem toegeeflijk aan, alsof ze zich zorgen maakte over hem, die idioot aan de andere kant van de tafel. Ze koos haar woorden nu zorgvuldig, bang dat ze te moeilijk was voor zo'n schaapskop als hij: 'Het vluchtige kan überhaupt niets dragen. In elk geval niet zoiets duurzaams als het gezamenlijk leven van twee mensen.'

Frank zuchtte, roerde in zijn koffie en schraapte voorzichtig zijn keel. 'Gezamenlijk leven?'

'Is het nooit in u opgekomen dat sommige mensen hun beloftes serieus nemen?' vroeg ze agressief. Haar bloedeloze lippen trilden van opwinding. Frank morste koffie. Hij pakte een servet van het dienblad en veegde het ergste weg. Ze merkte het niet.

Ze zat voorovergebogen. Haar vingers net zo wit en trillend als haar bovenlip. 'In goede en in slechte tijden! Wat betekent dat?'

'Altijd,' opperde hij.

Dat leek het goede antwoord te zijn. Ze werd weer rustig en zweeg.

'U wist dus niet dat Bregård en Reidun ook buiten kantoortijd contact hadden?'

Ze gaf geen antwoord, maar staarde afwezig voor zich uit. Frank wist niet zeker of ze de vraag had gehoord. Hij kuchte.

'Ze dacht alleen maar aan zichzelf,' zei Sonja opeens.

Frank keek haar aan.

'Begrijp me niet verkeerd! Ik bedoel alleen maar dat het woord "verhouding" niet past. Ik neem aan dat ze zich tot elkaar aangetrokken voelden, maar ...'

Hij knikte. 'Ze waren twee jonge ... mooie mensen die elkaar gevonden hadden?'

Ze haalde adem. Haar stem klonk een beetje ijzig. 'Zo zou je het kunnen zeggen.'

Het was terug. Ze hadden waarschijnlijk eerst moeten trouwen, dacht hij cynisch en hij waagde de sprong: 'U bedoelt dat ze het met elkaar deden?'

Rustige hand. Een lege, dode blik. De hand zette het kopje geluidloos terug.

Game over.

Hij leunde achterover in zijn stoel en nam haar rustig op. Haar mooie gezicht was professioneel gesloten en leek onaantastbaar, achter een onzichtbare glazen wand.

Frank Frølich haastte zich niet. Hij bladerde rustig in zijn papieren. 'Ik heb met Lisa Stenersen en met Bregård gesproken.'

Een kil knikje.

'Wat betekent het verlies van Reidun Rosendal voor het bedrijf?'

'Marginaal.'

Hij boog een stukje naar voren. 'Marginaal?'

'Toen we van de moord op de hoogte waren gesteld, hebben we de zaak met elkaar besproken. Terje heeft al een oplossing verzonnen.'

Terje, de echtgenoot, de directeur. 'Ik heb Terje zeker gemist.'

Opnieuw een kil knikje. 'Hij is er vandaag helaas niet.'

'Dan hou ik hem nog te goed.'

Weer een knik.

'We moeten Reiduns doen en laten van de laatste tijd in kaart brengen. Ik zou daarvoor graag gebruik willen maken van het klantensysteem of een overzicht van de bezoeken die zij heeft afgelegd.'

Ze trok haar blouse recht en stond op. Ze liep naar een computer toe. Al snel klonk vanaf de vloer het geluid van een printer. Ze pakte het vel papier en gaf het aan hem.

De politieman nam afscheid.

Beneden was de receptioniste nergens te bekennen. Volgens Lisa Stenersen had Kristin Sommerstedt het slachtoffer gekend. Frank keek op zijn horloge en besloot later met Reidun Rosendals vriendin te praten.

Hij verliet het gebouw en opende het portier van zijn auto. Hij draaide zich nog een keer om naar het gebouw dat hij zojuist had verlaten. Alleen maar glas. Sommige ramen doorzichtig, andere glimmend en ondoordringbaar als metaal. Allemachtig, dacht hij terwijl hij in de auto stapte. Wat een club!

# 13

De deur van het politiebureau was net langzaam achter hem dichtge-
vallen toen hij ineens bleef staan en zich wilde omdraaien. Te laat. Hij
was al ontdekt. De vrouw die tijdelijk als invalkracht op de administratie werkte, keek hem stralend aan. Haar dikke lichaam kwam wiegend
op hem af.

'Ho! Ho! Hallo, Frank!'

Een gelatinepudding op de vlucht voor een kinderfeestje, dacht hij en
hij zette zich schrap. Hij was steeds weer verbaasd over de combinatie
van dat grote lichaam met zo'n klein hoofd. Op het hoofd prijkte een
lila punkkapsel en aan haar voeten had ze naalddunne stilettohakken.
Ze zwaaide. Ze droeg een strakke stretchbroek die over haar buik spande. Haar hele lichaam golfde en deinde.

'Ik zit hier al uren op je te wachten.'

Hij voelde hoe zijn ongeduld zich deed gelden.

'En nu ben je er eindelijk ... en ben ik vergeten wat ik wilde vragen!'

Ze schaterde van het lachen, pakte hem bij zijn arm en trok hem mee
naar de trap, terwijl ze raadselachtig om zich heen keek. Hij probeerde
zich los te trekken, maar dat lukte niet. Zacht vlees wreef langs zijn
schouder en heup.

'Het gaat over de brief die ik voor je zou schrijven!' Ze hield een aantal pagina's onder zijn neus, zodat hij de trap niet meer kon zien. Ze
kwamen iemand tegen, en Frank moest aan de zijkant gaan staan. Hij
duwde haar een tree naar beneden.

'O,' riep ze. 'Body!'

Hij liep verder naar boven, om te ontsnappen. Maar ze volgde hem
de trap op en de gang door. Buiten adem liep ze steeds twee stappen
achter hem. Ze wapperde met haar papieren en praatte aan één stuk
door, terwijl ze naar een woord wees dat verkeerd gespeld was. Hij
legde zijn hand op de klink van zijn kantoordeur en draaide zich naar
haar toe. 'Oké,' zei hij en hij knikte even. 'Schrijf het maar op jouw
manier, geen probleem.'

De gelatinepudding kwam tot rust. Ze zette haar handen op haar heupen. 'Weet je wat jouw chef tegen mij heeft gezegd?'

Ze knikte naar de deur achter zijn rug.

Wat hij ook had gezegd, het kon nooit erg genoeg geweest zijn, dacht Frank. Hij liet haar verder praten. Ze keek naar links en naar rechts en hield demonstratief haar mond toen twee geüniformeerde agenten langsliepen. 'Hij zei dat ik naar de ...'

Ze hield een paar tellen haar mond. '... naar de hel kon lopen!' mimede ze geluidloos, terwijl ze samenzweerderig om zich heen keek.

'Ik heb niet gereageerd,' verzekerde ze hem. 'Maar die woorden zullen hem nog berouwen.'

Frank, die het voorstel van Gunnarstranda nog niet zo gek vond, knipperde met zijn ogen. 'Je hebt het vast verkeerd verstaan,' zei hij diplomatiek. Hij wilde zich omdraaien.

'O nee, dat heb ik niet. Maar ik weet waarom hij zo doet.'

Frank werd nieuwsgierig.

Ze knikte ernstig. 'Ze zeggen dat hij veranderd is toen hij weduwnaar werd. Daar komt het dus van.'

Ze bleef knikken. 'Hij krijgt niet wat hij nodig heeft! Al jaren niet!'

'Wablief ...?'

'Wat mij belieft ...'

Ze wankelde op haar dunne hakken, zodat de kwabben een nieuwe golfbeweging begonnen. 'Mij belieft meer dan jij je kunt voorstellen. Ha, ha!'

Het volgende moment walste ze verder door de gang. Haar achterwerk deinde op en neer.

Plotseling bleef ze staan. Ze draaide zich om. *'See you, darling!'*

Ze verdween om de hoek.


'Schwenke heeft gebeld,' klonk Gunnarstranda's stem toen hij de deur opende. Een sigaret bengelde in zijn mondhoek. Frank plofte neer in een versleten, blauwe bureaustoel en blies op zijn vingers.

'Je moet niet zo lomp met onze administratieve krachten omgaan,' zei hij.

'Met die dikke?'

Gunnarstranda wreef over zijn neus en legde zijn sigaret in een verschoten rode asbak, waarop de witte, afgebladderde letters van het woord cinzano nog nauwelijks leesbaar waren. Hij beet op een balpen.

'Ze moet leren dat ze moet kloppen in plaats van ongevraagd binnen te stormen! Tottenham thuis tegen Leeds?' mompelde hij vragend.

'Leeds,' zei Frank en hij zette de computer aan.

Gunnarstranda was het niet met hem eens. 'Er staat toch een Noor bij Tottenham in het doel?'

'Doe dan gelijkspel.'

Hij drukte een paar toetsen in. Even later werd het scherm blauw. 'Wat had de scherprechter te vertellen?'

'Niets. Behalve wat de vrouw had gegeten. En dat wisten we al. Hij heeft bovendien vastgesteld dat ze zondagmorgen tussen vijf en acht uur is gestorven. En dat was ook niets nieuws.'

Frank knikte langzaam en dacht bij zichzelf dat de informatie eigenlijk heel erg nuttig was. Maar hij kende zijn chef goed genoeg om te weten dat hij dat tijdstip in zijn hoofd beslist met rood had onderstreept.

'Wat denk jij van Sigurd Klavestad?' vroeg Gunnarstranda vanaf de andere kant van de tafel. 'Denk jij dat hij de waarheid spreekt?'

'Ja.'

'Mooi,' zei de ander; hij knikte even en concentreerde zich weer op het totoformulier.

Frank fronste zijn voorhoofd. 'Hoezo?'

Gunnarstranda schreef verder en telde de kruisjes.

'Hoezo?' vroeg Frank iets luider.

'Ik heb hem laten gaan,' zei Gunnarstranda zonder op te kijken. 'Ik heb Jack Myrberget geleend en die zit hem nu voorlopig op zijn hielen.'

Hij was klaar met het totoformulier en stopte het in de binnenzak van zijn jasje, dat over de stoelleuning hing. Hij pakte een nieuw formulier van het stapeltje in de bureaula en vulde het nu probleemloos in.

'Dit rijtje gebruik ik al 25 jaar,' zei hij. 'Elke week, al 25 jaar lang. Weet je hoeveel ik er al op gewonnen heb?'

'Nee.'

'Al 54 kronen. Afgelopen zaterdag. Tien goed.'

'Is dat alles wat je gewonnen hebt in 25 jaar?'

'Met dat rijtje, ja. Maar ik weet dat ik een keer aan de beurt ben!'

'Er zitten 52 weken in een jaar. En dan 25 jaar lang. Heb je al eens de moeite genomen om je nettoverlies te berekenen?'

'Kalm aan. Stel je voor dat ik win!'

'Ja, 54 kronen!'

Gunnarstranda borg het totoformulier op. 'Wat heb je te melden over Software Partners?'

Frank draaide zich weer om. 'Bourgeoisie,' zei hij kort. 'Keurige lui, allemaal boven de veertig, met verschillende risicomarges. Dure kleding, duur kantoor, computers! Vijf werknemers. Met drie van hen heb ik gesproken. Het enige opvallende is dat ze hun archief hebben afgesloten. Met een stevig slot. Ik ga nu mijn rapport schrijven.'

Hij pakte de plastic draagtas van de vloer. 'Ik heb een hele stapel glossy reclamemateriaal meegekregen.'

Hij hield de tas met brochures omhoog. 'Het is een kleine zaak, maar ze hebben hetzelfde air als IBM. Ze zijn bezig uit te breiden. Ik heb niet alles begrepen, maar ze willen tegelijk meer eigen vermogen krijgen en over het hele land meer dealers werven.'

Gunnarstranda pakte een paar brochures uit de tas. 'Dan heb ik in bed iets te lezen,' mompelde hij.

'De boekhouder,' ging Frank verder, 'heet Øyvind Bregård, een vrijgezelle bodybuilder. Hij was niet erg spraakzaam. Zo'n buitenman die beweert dat hij zijn vrije tijd doorbrengt in de bossen en de velden. Gaf na lang aandringen toe dat hij een tijdje geleden met de vrouw naar bed is geweest. Zij heeft er een streep onder gezet.'

'Hebben we daar iets aan?' vroeg Gunnarstranda.

'Misschien. Hij heeft geen alibi voor zaterdag. Hij beweerde dat hij vroeg naar bed was gegaan omdat hij zondag bijtijds naar het bos wilde. Dat heeft hij ook in zijn eentje gedaan.'

De hoofdinspecteur knikte langzaam.

'De marketingchef heet Svennebye. Hij heeft de plaat gepoetst. Zijn vrouw belde toen ik er was. Ze was helemaal over haar toeren. Haar man was niet thuisgekomen van kantoor nadat het nieuws van de moord bekend werd. Zijn vrouw heeft hem daarna niet meer gezien.'

Gunnarstranda floot en pakte zijn sigaret weer uit de asbak.

'Ik heb de secretaresse beloofd de zaak in de gaten te houden,' zei Frank aarzelend. 'Zij maakte een redelijk normale indruk. De oudste van het stel. Alleen een beetje nerveus.'

Hij wachtte tot Gunnarstranda zijn peuk had aangestoken.

'En dan hebben we nog die andere vrouw, Sonja Hager. Toen ik haar over Bregårds affaire met het slachtoffer vertelde, explodeerde ze bijna.'

'Jaloers?'

'Integendeel. Ze is getrouwd met Engelsviken, de directeur. Nee, niet jaloers.'

Hij liep naar de wastafel in de hoek en dronk wat water. 'Maar ze is bezeten van het huwelijk als instituut,' voegde hij eraan toe. Hij veegde met zijn hand de waterdruppels uit zijn baard.

Gunnarstranda rookte. 'Maar er klopte iets niet?'

'Nee, iets klopte er niet,' zei Frank en hij liep terug naar zijn plek. 'Ze was van mening dat Reidun Rosendal andere mensen gebruikte.'

'Hoezo?'

Frank haalde zijn schouders op. 'Volgens mij had het iets met seks te maken.'

'Dat ze mannen gebruikte?'

'Weet ik niet. Ze kwam sowieso nogal vaag over.'

Gunnarstranda klopte op zijn zakken en liep naar de deur. 'Zet het maar in je rapport. Als je klaar bent, kun je wel naar huis gaan.'

Frank bleef zitten kijken naar de deur die dichtviel en draaide zich om naar de computer. Als ik klaar ben, dacht hij moedeloos en ging weer aan het werk.

# 14

Gunnarstranda parkeerde zijn auto helemaal boven aan de helling, waar het pad ophield en zich verbreedde tot een kleine keerplaats. De rit van Oslo naar Hurumlandet duurde normaal gesproken vijf kwartier, vooropgesteld dat de stoplichten meewerkten en er in de Oslotunnel geen file stond.

Maar vandaag niet. Korzelig keek hij op zijn horloge. Hij had zijn Skoda onderweg minstens zeven of acht keer aan de kant moeten zetten. De motor haperde, en als hij harder dan zeventig reed ging het helemaal fout. De auto hoestte en stotterde en verloor snelheid zodat de auto's achter hem aan zijn bumper kleefden, toeterden en geïrriteerd met hun lichten knipperden. Totdat hij zich gedwongen voelde de auto aan de kant te zetten en half in de berm te blijven staan totdat de file achter hem voorbij was gereden, zich ondertussen zorgen makend dat de motor helemaal niet meer zou starten. Hij had alles geprobeerd. Hij had de choke gebruikt, vol gas gegeven en gehoopt dat het nog een paar kilometer zou duren voor hetzelfde weer zou gebeuren. Een verschrikkelijke rit. Maar nu was hij er eindelijk.

Zijn ergernis was nog niet helemaal verdwenen. Daarom bleef hij rustig zitten en keek uit het raampje tot het vertrouwde gevoel weer terugkwam. Het gevoel van thuiskomen. Helemaal op zichzelf te zijn. Hij dacht aan Edel. Het was haar gelukt hier een soort tuin aan te leggen en nu, nu ze er niet meer was, ging hij verder waar zij was opgehouden. Haar hele leven had ze zo'n plekje gewild, en op het eind had ze het gekregen. Gunnarstranda maakte af wat haar niet meer gelukt was. Zijn halve leven had hij geleefd zonder te weten wat het verschil was tussen het blad van een es en van een esdoorn. Nu wist hij veel meer. Sinds haar dood waren vier jaren verstreken.

De helft van het jaar woonde hij grotendeels hier, van eind april tot half oktober. Het was een soort toevluchtsoord. Toch kon hij de bruine den voor het huisje niet zien zonder een steek te voelen. Dan zag hij Edel voor zich met haar laarzen aan en een mand aan haar arm, als ze paddenstoelen had geplukt. Hij vroeg zich vaak af waarom hij altijd dat beeld zag. Waarom geen andere beelden, en waarom voelde hij tegelijk die steek?

Van de grote den liep een paadje van 25 meter naar het huisje, dat zich achter twee grote rotsen verborg. Aan de voorkant openbaarde zich het wonder. In het voorjaar, de zomer en de herfst. Hier had ze weten te bereiken wat in dit klimaat überhaupt maar mogelijk was. En hij onderhield het. Nu al, terwijl hij de ordners en papieren uit de auto pakte, trok zijn voorhoofd in een bezorgde rimpel bij de gedachte aan het waterprobleem in de zomer. Je wist het maar nooit, een zaak als de moord op Reidun Rosendal kon een langdurige geschiedenis worden. De komende weken zou hij in elk geval niet hier kunnen wonen, maar hoe zou het in mei gaan, als de voorjaarsdroogte misschien al zou beginnen?

Zijn gedachten werden onderbroken door gekraak van takken en zware voetstappen. Uit het kreupelhout langs het pad verscheen een man, gekleed in een verwassen IJslandse trui en een afgedragen oude broek. Gunnarstranda herkende de gestalte van buurman Sørby, die als groet even met zijn hand tegen zijn voorhoofd tikte en nerveus glimlachte.

Gunnarstranda mompelde iets onverstaanbaars en pakte rustig zijn bagage. Sørby behoorde tot een groepje gepensioneerden dat hier bij elkaar woonde, feestte en accordeon speelde en in vodden gekleed ging. De politieman mocht hem niet. Hij was een druktemaker. Als hij het over zijn kinderen had, zou je denken dat hij een staatsgeheim verklapte.

De kinderen en kleinkinderen van anderen interesseerden Gunnarstranda geen moer, en dat gold vooral voor het kroost van deze vetzak. Bovendien verdacht hij de bejaardenkliek ervan dat ze op hun accordeonavonden achter zijn rug over hem roddelden.

Zoals Sørby nu bleef staan, zo mak en onzeker, kon hij toch geen eerlijke bedoelingen hebben?

Gunnarstranda keek met half dichtgeknepen ogen in de richting van de man. Wat had die dikzak op zijn grond te zoeken gehad? Waarschijnlijk rondgesnuffeld. Net als de anderen.

Samen waren ze sterk. Totdat ze een voor een kwamen aangekropen en om stekken en wortelscheuten vroegen. En wie niet durfde, snuffelde rond als Gunnarstranda in de stad was. Hij kon het altijd zien als ze waren geweest, en later schoot er vaak wat misgewas op tussen de bomen van Sørby, totdat ook dat weer doodging. Want noch zijn vrouw, noch de dikzak zelf wist hoe je een spa moest gebruiken of wat mest, kalk of dat soort dingen waren.

'Het wordt mooi daarginds,' zei de bejaarde man kruiperig en hij knikte in de richting van wat er al te zien was van de geplande uitbouw van het huisje.

Gunnarstranda haalde zijn schouders op en nam in elke hand een tas.

'Gaat het niet verschrikkelijk veel geld kosten?' babbelde Sørby verder.

'Jazeker. Kapitalen. Jij zou het niet kunnen betalen.'

Zulke beledigingen ben je vast niet gewend, dacht Gunnarstranda en hij genoot even van de aanblik van het verbouwereerde gezicht van de andere man, voor hij kortaf afscheid nam en hem de rug toekeerde.

Daarna liep hij langs de rotswand en bekeek de ranken die over de bodem liepen. Hij controleerde de knoppen en stengels en liep verder naar de westkant, waar een gat van vijf bij één meter tot aan de rotswand was uitgegraven. Er was al een rij palen geplaatst. De voetsporen van Sørby waren duidelijk te herkennen in het natte kiezelzand. Goed dat ik nog geen bouwmateriaal heb gekocht, dacht hij. Dan komt hij ook niet in de verleiding. Bovendien zou hij voorlopig toch geen tijd hebben voor zijn bouwplannen.

Hij trok het stuk plastic recht dat over de kleine cementmolen lag en liep terug. Hij ging zitten op de kruk voor de terrashaard en stak een sigaret aan.

Edel had altijd het contact met de buitenwereld onderhouden. Zelf kwam hij op zijn werk al genoeg mensen tegen. Te veel om zijn vrije tijd met gebabbel te verdoen. Edel had vast en zeker medelijden gehad met de dikke man in zijn versleten broek en hem voorzien van planten en goede raad. Niet dat het wat had uitgemaakt; de raad was sowieso vergeefs geweest.

Het was windstil. Maar hierboven zat je eigenlijk altijd uit de wind. Alleen vanuit het zuiden zou je er last van hebben, en dat kwam zelden voor. Het meer beneden in het dal was glad als een spiegel en onderstreepte de stilte door de weerkaatsing van de kale bomen. Hij stond op. Het opvallende geluid van de telefoon drong door de houten wand heen.

Het was Jack Myrberget, de schaduw van Sigurd Klavestad.

Jack kwam als altijd direct ter zake: 'Sigurd Klavestad is niet langer alleen.'

'Hm-m,' bromde Gunnarstranda afwachtend. Hij was op de bank gaan zitten en legde ontspannen zijn benen op tafel. Het was donker in de kamer; zelfs zijn gepoetste schoenen glommen niet in het schemerlicht.

'Hij is met de bus naar Vækerø gegaan, naar een gebouw met de naam Rentoffice. Daar zitten allerlei kleine bedrijfjes.'

'Namen?'

'Werkte Reidun Rosendal niet bij een computerfirma?'

'Ja, Software Partners.'

'Die zitten daar ook.'

Gunnarstranda kneep in de hoorn. 'Ga door.'

'Hij ging om drie uur naar binnen en kwam om halfvier weer met een vrouw naar buiten. Jaar of dertig, kantooroutfit, lang, donker haar, één meter zeventig, mooi, met een zwarte moedervlek tussen mond en kin.'

'En toen?'

'Ik heb ze in het vizier. Ze zitten aan de andere kant van de straat een glas wijn te drinken. Houden elkaars hand vast, huilen af en toe. Wat doe ik als ze uit elkaar gaan?'

Gunnarstranda dacht na. 'Hou hem in de gaten,' besloot hij ten slotte. 'En hou me op de hoogte!'

Dat ook nog, dacht hij. Naar de duivel met die auto! Natuurlijk moest dat ding uitgerekend vandaag de geest geven.

# 15

Frank gaapte. Het was vroeg in de morgen, net zes uur. Buiten was het grijs en koud. Er hing een natte mist rond de huizen, bomen en auto's. Misschien was het gewoon ochtendnevel, maar het zou ook hardnekkige mist kunnen zijn. Het was te vroeg om dat nu al te zeggen. Het zou een mooie, zonnige dag kunnen worden, maar ook grijs en regenachtig.

Twee rijen geparkeerde auto's stonden bumper aan bumper in de straat. Op dit tijdstip waren er nauwelijks lege plekken. De meeste mensen zaten nog aan het ontbijt, met de krant op tafel koffie te drinken.

De gedachte aan koffie frustreerde hem. Geen ontbijt, geen koffie, geen mogelijkheid om inkopen te doen, en vermoedelijk urenlang zinloos wachten in het verschiet.

Gunnarstranda had hem drie kwartier geleden telefonisch gewekt en hem opgedragen onmiddellijk naar Lambertseter te komen. Zonder auto. Daarom liep hij nu langs de weg op zoek naar de plek waar zijn chef stond te posten. Hij was moe. Hij kreeg gewoon niet genoeg slaap. Dat gebeurde nogal eens, en hij kon er wel tot na de middag last van houden.

Verderop in de straat zag hij kleine rookwolkjes uit het raam van een donkere auto komen die onhandig, een halve meter van het trottoir, stond geparkeerd. Beslagen ramen en blauwwitte sigarettenrook die naar boven kringelde. Gunnarstranda had het raampje op een kier gezet. Frank opende het andere portier en stapte in.

'Ik heb nog niet eens ontbeten,' mompelde hij verwijtend, zonder te groeten.

'Hier,' zei Gunnarstranda terwijl hij hem een ouderwetse, glimmende thermoskan aanreikte. Frank draaide de dop met een plop open. Onmiddellijk verspreidde zich de heerlijke geur van sterke, zwarte koffie. Hij pakte een gele kunststof beker met rouwranden van het dashboard en schonk in.

'Jij hebt niet gegeten, ik heb niet geslapen.'

Gunnarstranda drukte zijn sigaret uit in de overvolle asbak. 'Ik geef ze nog twintig minuten, dan ga ik naar binnen.'

Hij keek op zijn horloge en richtte daarna zijn blik op het middelste portiek in een laag woonblok recht voor hen. Een tegelpad van een meter of twintig liep van het trottoir naar de ingang. Het hele blok had drie portieken. De ingang lag deels verscholen achter de groenbruine stekeltakken van een paar grote berberisstruiken. Tussen de portieken liepen parallelle rijen veranda's. Allemaal hadden ze een verhoogde voorkant van felgeel markieslinnen.

'Op wie wachten we?' wilde Frank weten.

'Op Sigurd Klavestad, en op een vrouw.'

Gunnarstranda verloor de ingang niet uit het oog. 'Jack belde me gisteravond om halfelf, toen ik in mijn vakantiehuisje was. Omdat Klavestad bij een vrouw op bezoek was, weigerde hij verder de verantwoordelijkheid te dragen, dus moest ik terug naar de stad rijden. Ik heb drie uur gedaan over de rit naar Grønland, en daar heb ik een andere auto meegenomen. Er is iets niet in orde met de Skoda. Hij hapert en af en toe houdt hij er helemaal mee op.'

Hij pauzeerde even, tipte wat as van zijn sigaret en praatte verder: 'Dus heb ik de hele nacht hier alleen gezeten en de verantwoordelijkheid op me genomen dat de vrouw daarboven nog steeds in leven is. Ken jij trouwens een goedkope automonteur?'

Frank onderdrukte de neiging om een grap te maken over de Skoda van zijn chef. 'Ik ken iemand in de wijk Kampen,' zei hij, blazend in zijn koffie. 'Woont in een collectief, samen met een vrouw die ik ken. Hij werkt voor zichzelf.'

'Werkt hij ook zwart?'

Frank deed of hij de bitse toon niet hoorde en haalde zijn schouders op. 'Je vroeg of ik iemand kende die goedkoop was.'

De man achter het stuur haalde een hand over zijn kin, die bedekt was met grijze baardstoppels. 'Klavestad is gisteren om halfvier vertrokken uit het gebouw van Software Partners. Samen met die vrouw, Kristin Sommerstedt.'

Frank draaide langzaam zijn hoofd om. Hij was meteen wat wakkerder. Hij herinnerde zich de receptioniste met haar lange haar en kantooroutfit.

Gunnarstranda maakte een beweging met zijn hoofd. 'Dat is haar flat.'

'Kristin Sommerstedt was bevriend met Reidun Rosendal.'

'Aha. Ze zijn toen met de metro naar het Nationaal Theater gegaan en vervolgens naar een restaurant. Daar hebben ze een paar uur gezeten en wijn gedronken. Het is nogal een vochtige toestand geworden. Ze hebben voornamelijk zitten huilen en handjes vastgehouden. Daarna hebben ze langs Aker Brygge gewandeld, toen weer terug naar het centrum en naar de metro. Ze waren gisteravond om halfacht hier en deden om elf uur het licht uit. Toen heeft Jack mij gebeld.'

Beiden keken ze naar de brede, bruine deur van het portiek.

'Hij heeft waarschijnlijk vrolijk liggen wippen terwijl ik hier een verschrikkelijke hoofdpijn en een rothumeur heb opgelopen.'

Gunnarstranda gaapte en sloeg zachtjes met zijn hand tegen het stuur.

Frølich schonk zich nog wat koffie in en zag hoe zijn chef voortdurend op zijn horloge keek.

'Kwart voor gaan we naar binnen,' herhaalde Gunnarstranda en hij maakte met zijn tong zijn lippen vochtig. Zijn ogen waren roodomrand.

De deur ging open. Ze veerden op, maar zakten ook weer terug. Een onbekende man met een bruin jack en kortgeknipt haar kwam naar buiten. Hij stapte in een Opel die vlak voor hen stond geparkeerd.

Gunnarstranda draaide aan het bandje van zijn horloge toen de auto wegreed.

'Misschien willen ze gewoon uitslapen,' probeerde Frank hem gerust te stellen. Hij merkte dat de koffie hem tot leven wekte.

'Boven is pas een halfuur geleden het licht aangegaan, en ook nog maar achter één raam.'

Weer ging de deur open. Een vrouw van middelbare leeftijd bleef even onder het afdakje staan en haalde diep adem. Langzaam trok ze een paar handschoenen aan, waarna ze rustig in de richting van het metrostation wandelde.

De ramen besloegen. Ze waren al niet zo helder geweest, maar nu werd het nog erger door de dampende koffie in de gele kop. Frank trok zijn mouw over zijn hand en veegde het raam schoon.

Nu! De deur ging open en Sigurd Klavestad stond alleen op de stoep. Gunnarstranda had zijn mobiele telefoon al gepakt en een nummer ingetoetst, zonder zijn ogen van de man op het tegelpad af te wenden.

Sigurd Klavestad zag er bleek uit. De huid rond zijn ogen had een ongezonde, donkere kleur gekregen. Het contrast met de bleke huid gaf het gezicht een holle uitstraling. Zijn lange haar droeg hij nog steeds in een paardenstaart.

Frank hoorde de verbinding tot stand komen. Eindelijk! Hij ging over. De man met de paardenstaart wandelde langzaam de straat door. Rustig, zonder zich te haasten. Niemand nam de telefoon op. Frank opende het portier op een kier. De telefoon ging nog steeds over.

'Hallo?'

Een zachte, slaperige vrouwenstem klonk plotseling uit de hand van de hoofdinspecteur. Ze leefde nog.

Rustig verbrak Gunnarstranda de verbinding. Sigurd Klavestad was al een eind verderop in de straat.

'Tot ziens!' zei Frank en hij stapte moeizaam uit de krappe auto.

# 16

Gunnarstranda keek het tweetal na. De mist was zo ver opgetrokken dat Klavestad nog te zien was. Een tengere man in een lange, zwarte jas. Hij liep wat stijf en onbeholpen. Frølich liep een eind achter hem. Groot, wijdbeens en een beetje schommelend, met beide handen in zijn zakken.

Al snel verdween Klavestad in de stroom passagiers die haastig op weg was naar het station. En toen de lange, rode trein eindelijk het station binnenreed, was ook Frølichs grote lichaam in de drukte niet meer te onderscheiden.

Gunnarstranda wachtte tot de trein was vertrokken. Toen stapte hij uit de auto, liep naar binnen en de trap op.

Er gebeurde niets toen hij aanbelde. Achter zijn voorhoofd groeide zijn ergernis. De vermoeidheid na een nacht zonder slaap riep een heftige woede op, die hij botvierde op de deurbel. Binnen klonken ding-donggeluiden als van een flipperkast. Toen hij eindelijk de bel losliet, hoorde hij achter de deur duidelijk voetstappen.

'Openmaken!' riep hij geïrriteerd en hij sloeg met gebalde vuist op de deur.

'Wie is daar?'

Haar stem was door de houten deur nauwelijks te horen.

'Politie! Openmaken!'

Weer stilte. De politieman keek ongeduldig naar de houten deur en zuchtte. Hij tilde zijn hand op om er weer op los te bonken, maar beheerste zich. Hij haalde opgelucht adem toen het slot werd opengedraaid en de deur op een kier werd geopend.

'Wat is er?'

Haar gezicht was bleek en haar lippen trilden nerveus. De politieman wapperde met zijn legitimatie. 'Laat me binnen!' zei hij kortaf en hij duwde de deur open.

Ze stapte achteruit, ze droeg alleen ondergoed.

'Trek wat aan!' commandeerde hij en hij liep voor haar uit de flat in.

Zijn blik dwaalde door de kamer. Er stonden allerlei frutsels, snuisterijen en en beeldjes in vitrinekasten en op planken. Gedempte kleuren. Kunst aan de wand. Een gesloten deur, waarschijnlijk naar de slaapkamer. Een groot weefgetouw nam de halve kamer in beslag. Onder een enorme kamerlinde stond een onopgemaakte bank. Er hing een bedompte geur. Het was duidelijk dat er iemand in de kamer had geslapen.

Ze kwam de kamer binnen. Ze had een spijkerbroek en een trui met korte mouwen aangetrokken, liep nog steeds op blote voeten, maar leek niet meer zo verward.

'Gaat u zitten!'

Ze gehoorzaamde. Ze keek afwachtend naar hem op, niet bang meer. Gunnarstranda keek haar strak aan.

'Wie heeft er op de bank geslapen?'

'Een kennis.'

Hij pakte haar bij haar arm. Haar ogen werden groter.

'Ik ben niet gevaarlijk,' verzekerde hij iets vriendelijker met schorre stem. De woorden bleven in de lucht hangen.

Zijn hoofdpijn werd erger. Zijn gezicht vertrok van de pijn toen hij rustig vroeg: 'Hoe goed kent u de man die vannacht bij u geslapen heeft?'

'Kennen?'

Allemachtig. Dit was niets voor hem. Hij liet zich moeizaam op de onopgemaakte bank zakken. 'Sigurd Klavestad heeft hier de nacht doorgebracht. Bent u ervan op de hoogte dat hij met de moord op Reidun Rosendal te maken heeft?'

'Ja.'

'Hoe lang kent u hem al?'

'Sinds gisteren.'

Ze was een mooie vrouw. Lang en slank. Maar ze had een beetje een koeienblik. Grote, bruine, vochtige ogen. Hij dacht aan de zachte huid rond haar navel die hij net had gezien, toen ze achteruit de gang in liep. Hij betrapte zich er nu op dat hij naar de zwarte moedervlek op haar gezicht stond te staren. Haar lippen bewogen. 'Hij moest met iemand praten. Ik moest met iemand praten. We hebben ... we hebben gesproken over ... Reidun.'

Haar stem klonk rustig. Ze keek hem strak aan. Waarschijnlijk sprak ze de waarheid.

Gunnarstranda boog zich naar haar toe. 'We kunnen hem niet als verdachte uitsluiten.'

Ze bleef hem rustig aankijken. 'Dat weet ik.'

'En toch vraagt u hem of hij met u mee naar huis gaat en laat u hem hier slapen?'

'Daar hebt u niets mee te maken.'

Er kwam een nieuwe glans in de koeienogen. Ze keek hem zonder schroom aan.

Gunnarstranda zag ineens dat er twee kussens naast elkaar op de bank lagen. Twee kussens, en maar één dekbed.

'En voor gistermiddag had u hem nog nooit gezien?' merkte hij spottend op.

Ze schudde haar hoofd en hij voelde zijn hoofdpijn weer opspelen.

'Uw gast moet wel onweerstaanbaar zijn.'

Ze zweeg. Maar ze was op haar hoede, zijn toon was haar opgevallen. Het beviel de politieman dat ze er de voorkeur aan gaf om te zwijgen.

'Hoe reageerde u toen hij gisteren kwam?'

'Hoe ik reageerde?'

Gunnarstranda kneep zijn lippen schamper op elkaar. 'Het moet toch een bepaalde indruk hebben gemaakt dat de man die een paar minuten voor de moord op uw vriendin nog bij haar was, gisteren plotseling voor uw neus stond.'

'Ik werd rustig.'

Haar gezicht was bleek en geëmotioneerd. 'Het deed me goed om over haar te praten!'

Hij sloeg met zijn hand op het kussen. 'Het moet u wel heel goed gedaan hebben,' zei hij met een kille glimlach.

Ze zweeg, maar haar ogen dreven de spot met hem.

Daar heb ik je, dacht hij. Hij zag het in haar bruine ogen. De geringschattende verachting voor zijn pathetische pogingen om haar te provoceren. Dat beviel hem. De kracht waarmee ze hem opnam, beviel hem. Ze keken elkaar aan. Ze stond op het punt zich bloot te geven. Een trekje om haar mond maakte haar gezicht heel mooi.

'Ik geloof u,' verzekerde hij haar en hij veegde met een hand over zijn voorhoofd. 'Waarom bent u niet naar uw werk gegaan?'

'Ik kon het vandaag niet opbrengen.'

Dat kan, dacht hij en hij knikte. 'Had u veel contact met haar?'

'Waarschijnlijk kon ze het best met mij overweg.'

'Waarom durfde u zojuist de deur niet te openen?'

'Ik dacht dat er iemand was. De telefoon ging. Net als bij Reidun, en toen werd er gewoon neergelegd, en daarna werd er aangebeld, zo vroeg ...'

'Zoals bij Reidun?'

'De telefoon. Sigurd vertelde dat ze werd gebeld vlak voordat hij haar verliet, iemand die gewoon de hoorn weer neerlegde.'

Gunnarstranda kreeg een bedachtzame uitdrukking op zijn gezicht en hij beet op zijn onderlip. 'Weet u waar ze woonde?'

'Ja.'

'Bent u bij haar op bezoek geweest?'

'Ja.'

'Was ze tevreden met haar woning?'

'Ging wel.'

Hij ging erop door. 'Wat mankeerde eraan?'

Ze aarzelde.

'Toe maar.'

'Een gluurder.'

De politieman knikte. 'Een oudere man? De buurman van tegenover?'

'Ja. Die oude zak keek bij haar naar binnen, en daarom moest ze er
steeds op letten dat haar gordijnen dicht waren.'

Kristin Sommerstedt aarzelde. Ze dacht na. 'In het begin vond ze het
heel vervelend, maar op een gegeven moment besloot ze er maling aan
te hebben.'

'Hoezo?'

De vrouw aarzelde nog steeds. Alsof het antwoord hem niet zou
bevallen.

'Kom op,' drong hij aan en hij knipoogde om haar over te halen.

Kristin Sommerstedt trok haar benen op en zat nu in kleermakerszit
op de stoel. Haar teennagels waren roodgelakt.

'Het klinkt misschien een beetje dom om het zo te zeggen. Maar ze
had het helemaal gehad met die oude viezerik. Helemaal.'

Ze zocht naar woorden. 'Volgens mij bedoelde ze dat zo'n kerel haar
niet kon dwingen volgens bepaalde regels te leven! Steeds maar oppas-
sen dat de gordijnen dicht waren, zodat hij niet naar binnen kon kijken. Ze had zich voorgenomen zich er niets meer van aan te trekken.'

'Hoe?'

De vrouw haalde de schouders op. 'Het kon haar niets meer schelen.
Om hem te treiteren liet ze hem zelfs kijken. Dan trok ze pas na een
tijdje de gordijnen dicht. Ze provoceerde hem gewoon, en ik heb begrepen dat hij af en toe helemaal wild werd.'

Ze dacht even na. 'Hij heeft een keer boven voor het raam gestaan
en ...'

Ze sloeg haar ogen neer. '... toen heeft hij voor het raam gemastur-
beerd. Reidun had voor de lol wat staan strippen ... en toen ... Na een
tijdje heeft ze de gordijnen dichtgetrokken.'

Gunnarstranda knikte afwezig.

'Dat was vorige week. Na die tijd heeft hij haar opgebeld. Hij heeft
haar bedreigd en smerige taal uitgekraamd.'

'Hoe reageerde ze daarop?'

'Wat bedoelt u?'

'Dat hij belde?'

'Ze lachte erom.'

Gunnarstranda fronste niet-begrijpend zijn voorhoofd.

'Ja, echt,' verzekerde de vrouw. 'Er kwam geen eind aan zijn vuilbek-kerij. Hij neuzelde dat hij haar zou verkrachten en haar in stukjes zou snijden. Het was heel heftig, maar ze kon er alleen maar om lachen. Volgens mij werd het haast een soort oorlog. Als ze het erover had, werd ze al agressief. Het was allemaal heel ... walgelijk.'

'Hoezo, walgelijk?'

Ze sloeg haar armen uiteen. 'Misschien is krankzinnig een beter woord. Het was gewoon krankzinnig om naar de verhalen over die gluurdersoorlog te luisteren.'

'Ze was echt niet bang?'

'Nee.'

'En dat was vorige week?'

'Ja. Ik geloof dat ze het donderdag vertelde. Ja, donderdag.'

Drie dagen voor haar dood. Dit was relevante informatie, dat moest ze beseffen. Hij bestudeerde haar gezicht. Haar gevoelige lippen en haar bruine blik.

Ze ging verder: 'We hebben er niet vaak over gesproken, maar we hadden het wel regelmatig over haar woonsituatie in het algemeen. Ze had maar weinig ruimte, ze wilde graag iets groters, zodat ze wat beter uit de voeten kon. En dan hadden we het ook weleens over die gluur-der.'

Gunnarstranda luisterde naar Kristin Sommerstedts verhaal over Reidun Rosendals privéoorlog. Ze vertelde over persoonlijke ontwik-keling en bewustwording. Het recht om vrouw te zijn en je te kle-den zoals je zelf wilde, je eigen leven te leiden, zelfs als er zo'n zwijn aan de overkant woonde. 'Ze voelde zich op een bepaalde manier ge-krenkt!'

Kristin Sommerstedts bruine ogen straalden geëmotioneerd. 'Ge-krenkt omdat ze niet met rust werd gelaten.'

Gunnarstranda knikte. Hij probeerde zich een blonde vrouw met lange benen en stevige borsten voor te stellen die, om zich van Arvid Johansens onderdrukking te bevrijden, de gordijnen openliet en de hele nacht de liefde bedreef met de man met het lange haar. Hij voelde zich oud toen hij zo naar haar zat te luisteren. Daarom glimlachte hij afstandelijk toen de vrouw haar mond hield. Hij vroeg: 'Maar genoot ze er ook niet van? Vond ze het niet gewoon leuk om de oude man een beetje op te geilen?'

Haar ogen keken hem aan. Teleurgesteld.

'Zou dat mogelijk zijn? Dat ze er ook plezier in had?'

Ze staarde naar de vloer. De woede was van haar gezicht af te lezen. Hij wachtte.

'Ik had gewoon mijn mond moeten houden,' barstte ze los. Ze stond op en liep nerveus heen en weer. Het was geen toneelspel.

Hij leunde achterover. De bank zakte een heel stuk door, het was onmogelijk om er gemakkelijk op te zitten. 'Rustig maar,' zei hij hees en hij boog zich naar voren. Hij zuchtte een keer. 'Ik vroeg of ze het leuk vond om die oude viezerik op te geilen omdat ik denk dat u pienter genoeg bent om dat te kunnen beoordelen. Kijk me niet zo aan! Vertel me liever of ze het naar haar zin had op haar werk.'

Er glinsterde iets in haar ogen. Ze hadden weer contact. Boven de moedervlek vertrok haar mond in een lachje vol zelfspot. Een zucht. Nou, goed dan – ze zei het niet hardop. Ze ging zitten.

'Had Reidun een vriend?' vroeg hij.

'Niet dat ik weet.'

Hij wachtte.

'Maar er waren wel mannen die gek op haar waren,' mompelde ze.

'Iemand in het bijzonder?'

Ze antwoordde met een schouderophalen. 'Weet ik niet.'

'Heeft ze nog over andere buren gesproken?'

Kristin Sommerstedt dacht na. 'Kan ik me niet herinneren.'

'Ook niet over een echtpaar met een klein kind?'

'Nee.'

'Ook niet over een man uit de buurt die haar ergens mee geholpen heeft? Bijvoorbeeld met het starten van haar auto toen het zo koud was.'

'Het spijt me.'

Kristin Sommerstedt glimlachte.

'Vond ze haar werk leuk?'

'Nou ja, leuk ...'

Ze aarzelde. 'Hebt u met hen gesproken?'

'Nee.'

'De directeur is nogal bijzonder.'

'Engelsviken?'

Ze knikte. 'Hij is al over de veertig en doet alsof hij 25 is. Scheurt rond in een open sportauto, in een zijden pak en met een zonnebril op. Hij groet nooit. Vloekt regelmatig en praat alleen maar in vaktaal. Probeert de joviale miljonair uit te hangen, zodat anderen hem bijzonder vinden. Maar hij is uiteindelijk niet meer dan een dik, klef mannetje dat gefixeerd is op borsten en billen. Korte worstvingers en een hele rij gouden tanden.' Ze huiverde en haar schouders beefden overtuigend.

'Zijn vrouw is heel anders. Echt een dame. Zo vroom en braaf als in sprookjes. Het is onvoorstelbaar dat die twee met elkaar getrouwd zijn.'

'Onvoorstelbaar?'

Ze dacht even na. 'Ik geloof niet dat zij zo gelukkig is,' zei ze zacht. Gunnarstranda wachtte. De vrouw staarde naar buiten. 'Sonja heeft het niet gemakkelijk. Het valt niet mee om altijd de puinhopen van zo'n klootzak te moeten opruimen en de schijn op te houden.'

'Waarom zijn ze niet gescheiden?' vroeg Gunnarstranda. Toen hij de uitdrukking op haar gezicht zag, voegde hij eraan toe: 'Misschien blijven ze voor de kinderen bij elkaar?'

'Ik weet het niet. Ik geloof niet dat ze kinderen hebben.'

Kristin Sommerstedt ging door: 'Maar ik kan me niet voorstellen dat Sonja Hager hem en hun mooie villa zou verlaten. Of dat ze alleen de stad in zou gaan ...'

Ze grijnsde. 'Ik begrijp gewoon niet hoe ze het uithoudt. Vraag het haar, misschien kan ze het zelf vertellen.'

Hij kon niet langer blijven zitten. Het was zijn beurt om op te staan en onrustig door de kamer te lopen.

'En de boekhouder?'

'Geil op jacht en bodybuilding.'

'Jacht?'

Ze knikte. 'Hij rijdt het hele jaar met zo'n doodkist op zijn auto. Heeft altijd zijn geweer bij zich.'

Gunnarstranda fronste zijn voorhoofd.

'Echt waar! Hij heeft het aan mij laten zien. Wilde waarschijnlijk indruk op me maken. Zo is hij. Hij laat graag zijn spierballen zien en vertelt trots dat hij in de openlucht overnacht. 's Avonds trekt hij de bossen in om hazen en dergelijke te schieten en vertelt dan uitgebreid hoe hij zo'n dier gaat schoonmaken.'

'Ontweien.'

'Wat?'

'Dat heet ontweien, als je dieren van hun ingewanden ontdoet,' zei Gunnarstranda zacht en afwezig. 'Vindt hij het leuk om daarover te vertellen?'

'Hij mag vrouwen graag de stuipen op het lijf jagen, zodat hij daarna een arm om hen heen kan slaan. Dan kunnen ze zijn spierballen voelen.' Ze glimlachte wrang.

'Hebt u dat geweer vaak gezien?'

'Eén keer. Maar iedereen weet dat Bregård met een geweer in zijn dakkoffer rijdt.'

'Wat voor geweer?'

'Weet ik niet. Daar heb ik geen verstand van.'

'Hoeveel lopen? Een of twee?'

'Twee.'

Toen de politieman zweeg, knikte ze. 'Twee,' herhaalde ze.

Gunnarstranda streek over zijn kin. 'Een jachtgeweer in een dak-koffer,' mompelde hij.

Ze keek naar hem op. 'U lijkt me wel een intelligente man,' zei ze opeens. Hij bleef staan. Ontmoette haar blik. Dit werd moeilijk. Kristin Sommerstedt kwam terug op het thema vrouwelijkheid. Voortdurend een rol spelen. Gunnarstranda dacht aan de dode vrouw die bij de post was begonnen, toen als caissière had gewerkt en daarna als computerverkoper. Welke rol had zij gespeeld, dacht hij plotseling geërgerd. Hij keek naar de mooie vrouw op de bank. Volle rode lippen en een fascinerende moedervlek op haar kin. Haar lippen spraken over vrouw-zijn in gezelschap van mannen. Vooral als je verstandig was. Verstandiger dan mannen. 'Reidun was pienter,' stelde ze vast. 'Pienterder dan anderen. Maar dat werd nooit gewaardeerd. Reidun behoorde tot de mensen die zich aan hun omgeving aanpassen. Ze gedroeg zich dom, speelde een rol, om erbij te horen, om te worden geaccepteerd.'

De rechercheur knikte langzaam. Haar zelfbeeld. Dat was belangrijk. Was Johansens kleine roos misschien een klein, verwaand betwetertje geweest?

'Hoe goed speelde ze haar spel?'

'Heel goed.'

'Daagde ze haar omgeving uit?'

'Nee, ze had alles onder controle. Ze deed wat ze wilde.'

'Manipuleerde ze mensen?'

'Zo zou ik het niet noemen. Ze deed wat ze wilde.'

'En dan werden mensen boos op haar?'

'Dat heb ik niet gezegd.'

'U vertelde dat dat oude zwijn boos op haar werd.'

Ze gaf geen antwoord.

Hij probeerde haar voor zich te zien. Doldriest strippend voor een geile oude man die zich verstopte achter zijn verrekijker.

De vrouw op de bank keek naar hem. 'U moet het niet verkeerd begrijpen,' zei ze. 'Zo was ze niet. Maar ze kon zo zijn.'

'Juist.' Hij knikte afwezig. 'Had Bregård succes bij Reidun?'

'Daar weet ik niets van!'

'Zo vertrouwelijk waren jullie niet?'

'Niet op die manier.'

'Op welke manier dan wel?'

Ze lachte alsof hij een goede mop had verteld. 'We praatten niet over mannen!'

Kristin Sommerstedts mond was verrassend breed als ze lachte. Haar tanden stonden dicht op elkaar en waren spits met bleke vlekken.

Ze zwegen een tijdje, totdat zij de stilte verbrak: 'Soms gingen ze samen uit, de mensen van haar werk.'

'Waar?'

'Ik weet dat ze het eens heeft gezegd,' mompelde ze.

Gunnarstranda stopte zijn geijsbeer. 'Het was niet toevallig een club met de naam Scarlet?'

Kristin haalde de schouders op. 'Ik kan het me niet herinneren. Over dat soort dingen hadden we het ook niet.'

Ze glimlachte weer.

'Kent u die club?'

'Ik ben er nog nooit geweest.'

'Ook afgelopen zaterdag niet?'

'Natuurlijk niet.'

'Waar was u zaterdag?'

Ze keek hem nog steeds glimlachend aan. Alsof ze op de vraag had gewacht. 'Ik ben met goede vrienden naar de bioscoop geweest. Daarna zijn we naar Rockefeller gegaan, rond halftwaalf, geloof ik. Ik was om drie uur thuis.'

'Alleen?'

'Ja. U kunt een paar telefoonnummers krijgen van de mensen met wie ik in de bioscoop en in Rockefeller ben geweest.'

'Het is wel goed,' mompelde hij en hij zette zijn wandeling voort. 'Alleen als het nodig is. Waarover sprak u doorgaans met Reidun?'

Ze knikte naar het weefgetouw. 'Handwerken.'

Hij knikte. Hij had geen verstand van textiel. 'Ik heb u trouwens daarnet gebeld,' zei hij plotseling. 'Ik wilde controleren of u nog in leven was.'

Ze was een pientere vrouw. Een jaar of dertig en alleenstaand. Een enorm zelfvertrouwen en een sterke wil. Deze beschrijving was vermoedelijk ook van toepassing geweest op Reidun Rosendal. Hij dacht het wel.

'Waar ging Klavestad nu heen?' vroeg hij vriendelijk.

Ze haalde haar schouders op. 'Naar zijn werk, geloof ik. Het gaat niet zo goed met hem!' barstte ze uit, met een bezorgde uitdrukking op haar gezicht.

De hoofdinspecteur voelde achter zijn voorhoofd de hoofdpijn weer opkomen.

'Tot ziens,' zei hij kort. Hij keerde zich om en verliet haar.

# 17

De stroom mensen die gejaagd van de metro naar Egertorget liep was ondoordringbaar. Aan de voet van de roltrap stuwde het op. Mensen met een glazige ochtendblik en een zwakke energie die direct buiten het lichaam in het niets oploste. Metropassagiers die nauwelijks om zich heen keken. Frank Frølich merkte al snel dat Sigurd Klavestad niet vaak met de metro reisde. Hij gedroeg zich als een boer in de stad; stond op de roltrap aan de linkerkant en versperde de weg voor de lopers, de mensen met weinig tijd, die een bus moesten halen. De massa drong van achteren op. Een driftige man met hoed duwde de koelak naar de rechterkant. Klavestad liet de mensen beleefd passeren en ging weer op zijn oude plek staan. Ezel, dacht Frank Frølich.

Eenmaal buiten bleef Sigurd Klavestad staan, en keek om zich heen. Uiteindelijk liep hij met grote stappen in de richting van de Karl Johans gate. Hij bewoog zich schommelend, met rechte rug. Hij leek een beetje een zonderling. Frank kon het niet laten om hem te vergelijken met boekhouder Bregård, de bodybuilder met z'n enorme bielzen. De boekhouder tegenover Klavestad. Snor tegenover paardenstaart en zwarte stoppels op zijn kin. Het viel Frank Frølich op dat meisjes omkeken als ze de man met de paardenstaart passeerden. Sigurd had iets wat vrouwen aansprak. Geen twijfel mogelijk, een gevoelig type. Vrouwen zien zoiets. Hij was tenslotte ook direct naar Reiduns werk gegaan om met iemand te kunnen praten. Hij had bij een glas rode wijn het handje vastgehouden van Kristin Sommerstedt, ze hadden samen een traantje geplengd. Een softie. Hij praatte vast net zo gemakkelijk over zijn oedipuscomplex als anderen over een griepje.

Frank Frølich stelde zich voor hoe Bregård op zondagochtend door het bos stapte. Een boekhouder aan de Bjørnsjø. Op een stoeltje bij een gat in het ijs, urenlang vissend op kleine forellen. Op zijn hoofd een muts met oorwarmers. En dan verder naar het volgende gat om daar een forel of een baars op te halen. Nee. Daarvoor was Bregård het type niet. Hij was vast een jager. Ja, een jager. Dat paste wel bij zijn snor.

Deze twee totaal verschillende mannen hadden dus iets gehad met dezelfde vrouw. Een vrouw die zich overal kon aanpassen. Een kameleon? De ene dag gekleed als een schoolmeisje, had Bregård gezegd, de andere dag als de vleesgeworden droom van elke bajesklant. Hoe kwam hij op het idee? De manier waarop hij het had gezegd – bajesklant. Was hij misschien zelf al eens tegen de lamp gelopen?

Sigurd stopte bij een bankje aan de rand van de winterdroge fontein van Spikersuppa. Daar bleef hij zitten. Frank kocht bij de kiosk op de hoek van de Rozenkrantz' gate een krant en een reep chocola. Daarna leunde hij tegen een boom, terwijl Klavestad roerloos op de bank zat en kleine wolkjes sigarettenrook de ozonlaag in zond.

Frølich dacht aan het mishandelde lichaam van de jonge vrouw en aan het feit dat haar flat geen enkele persoonlijke noot vertoonde. Maar één boekenkastje met boeken van de boekenclub. Ongelezen en met stijf papier. Blauwe, handgemaakte wijnbekers van keramiek, mooi en decoratief uitgestald. Niets aan de wanden, afgezien van twee breedgerande dameshoeden met een dikke laag stof erop. Een paar cd's, die van een chaotische smaak getuigden. Housemuziek, Pavarotti, Randy Crawford en Lillebjørn Nilsen. Waarschijnlijk had ze helemaal geen smaak. Wat had haar persoonlijkheid gevormd?

Kleding, dacht hij. Kleding en haar schetsboek. Die hadden ze in haar tas gevonden. Een boek met tekeningen en ruitjespatronen. Ook daar kleding – jacks en rokken aan magere lichamen met grove houtskoollijnen. Maar het was in elk geval van haar. Onbegrijpelijk voor hem, maar menselijk.

Hij keek op zijn horloge. Klavestad had zich al meer dan een uur niet verroerd. Hij voelde dat de chocola niet voldoende was voor zijn maag. De honger maakte hem onrustig. Daarom liep hij naar een groep mensen toe die met spandoeken op de Eidsvolls plass stonden.

Eindelijk kwam Klavestads hoofd weer boven het hek uit. Frank nam afscheid van de activisten en liep tevreden achter Klavestad aan naar McDonalds.

Fel neonlicht, opzichtige kleuren en aardig personeel achter de toonbank. Er waren maar weinig klanten. Hij ontweek zijn spiegelbeeld en nam het risico om achter Klavestad in de rij te gaan staan.

Eigenlijk had Sigurd aan het werk moeten zijn. Het bedrijf waar hij werkte, een uitgeverij van tijdschriften, was niet ver weg. Op zich leek Klavestad wel een stabiel type, maar vandaag niet. Vandaag was hij nerveus. Bij het betalen schudde hij koortsachtig met zijn portemonnee. Jij zult nooit leren vliegbinden, dacht hij.

Het was al bijna elf uur toen de tocht verderging. Hij volgde op een afstand van zeventig meter. De Big Mac in zijn maag gaf hem voorlopig een heel voldaan gevoel.

Ze liepen in de richting van de tramlijn en even later stonden ze op de tram te wachten. Lijn 11, bleek na een tijdje.

De tram reed langzaam door de Storgata en daarna door de Thorvald Meyers gate. Het draaistel maakte een piepend geluid. Frank zat helemaal achter in de laatste wagon en probeerde er zo anoniem mogelijk uit te zien. De tram schudde heen en weer op het ritme van de onregelmatigheden van de rails. Het gewiebel plantte zich voort in de hoofden van de passagiers. Ze schommelden rustig mee. In de maat. Ook de lussen aan de stangen boven het middenpad deinden mee. De hoofden schommelden, de lussen schommelden. Als er maar geen controle kwam. Dat hij zonder kaartje in de tram zat, verried dat schaduwen niet zijn sterkste kant was. Als deze vis hem vanwege een kaartjescontrole ontglipte, zou hij er de rest van zijn leven mee gepest worden.

Klavestad had verder naar voren een zitplaats gevonden. Hij zat in elkaar gedoken op een lage stoel. De paardenstaart hing slap over de rand van de rugleuning. Ook die wiegde heen en weer.

Eindelijk stak Sigurd zijn hand omhoog om op de stopknop te drukken. Hij stond op. Frank bleef zitten. Hij keek zo ontspannen mogelijk uit het raampje, terwijl Klavestad met een lege blik naar achteren staarde, recht in zijn gezicht. Twee mannen kwamen door een poort gewaggeld. Ze waren zo dronken dat ze vooral zijwaarts liepen. De een was blijkbaar een keer hard op zijn neus geslagen. Die zat zo scheef dat hij haast tegen zijn wang hing. Een hazenlip maakte de boeventronie compleet. De andere man was langer, slanker, en droeg een scheve bril. Zijn bruine tanden verrieden zijn angst voor de tandarts.

De tram stopte. Klavestad stapte uit. Frank liep achter hem aan. Hij kwam in botsing met een van de dronken wrakken, die een grommend geluid maakte en in de richting van een geparkeerde auto spoog.

Ze waren op bekend terrein. Ze zetten koers naar het adres van Reidun Rosendal.

Frank hield vijftig meter afstand. Het was een riskante buurt, met stille straten. Aan de rechterkant was voor het traliehek rond het Dælenenga-stadion een speelplaats aangelegd. Plotseling bleef Sigurd Klavestad staan. Hij staarde naar de grond. Frank moest doorlopen. Het was gevaarlijk rustig. Een eindje verderop liep alleen een oude vrouw in een grijze, wollen jas en met grijs haar. Ze zeulde een plastic draagtas mee. Hij haalde Klavestad aan de andere kant van de straat in en liep in de richting van een blauwe deur waarop aan de buitenkant reclame voor krasloten was geplakt. Een kiosk.

Waar stond de man over na te denken? Hij leek op een figurant in een reclamespotje. Zijn handen diep in zijn broekzakken, zodat zijn open jas losjes op zijn rug hing.

Frank ging naar binnen en botste bijna tegen Arvid Johansen aan. De oude man was diep in gedachten en liep zijdelings de deur uit, zoals oude mensen wel vaker doen als ze denken dat het glad is. Hij leunde op zijn stok en vloekte als een ketter toen Frank hem in de weg stond. Maar hij nam niet de moeite om te kijken wie er bijna tegen hem aan botste; hij hield zijn blik neergeslagen en mompelde wat verwensingen.

De oude gluurder liet in de kiosk een geur van visafval achter. De politieman probeerde naar buiten te kijken, maar het raam in de blauwe deur was van draadglas en dus ondoorzichtig. Tussen de schappen met mannenbladen door kon hij zien hoe de oude man door de straat slofte. Hij droeg een dikke winterjas uit de jaren vijftig, en een hoed met een brede rand die met aritmische bewegingen op en neer ging, net als een pop in een poppentheater.

Een Pakistaanse vrouw met zwart haar en een rood winkelschort vroeg glimlachend wat Frank wenste.

'Een totoformulier,' zei hij. Ze wees naar een hoge tafel die twee meter verderop stond. Formulieren en een pen lagen al klaar. Een eersterangs plaats. Hij moest zich echter bukken en wat covergirls met ballontieten negeren om een blik naar buiten te kunnen werpen. De vrouw achter de toonbank moest wel denken dat hij gek was. Hij pakte een stapeltje formulieren uit de houder.

Buiten werd de afstand tussen de beide mannen kleiner. De oude man kwam steeds dichter bij Klavestad. Eigenlijk was hij nog niet zo stijf, hij hoefde in elk geval niet op zijn stok te leunen.

De oude man bleef staan. Wat gebeurde er? De seconden tikten weg. Plotseling liep Klavestad achteruit. Verdomme! De oude tilde zijn stok op. Sigurd Klavestad liep terug, snel, alsof hij op de vlucht was. Hij keek steeds om en verdween om de hoek.

De oude man bleef even staan kijken, maar ging hem toen achterna. Ook hij liep terug naar de hoek. Nu bewogen zijn voeten echter sneller. Hij zwaaide de stok als een krukas in het rond. Zijn gezicht stond hard en gesloten.

Frank stopte de formulieren in zijn zak, wierp een paar kronen op de toonbank, greep een krant mee en liep hen achterna.

# 18

Gunnarstranda keek naar het plafond van zijn kantoor. Hij knipperde met zijn ogen, tilde automatisch zijn linkerarm op en keek op zijn horloge. Hij had tweeënhalf uur geslapen. Niet slecht. Zijn hoofdpijn was verdwenen. Maar nu had hij een stijve nek. Zijn hoofd had in een iets te scherpe hoek gelegen, tegen de armleuning van de oude bank. Dat was dan niet anders. Hij sloeg de kleine, geruite wollen deken terug, ging zitten en wreef over zijn hals en nek terwijl hij probeerde zijn hoofd recht te draaien. Nog steeds proefde hij het slaapgebrek in zijn mond. Het was tijd voor koffie en een sigaret.

Twee uur later reed hij in een dienstauto over de Mossevei. Hij dacht na. De vraag was hoe de weg van de jonge Klavestad naar de kern van het drama voerde dat zich hier had afgespeeld.

De kans was klein dat Reidun Rosendal voor de moord seksueel mishandeld was. Omdat de voordeur niet was opengebroken, had ze haar moordenaar vermoedelijk zelf binnengelaten. Maar wat was er daarna gebeurd? En waarom was het in de flat zo'n chaos geweest, en waarom had niemand iets gehoord?

Het antwoord lag waarschijnlijk voor de hand, maar hij zag het niet. Dat was het probleem. Om het goede antwoord te krijgen moest je de goede vraag stellen. En wat was de goede vraag? Hij is er wel, maar nog niet geformuleerd. Hij ligt voor de hand, maar je krijgt hem niet te pakken omdat hij wegglipt, als een kevertje in een teiltje dat je probeert te vangen.

Als je niet vragen kunt, moet je kijken. En Frølich kon goed observeren.

Hij reed langs het strand van Katten en keek neer op de natte rotsen. Alles was verlaten. Er was maar één man te zien. Een magere, oude man in blauwe kleding, een pet met een klep op zijn hoofd. Boven hem vloog een eenzame meeuw. Een eindje verderop waggelde een oude, dikke cockerspaniël. Hijgend schudde hij met zijn kop en vrolijk kwijlend keek hij naar zijn baas, die achter hem aan liep.

Gunnarstranda boog van de weg af. In de verlichte tunnel was hij alleen. Hij nam de afslag naar Holmlia.

Het werd een doelloze rit. Ten slotte stopte hij onder een wit bord in de vorm van een pijl. Zijn ergernis dat hij de weg niet kon vinden, bezorgde hem opnieuw hoofdpijn. Op het bord stonden allemaal cijfers. De pijl wees naar een groep woonblokken en kleine houten huizen waar auto's niet mochten komen. Hij stapte uit en startte een systematische zoektocht naar nummer 76, het huis van marketingchef Svennebye.

Zijn vrouw opende de deur toen Gunnarstranda aanbelde. Ze was een gezette vrouw van een jaar of vijftig. Ze droeg een blauwe jurk. Haar brilmontuur en oorbellen hadden dezelfde paarse kleur als haar schoenen.

Zo opgewonden als ze de deur had geopend, zo teleurgesteld was ze toen ze de man op de stoep zag. Ze keek op hem neer en scheen hem met haar blik het gevoel te willen geven dat hij een minderwaardig onderkruipsel was. Het maakte hem niet uit, hij was toch al in een slecht humeur. Hij keek haar aan. Ze had kort, rossig haar, een spitse neus en een kleine mond met ongewoon smalle lippen. Toch had ze het gepresteerd er een dikke laag rode lippenstift op aan te brengen. Op een van haar voortanden zat ook wat lippenstift. Hij stak felrood af tussen de witte tanden.

Gunnarstranda stelde zich voor. Na een moment van aarzeling vroeg ze of hij binnen wilde komen. Ze liep voor hem uit. De nauwe rok spande over haar achterste en benadrukte haar overgewicht. Ze had dikke enkels. In de kamer nam ze plaats op een hoge kruk aan een soort bar. Ze at een halve stengel bleekselderij op, waar ze iets van mayonaise op had gesmeerd. Ze keek de politieman aan en begon te praten: 'Ik kan me niet herinneren dat ik contact heb opgenomen met de politie!'

Het klonk als een proclamatie. Ze veegde haar handen af aan een servet dat op de bar lag. Haar schrille stem paste goed bij haar.

'Is uw man al eens eerder op deze manier verdwenen?'

'Wie zegt dat hij is verdwenen?' riep ze uit. Haar smalle bovenlip kon niet zo snel bewegen en bleef weer aan de tand met de lippenstift plakken.

Er viel een stilte toen de politieman geen antwoord gaf. Het gedempte geluid van spelende kinderen tussen de huizenblokken drong binnen door. De vrouw draaide zich om, pakte een nieuwe stengel bleekselderij, beet er een stuk vanaf en kauwde met veel geluid. Daarna veegde ze haar vingers weer af, deze keer aan haar jurk.

'Wanneer hebt u uw man voor het laatst gezien?' vroeg Gunnarstranda toen ze uitgekauwd was. Hij was niet gaan zitten, maar stond met zijn handen in zijn zakken in de deuropening.

'Maandagochtend, voor hij naar zijn werk ging.'

'Hebt u enig idee waarom hij maandag na zijn werk niet is thuisgekomen?'

'Geen enkel.'

'Geen ruzie, geen verrassende gebeurtenissen in de familie?'

'Niet dat ik weet.'

'Hij gedroeg zich dus volkomen normaal toen hij naar zijn werk ging?'

'Ja.'

'Dan vraag ik het nog een keer! Is dit al eens eerder gebeurd?'

Haar lippen trilden. Ze zette haar bril af, en de politieman constateerde dat ze haar masker had afgelegd. Ze probeerde zich te beheersen, maar dat lukte niet, de tranen lieten strepen achter op haar te dik opgemaakte wangen.

Gunnarstranda wachtte geduldig, maar met één vinger trommelde hij al op zijn linkerbovenbeen. Dit slecht verborgen ongeduld gaf de doorslag. Ze pakte een zakdoek die ze had verstopt in de mouw van haar jurk en wreef koortsachtig over haar ogen.

'Drinkt hij?'

'Wat?'

'Drinkt hij?'

'Wat denkt u zich ...'

'Rustig blijven!'

Hij had een stap naar voren gezet, maar haalde zijn handen niet uit zijn zakken. 'Ik ben politieman,' zei hij met klem. 'Natuurlijk kan er iets met uw man zijn gebeurd. Maar dat is niet waarschijnlijk omdat u hem niet als vermist hebt opgegeven. Dan zijn er nog drie mogelijkheden over. Hij zou bij een vrouw kunnen zijn, hij zou ergens stomdronken kunnen rondzwerven of hij is er om een of andere reden vandoor gegaan. Zo simpel is het. Als er een vrouw in het spel was, dan had u dat geweten en dan had u niet naar zijn werk gebeld.'

Hij wendde zich even naar het raam, keek daarna de kamer rond. 'Ik onderzoek een moord die in verband kan worden gebracht met het bedrijf waar uw man werkt. Ik weet niet of de verdwijning van uw man iets met die moordzaak te maken heeft, maar daarom vraag ik u wel: drinkt hij?'

Op dat moment klonk het geluid van een sleutel in het slot. De vrouw keek even op haar horloge. 'Trine en Lena,' fluisterde ze, waarna ze naar de gang riep: 'Ik ben hier!'

Haar stem haperde. Het laatste woord klonk als de schreeuw van een aangeschoten meeuw.

Gunnarstranda liep naar de beide tienermeisjes. 'Misschien kunnen jullie iets meer vertellen over de verdwijning van jullie vader,' zei hij tegen de oudste.

Ze keek hem verbaasd aan.

Gunnarstranda stelde zich voor.

'Is er iets met hem gebeurd?' vroeg de jongste nerveus.

Gunnarstranda deed alsof hij de vraag niet hoorde, maar ging wat dichter bij haar staan. 'Is dit de eerste keer dat hij op deze manier verdwijnt?'

'Nee,' zei ze, onschuldig met haar blauwe ogen knipperend. Helaas had ze de ogen van haar moeder geërfd. Ze lagen niet diep, maar hadden zich tussen twee huidplooien links en rechts van haar neus verstopt. Varkensogen.

Hun moeder gleed van de barkruk en wreef nerveus met haar handen over de strakke jurk.

'Wanneer is hij voor de laatste keer op deze manier verdwenen?'

'U hebt gelijk!' onderbrak de vrouw hem voordat haar dochter kon antwoorden. 'Egil kan niet met alcohol omgaan.'

'Waarom drinkt hij dan?'

Ze haalde haar schouders op.

'Het gebeurt altijd onverwachts,' mengde de oudste dochter zich bedremmeld in het gesprek.

Het drietal kroop wat dichter bij elkaar. Het gebeurde automatisch. Ze bouwden een barricade op, en de politieman bespeurde onmiddellijk een vijandige sfeer. Daarom reageerde hij ontspannen, knipoogde even en klauterde op een van de krukken aan de merkwaardige bar. Hij kon met zijn voeten niet bij de voetsteun. Zijn benen bengelden, en glimlachend strekte hij ze voor zich uit.

Het verdedigingsfront ontspande. De beide meisjes keken elkaar aan en giechelden om de man met de korte benen.

De politieman greep zijn kans en trok een ernstig gezicht. 'Komt hij echt vaker twee nachten achter elkaar niet thuis?' vroeg hij met een bezorgde rimpel boven zijn ogen. Alle drie schudden ze het hoofd.

De bleekblauwe ogen van de moeder werden weer vochtig. 'Dat is het juist,' jammerde ze terwijl ze haar zakdoek stevig vasthield. 'Dat is nog nooit gebeurd.'

# 19

Het was wel vreemd. De oude man probeerde niet te verbergen waar hij mee bezig was. Totaal niet. Hij volgde Sigurd Klavestad. Ze liepen door de straat omhoog, door Christies gate, in de richting van de Lilleborgkerk en verder naar het Torshovpark.

Frank Frølich begreep waar ze heen gingen; hij wist waar Sigurd Klavestad woonde. Daarom bleef hij wat achter. Het was nu gemakkelijker om Klavestad te volgen. Hij hoefde slechts de schaduw te schaduwen. En de jonge man met de paardenstaart had alleen maar aandacht voor de oude man die hem achtervolgde. Hij draaide zich voortdurend om, rende niet, maar liep sneller, nerveus. Aan het begin van de Ole Bulls gate bleef hij staan en draaide zich om naar de oude man, die ter plekke leek te bevriezen. De afstand tussen hen was minder dan honderd meter. Frank Frølich probeerde te doen alsof hij op de bus wachtte. Hij liep naar het bushokje, keek op het bordje en bestudeerde de tijden. Geërgerd keek hij op zijn horloge. Verderop gebeurde niets. Ze keken elkaar alleen maar aan. Totdat de eerste man plotseling langzaam in de richting van Johansen liep. Die bewoog zich niet, prikte doelloos met zijn stok om zich heen. De afstand was nu twintig meter kleiner geworden. Sigurd bleef staan. Frank Frølich stopte zijn handen in zijn zakken en wandelde langzaam om het bord met de vertrektijden heen. Er gebeurde niets. Twee paar ogen keken elkaar strak aan.

Totdat Sigurd Klavestad zich eindelijk omdraaide. Hij deed een paar stappen. De oude man volgde. Klavestad draaide zich weer om. Opnieuw bevroor de oude man. Frank Frølich gaapte en keek weer op zijn horloge. Er waren tien minuten voorbijgegaan. Sigurd staarde nog steeds naar de oude man, die hij niet kende. Totdat hij zich opnieuw langzaam omdraaide en verder liep, zonder nog een keer om te kijken. Maar hij liep sneller. De oude man moest tempo maken. Ze liepen bergop, langs het hele Torshovpark, tot ze hun doel bereikt hadden.

Rustig wandelde Frølich verder. Hij had gelijk gekregen. De deur had zich achter Sigurd gesloten. De man met de hoed en de stok stond voor de deur de naambordjes te bestuderen.

Al gauw kon de politieman zich verbergen achter een droogrek. Daarna stak hij snel de weg over naar het huizenblok tegenover de woning van Sigurd Klavestad. Het had nog best moeilijk kunnen worden als hij geen gebruik had kunnen maken van een telefooncel die achter dichte struiken verscholen stond.

Hij glipte naar binnen en bladerde langzaam door aan flarden gescheurde papieren stroken die eens een telefoonboek waren geweest. Een blauwe, een bruine en een rode draad kwamen uit de telefoon tevoorschijn. De rest van de hoorn lag op de vloer.

Frank Frølich leunde tegen het raam en hield de man in de gaten. Johansen was echt gestoord. Hij praatte tegen zichzelf, keek naar de deurbellen en liep voor de ingang heen en weer. Hij liep met gebogen hoofd, strompelend met stijve benen en leunend op zijn stok. Steeds maar heen en weer. Allemachtig, dacht Frank en hij smakte met zijn lippen. Die heeft ze echt niet allemaal op een rijtje.

# 20

'En toen vertrok hij weer, zonder naar binnen te gaan?'

Frank knikte en bracht de auto op de kruising van Karl Johans gate en Dronningens gate tot stilstand.

'En je weet zeker dat hij met de bus terugging?'

Weer een knik.

Het was avond, en intussen was het donker geworden. Ze keken naar de winkelpromenade. Er hingen groepjes jongeren rond. De meesten leverden commentaar en zonden afkeurende blikken in de richting van de auto. Frank herkende plotseling de man met de scheve bril en de bruine tanden die hij eerder die dag bij de tram had gezien. Nu had hij een dobermann met rusteloze poten en een spitse snuit aan een korte lijn. Tegelijk was hij in gesprek met een hoertje met opgezwollen lippen en magere benen dat nauwelijks rechtop kon blijven staan. De vrouw probeerde een sigaret op te steken. Ze had al drie Marlboro's op het asfalt laten vallen. Ze waren gewoon uit haar witte, knokige vingers geglipt.

Gunnarstranda zocht in de binnenzak van zijn jas. 'Je hebt een zin-volle wandeling gehad,' ging hij verder, 'maar ik geloof dat het weinig zin heeft om hem nog te blijven schaduwen. Behalve dat ik me een beetje zorgen maak over die oude Johansen.'

'Hij wekt niet de indruk gevaarlijk te zijn.'

'Nee, misschien niet,' gaf Gunnarstranda aarzelend toe terwijl hij ver-der zocht. 'Maar toch klopt er iets niet. Hier!'

Hij gaf Frølich een pasfoto.

Frank staarde naar de foto van een man van middelbare leeftijd. Spits gezicht, dikke nek, dunne bovenlip en borstelige wenkbrauwen. Een grote haarlok was van zijn linkeroor over zijn schedel gekamd om een kale kruin te camoufleren. De man had de hoogte van de kruk in het pasfotohokje te laag ingesteld. Daardoor rekte hij op de foto zijn hals, waardoor zijn ogen een starende uitdrukking kregen.

'Wie is het?'

'Egil Svennebye. Marketingchef bij Software Partners. Ik heb de foto van zijn vrouw gekregen.'

'Ben je bij haar geweest?'

'Ja, ze vertelde dat hij zich tussen zijn collega's doodongelukkig voelde, en dat hij graag naar de fles grijpt. Dat wil zeggen, vroeger heeft hij veel gedronken. Daarom heb ik de jongens gevraagd om in de cafés naar hem uit te kijken.'

Op dat moment moest Brilmans grote moeite doen om zijn hond in toom te houden. Uit de Skippergata kwam een ongeschoren rocker in een spijkerbroek en een gewatteerde jas. Hij slenterde naar de auto toe. Een herdershond liep rustig met hem mee. Het dier keurde de dobermann geen blik waardig, hoewel die een hels kabaal maakte en zijn tanden liet zien. Frank draaide het raampje naar beneden.

De man liet niet merken dat hij hen kende toen hij naar het autoraampje bukte. 'Bankplassen,' zei hij zacht. Al pratend boog hij zijn hoofd om de peuk in zijn mondhoek aan te steken. 'Straalbezopen! Hij is een uur geleden bij Original Pilsen eruit gegooid, en nu zit hij op de trap van het oude bankgebouw zijn eigen voorraad op te drinken.'

De boodschap was overgebracht. De man richtte zich weer op en liep verder zonder om te kijken. Hij had de weg kunnen vragen, hen gewoon aangekeken hebben of hun een boodschap hebben doorgegeven. Het was snel gegaan. Het kan van alles betekenen als een man zich naar een politiewagen buigt, of het nu een civiele dienstwagen is of niet. Want politiemensen worden altijd herkend. De dobermann hield op met blaffen toen de herdershond verdween. Maar onder de mensen in het groepje was een nerveuze onrust ontstaan, die erger werd toen Frank de sleutel omdraaide en de auto startte.

Ze stopten voor rood licht. Frank draaide zijn hoofd om. Gunnarstranda's glimmende schedel lichtte in het licht van de neonreclame rood en groen op. Groen. De auto reed langzaam verder zonder dat ze een woord wisselden. Buiten was het koud en in de Tollbugate had de wind vrij spel. De hoertjes trokken zich terug in de portieken om uit de koude wind te staan. Slechts één eenzaam meisje met een openhangende konijnenpels sjokte wijdbeens over het trottoir aan de rechterkant. De ronding van haar dijbenen tussen de kousen en het korte rokje beviel Frank wel. Hij zwaaide naar een collega, die naast zijn dienstauto een broodje worst stond te eten. In het blauwe licht van een restaurantreclame hingen twee halfdronken mannen op de stoep tegen elkaar aan. Ze stonden bij een man die uitgestrekt met zijn gezicht in bloed of braaksel lag.

Hij draaide de auto Bankplassen op, reed naar de stoeprand en parkeerde. Een meisje dat in een deuropening had gestaan, draaide zich weer om en liep terug toen ze ontdekte wat voor auto het was. Er was alleen een klein stukje zijdeachtige huid boven glimmende zwartleren laarzen te zien, voor ze weer opging in de schaduw.

Frank liet zijn blik ronddwalen. Er was niet veel verkeer, en de weinige auto's die op straat reden werden onmiddellijk aangehouden door de meisjes die langs de straat stonden. Een man met kort, blond haar en jeans stond tussen de verroeste pilaren van het Museum voor Hedendaagse Kunst te pissen. Een eindje verderop wankelde een minirok naar een auto toe. Ze boog zich zoals altijd naar voren, om de klant te bekijken voor ze instapte. Maar de trap was leeg.

Hij liet zijn blik verder glijden. De collega had de trap genoemd. Als de man vertrokken was, was hij nog niet ver gekomen.

'Daar!'

Een man wankelde door de Kongens gate. Hij verloor haast zijn jas en in zijn rechterhand hield hij iets wat leek op een halflege fles sterkedrank. De man gebruikte de hele breedte van het trottoir en kwam voortdurend in botsing met auto's, verkeersborden en andere obstakels.

Ze openden allebei het portier en liepen hem achterna. De man strompelde verder. De haarlok lag niet meer op zijn plaats en wapperde als een vlag aan zijn linkerslaap. Ze liepen wat sneller en haalden hem in toen hij op een steenblok bij de groenstrook neerplofte.

'Svennebye!'

Frank ging op zijn hurken naast hem zitten.

De man hief zijn hoofd op. Zijn ogen zwommen. Zijn jas en overhemd zaten onder de kots. De gelijkenis met de pasfoto was minimaal. Het was dezelfde persoon, maar zijn gezicht was opgezet, wat hem een vreemd uiterlijk gaf. De lippen staken als een handvat uit zijn gezicht naar voren. Twee onvoorstelbaar slome ogen zwommen aan weerszijden van een spitse neus.

'Politie,' zei Frank met overwicht. Het klonk idioot. Hij hoorde het zelf.

De onderlip schoof nog verder naar voren. Het hoofd viel neer. De man probeerde met zijn onderarmen op zijn dijbenen te steunen. Zijn hoofd bengelde als een overrijpe peer tussen zijn schouders. Frank kwam overeind en stond zijn plaats aan Gunnarstranda af.

De man stak een arm uit om hem tegen te houden, maar in plaats daarvan spoot er een witte straal braaksel uit zijn mond, op het trottoir. De fles glipte uit zijn handen en brak toen hij op straat viel.

Een paar stukjes wortel en wat groene erwten fleurden de smurrie op, die scherp naar alcohol rook. Gunnarstranda deed een paar stappen naar achteren, zodat de volgende golf niet op zijn schoenen zou komen. De man tilde langzaam zijn rechterhand op om het snot weg te vegen dat zich onder zijn neus had verzameld. Toen de steun op zijn dijbeen wegviel, verloor hij zijn evenwicht en viel hij in het braaksel. Toen hij op het asfalt terechtkwam, sneed een glasscherf in zijn hand, die onmiddellijk rood werd van het bloed.

Gunnarstranda bukte zich en wond snel zijn eigen zakdoek om de bloedende hand.

'Svennebye!' zei hij met zachte, vertrouwenwekkende stem.

Het hoofd wiebelde.

Gunnarstranda legde zijn hand op het voorhoofd van de man en duwde het hoofd een stukje achterover. Het gezicht zat vol kots en snot.

'Svennebye!'

Geen reactie.

Gunnarstranda pakte hem bij zijn linkeroorlel. Het hoofd viel nog verder achterover en de ogen draaiden weg, zodat alleen het oogwit te zien was. De politieman liet hem weer los, maar het hoofd bleef achterover hangen. De mond stond open. Er klonk een gorgelend geluid uit de borst en een nieuwe golf spoot uit zijn mond, recht omhoog, als een fontein.

De beide mannen weken achteruit. Ze lieten hem kotsen tot zijn maag leeg was voor Gunnarstranda zich weer bukte.

'Reidun,' fluisterde hij optimistisch. 'Reidun Rosendal!'

Geen reactie.

Frank zag dat het braaksel door de broek van de man heen trok, terwijl hij wijdbeens, als een kind in de zandbak op de stoep zat.

Een stel van middelbare leeftijd liep snel voorbij. Zij week zo ver mogelijk opzij, en beiden keken ze sceptisch naar de beide politiemannen.

Svennebye deed een poging om te fluiten, maar er kwam alleen lucht naar buiten. Toen hikte hij. Mompelde iets. Draaide zijn gezicht zo ver mogelijk naar rechts. Er stond iets te gebeuren.

Svennebye kreeg het druk. Er klonken grove knorgeluiden. Hij bewoog, viel op zijn zij. Het hoofd van de man viel tegen de bumper van een geparkeerde auto. Frank trok hem weer in een zittende houding. Nu bloedde zijn hoofd ook. Hij maakte nog steeds knorgeluiden. Prutste met zijn gulp. Uiteindelijk slaagde hij erin zijn jongeheer tevoorschijn te halen. Hij kreunde luid toen de urine over het asfalt stroomde. Het kwam niet ver. Het verzamelde zich in een plas en trok in zijn broek.

Ze liepen terug naar de auto.

Svennebye zat nog altijd in zijn eigen pis en kots. Zijn hoofd wiebelde onafgebroken.

Frank liet de radio aan Gunnarstranda over.

Even later draaide er een auto met blauw zwaailicht het plein op. Twee geüniformeerde mannen pakten de man bij zijn schouders, sleepten hem mee naar de achterkant van de bestelwagen en tilden hem in de laadruimte, waar hij als een homp deeg bewegingloos met zijn gezicht naar beneden bleef liggen.

Gunnarstranda riep tegen een van de geüniformeerde agenten: 'Laat een dokter naar zijn hand kijken!'

De agent knikte en klom bij de marketingchef van Software Partners in de boevenwagen.

# 21

Sigurd Klavestad sliep onrustig. Hij droomde over blanke huid die afstak tegen het grauwe licht dat door een raam naar binnen viel, over telefoons die rinkelden zonder dat iemand een woord zei. En hij wist dat het allemaal een droom was. Hij wist dat hij wakker moest worden en bij zinnen moest komen om het gevoel van onveiligheid kwijt te raken dat deze droom zo beangstigend maakte. Uiteindelijk gaf hij toe en opende hij zijn ogen.

Zijn eerste gewaarwording was dat door zijn zweet het dekbed koud, stijf en akelig aanvoelde. Hij verroerde zich niet en lag alleen maar in het donker voor zich uit te staren. Het was nacht. Buiten was het licht grauw van kleur. De nacht werd vaag verlicht door de straatlantaarns. Hij vroeg zich af hoe laat het was. De stilte verried dat het diep in de nacht was. Er was geen autogeruis te horen. Waarschijnlijk was het ergens tussen twee uur en halfvijf 's nachts. Dan was het stil. Nadat de nachtelijke taxi's de meeste ritten hadden gereden en voordat de eerste ploegenarbeiders naar hun werk vertrokken.

Het was altijd akelig om halverwege een droom wakker te worden. Je lichaam bewoog ongecontroleerd en je had het gevoel in een diep gat te vallen, machteloos. En dan de onzekerheid of er iemand in het donker klaarstond om je te grazen te nemen.

Het lukte hem niet direct in beweging te komen. Hij was bang om geluid te maken. Bang dat iemand hem zou horen. Idioot. Maar zo was het altijd geweest. Als klein kind had hij al gedacht dat er 's nachts een man met een zwarte hoed en een opgeheven zwaard in de kast stond. Altijd dacht hij hetzelfde. Onbeweeglijk en stijf staarde hij dan in het duister voor zich uit, terwijl zijn huid tintelde. Tot hij weer in slaap viel of tot het hem lukte de barrière te overwinnen en de lamp op het nachtkastje aan te doen.

Nu hij alleen woonde, wist hij dat het de nachtmerrie uit zijn jeugd was die hem plaagde, maar toch hield de klamme stijfheid zijn armen in een greep. Nog steeds.

Eindelijk bewoog hij. Hij hoorde het zachte geluid van het dekbed. Het lukte hem zijn hand uit te steken en het licht aan te doen. Het licht was zwak. Het viel maar net tot in de hoeken van de slaapkamer. Maar het was genoeg. Hij durfde overeind te komen en pakte het pakje sigaretten van het nachtkastje. De sigaret smaakte niet. Hij had al spijt toen hij het eerste trekje nam. Niet omdat het niet smaakte, maar omdat hij het raam open moest zetten. Om de een of andere reden zette hij het raam liever niet open.

Hij rookte met snelle, nerveuze bewegingen. Hij dacht aan de oude gek van gisteren. Aan zijn duistere blik. Vast een homo. De stad zat vol met die vieze flikkers. En hij kwam hen altijd tegen. Het gezicht van de oude man deed hem denken aan een gezicht uit het verleden. Hij had een keer zitten wachten tot de tram zou vertrekken. Toen kwam ineens die vent door de deur naar binnen gedanst. Hij was op de bank tegenover hem gaan zitten en had gezegd: 'Ga met me mee naar huis om me af te rukken, dan krijg je duizend kronen.' Datzelfde had die oude kerel ook uitgestraald. Hij voelde een klamme angst opkomen bij de gedachte met wat voor idioot hij te maken had. Dat soort volk is volkomen onberekenbaar, je hebt geen idee waartoe ze in staat zijn. Net als gisteren. Toen hij zich omdraaide en bleef staan. Het weke oudemannengezicht dat hem maar bleef aanstaren.

De telefoon rinkelde.

Het verraste hem niet. Het was net alsof hij erop had gewacht dat de telefoon over zou gaan. Het had met die oude flikker te maken. Alsof hij daarom wakker was geworden. Het gevoel dat er zoiets zou gebeuren. Hij stak de sigaret tussen zijn lippen en staarde naar de rinkelende telefoon. Hij pakte de hoorn op. 'Ja?' zei hij kort, haast zonder stemgeluid. Hij schraapte zijn keel. 'Ja?' herhaalde hij.

Aan de andere kant was geen geluid te horen. Hij keerde zich om en draaide zijn arm zodat hij op zijn horloge kon kijken. Halfvier. Zoiets had hij al gedacht.

Ineens kreeg hij het koud. Dat geluid. Hij had het eerder gehoord. Iemand smeet de hoorn erop. Alleen een droge klik. En toen stilte.

Het leek alsof er een kilo lood in zijn maag zat. Zijn benen lagen stijf en gevoelloos onder het dekbed. Zijn gedachten stonden stil.

Hij zag haar voor zich. Haar teleurgestelde glimlach toen niemand zich meldde. Het neergooien van de hoorn. Die ochtend.

Voorzichtig legde hij de hoorn neer. Nog voorzichtiger ging hij achterover op het bed liggen. Hij dacht aan de foto die dat kleine opdondertje van de politie voor hem neer had gegooid. Haar beschadigde borst en de verstijfde uitdrukking op haar gezicht. Alsof ze zich achterover had geworpen om aan de steken te ontsnappen, maar was tegengehouden door de vloer. Verder was ze niet gekomen.

De lamp op het nachtkastje verlichtte bijna de hele kamer. Bijna. De deur van de slaapkamer was gesloten. Plotseling hoorde hij hoe stil het was. Veel te stil.

Was er iemand?

Zijn stijve benen deden pijn. De slaapkamerdeur kwam op hem af. Uit alle macht probeerde hij het gevoel van paniek te onderdrukken. Hij was thuis. Helemaal alleen. De buitendeur zat op slot. Hij probeerde tot rust te komen: het was gewoon iemand die een verkeerd nummer had gekozen. De buitendeur zat op slot. Maar de ketting? Had hij de ketting erop gedaan? Natuurlijk niet.

Dat deed hij nooit. Een veiligheidsketting was iets voor oude vrouwen. Hij sloot zijn ogen. De deur. Zijn benen werden weer zwaarder. Er is niemand! Iemand heeft een verkeerd nummer gedraaid! Er is niemand! Sta op, ga naar de gang en doe de ketting erop!

Die vreselijke onzekerheid. Had hij de deur op slot gedaan?

Hij zag zijn eigen handen het dekbed optillen. Hij zag zichzelf opstaan.

Op dat moment werd er aan de deur gebeld. Het metaal in zijn maag schoot naar boven. Hij voelde de kou in zijn nek, onder zijn kin. Zijn gedachten bleven steken. Zijn handen voelden plotseling week, krachteloos, koud en wasachtig aan, alsof ze geen deel van hem waren.

Hij voelde de kleren niet toen hij ze aantrok. Hij had geen contact met zijn lichaam. Een akelig, verlamend gevoel. Hij ging op het bed zitten. Bewoog zich niet.

Was het inbeelding?

Het overbekende ding-donggeluid. Had hij het wel of niet gehoord?

Eerst de telefoon en nu de deurbel. Op dit tijdstip. Halfvier 's nachts. Hij dacht aan het mes op de tafel van de politieman. Het blinkende metaal.

Hij vond zichzelf terug voor de deur van de slaapkamer. Hij pakte de klink. Het lukte hem om de deur voorzichtig, heel voorzichtig te openen, zonder dat er ook maar een geluid te horen was. De kamer en de keuken waren in duisternis en stilte gehuld. Een grijs nachtlicht viel van buiten naar binnen en zorgde ervoor dat hij in het donker een paar contouren kon onderscheiden. Een streep geel licht door de smalle spleet tussen de badkamerdeur en het kozijn verried dat hij gisteravond had vergeten het licht uit te doen.

Hij stond doodstil te luisteren voor de buitendeur.

Zo onwerkelijk stil. Even geleden het geluid van de bel. Had hij het gehoord of niet? Waarom had hij geen kijkgaatje in de deur? Iedereen had een kijkgaatje in de deur. Kon hij maar naar buiten kijken!

En weer!

Er werd nog een keer gebeld. Het geluid galmde door de stille gang. Het klonk als een dreun. Zijn knieën knikten.

Er was iemand. Er wachtte iemand.

Zijn mond werd droog vanbinnen. Moest hij een geluid maken? Vragen wie er was?

Zijn gedachten wilden niet. Zijn stem wilde niet. Hij haalde alleen maar adem, met open mond. Maar hij moest van houding veranderen. Zijn knie kraakte. Het geluid bulderde in zijn oren. Het klonk alsof er een tak werd afgebroken. Was het door de deur heen te horen?

Buiten was het stil. Zijn lichaam deed pijn. Deze houding was niet om uit te houden. Hoe lang stond hij al zo? Het voelde als een eeuwigheid.

Toen ineens ... het geluid van voetstappen. Er liep iemand weg. Duidelijk. Hij sloot zijn ogen, ademde uit. Zijn schouders zakten naar beneden. Zijn knieën konden hem niet meer dragen. Zijn hele lichaam had tegengestribbeld. Zijn gespannen spieren kwamen weer tot rust. Hij keek op zijn horloge, nam de tijd op en luisterde. Tien minuten bleef hij zo staan. Tien minuten. Er kon niemand zijn. Niet meer.

Zijn hand lichtte merkwaardig wit op toen hij het slot omdraaide en de deur opendeed.

# 22

Gunnarstranda had zijn auto bij de garage in Kampen afgeleverd, en toen hij anderhalf uur later snel van de bus naar het Grand Hotel wandelde, had hij een geïrriteerde frons op zijn voorhoofd. Het was hem niet gemakkelijk gevallen om de auto achter te laten. De garage was niet wat hij ervan had verwacht. In eerste instantie had hij helemaal geen werkplaats kunnen ontdekken. De binnenplaats was een grote, lege, met kiezelstenen bedekte vlakte met alleen een loods, een waslijn en een fietsenrek. De loods was een bouwvallige garage van grauwe, versplinterde planken die sinds de oorlog geen lik verf meer hadden gezien. Uit het scheve dak stak een dunne metalen pijp met een kap erop, een schoorsteen uit een stripverhaal.

Er zat maar één deur in de hoek van de binnenplaats. Hij had de naambordjes zorgvuldig bestudeerd, maar ook daar had hij Gunder Auto niet kunnen vinden. Uiteindelijk had hij stilletjes de binnenplaats weer verlaten en nog een keer het nummer en het adres gecontroleerd. Hij had gevloekt en zich tot een kleine, magere man gewend die in een met olie besmeurde overall door de straat kwam geslenterd. 'Gunder Auto. Dat ben ik,' had de man gezegd. Hij was Gunnarstranda glimlachend voorbijgelopen en had hem gewenkt mee te komen naar de garage.

Er was nog een plekje voor de Skoda. Gunder had hem naar binnen geloodst. 'Hierheen! Hierheen! Daar! Juist, rechtdoor, rechtdoor, kom maar, kom maar.'

Totdat de politieman bezweet en moe de auto binnen had geparkeerd. En hij had het portier pas kunnen openen nadat de magere pijpenrager een krik aan de kant had gezet en een metalen emmer had weggeschoven die waarschijnlijk gebruikt was voor het brouwen van sterkedrank. Gunnarstranda herkende het apparaat aan de stijgbuis en aan de bezorgde uitdrukking die het gezicht van de automonteur even had getekend.

De man had geen papier gehad en was ten slotte het trapje naar het toilet opgeklommen om iets te halen waar hij op schrijven kon. Hij kwam met twee velletjes wc-papier en een vies timmermanspotlood terug.

'Ah, problemen met de ontsteking, jahaa, verrekt het als je gas geeft, jahaa, maakt een kloteherrie.'

Vol twijfel had de hoofdinspecteur de monteur aangekeken en aarzelend had hij gevraagd wanneer hij de auto weer op kon halen. Daar had hij geen duidelijk antwoord op gekregen. Alleen wat losse opmerkingen over wat er allemaal aan kon mankeren en wat er met dat vreselijke elektrische systeem nog meer fout kon gaan.

In de bus naar de stad had hij zichzelf afgevraagd waar hij zich in vredesnaam mee had ingelaten. Hij had een tijdje overwogen om alles af te reageren op Frølich, die hem er immers naartoe had gestuurd. Die Gunder woonde met Frølichs vriendin in een collectief. Maar aan de andere kant kwam Gunnarstranda tot de conclusie dat hij zelf in de auto had moeten stappen en de garage zo ver mogelijk achter zich had moeten laten. Daarom besloot hij de rekening af te wachten, voor hij zijn collega de mantel uit zou vegen.

Hij wandelde het Grand Café binnen, waar hij direct bij de deur bleef staan en rondkeek of hij zijn zwager kon ontdekken.

Bij een raam dat uitkeek op de Karl Johans gate klonk een sissend geluid. Het was zijn zwager. Te horen, maar niet te zien. Gunnarstranda liet zijn blik nog een keer door het lokaal dwalen. Daar! Een colbert dat zwaaide met een krant.

Gunnarstranda knikte even naar de ober, die gereserveerd terugknikte. Hij liep naar het tafeltje van zijn zwager en ging zitten.

Een lang leven had Edels broer geleerd zijn lachen te onderdrukken. Die lach klonk droog en krakerig, als de klaagzang van een verroest tandwiel. Het geluid trok ieders aandacht. Aan de andere kant was zijn lach, wanneer hij die de vrije loop liet, bijzonder aanstekelijk. Maar zijn zwager hield er niet van om de clown uit te hangen. Daarom siste hij als een slang als hij wilde lachen, groeten of gewoon de aandacht wilde trekken.

'Lang niet gezien,' begroette zijn zwager hem, terwijl hij van zijn koffie nipte.

Gunnarstranda boog even, rechtte zijn rug en wenkte de serveerster. 'Koffie,' mompelde hij. Hij wendde zich weer tot zijn zwager en beantwoordde zijn begroeting.

Het was de eerste keer sinds vier jaar. De eerste keer na Edels begrafenis.

Om hen heen zaten keurig geklede dames te babbelen onder het genot van een kop koffie met gebak. Ook zaten er vermoeid ogende zakenlui aan een late lunch. Zijn zwager paste er goed bij met zijn ronde bril en grijze vest over een wit overhemd. Zijn goedaardige en welwillende gezichtsuitdrukking was vooral te danken aan zijn hangende oogleden en een glimlach die nog het meest op een grimas leek. Als je niet beter wist, zou je denken dat hij boven zijn theewater was.

Op de stoel bij het raam lag een leren diplomatenkoffer. Een agenda van enorme afmetingen, met veel extra vakken en losse papieren, lag opengeslagen op tafel.

Zijn zwager zwaaide naar een man in een winterjas die haastig langsliep op straat.

'Ken jij een bedrijf dat Software Partners heet?' vroeg Gunnarstranda.

'Nee.'

'Ze maken computerprogramma's voor kantoren.'

'Dat doen ze allemaal!'

Zijn zwager blies in zijn koffie. Maar zijn blik was, nu Gunnarstranda's motief voor deze ontmoeting duidelijk was, minder terughoudend.

De man werkte al sinds de oprichting bij Norsk Data. Gunnarstranda wist dat hij zich ergens in de bovenste helft van de hiërarchie bevond. Omdat hij er nog steeds werkte en dus zowel perioden van groei, stagnatie als tegenslagen had overleefd, moest hij wel iets te betekenen hebben. Vandaag moest hij nog een lezing houden met als titel 'De toekomst van de Noorse IT'. De ondertitel luidde: 'Een overzicht over informatietechnologie, Noorwegen en de EU'.

Gunnarstranda was in de pauze audiëntie verleend. De vrouw met de hete aardappel in haar mond, die de telefoon van zijn zwager had opgenomen, had hem verteld dat iedereen die in de branche iets te betekenen had, aanwezig zou zijn. Gunnarstranda had het gevoel dat het restaurant daarvoor een beetje te leeg was. Maar het Grand Hotel had veel verschillende ruimtes, dus misschien zaten de branchegenoten hun boterhammen wel ergens anders op te peuzelen.

'Heb je een paar namen?' vroeg zijn zwager.

'Terje Engelsviken.'

De ander keek op, zette zijn kopje neer, hief theatraal zijn hand op en blies erop alsof hij zich had gebrand. Hij siste luid en schudde energiek zijn hand.

Gunnarstranda wachtte geduldig.

'Hij heeft gestudeerd aan de TH in Trondheim,' ging zijn zwager door en hij pakte zijn koffiekop weer op. 'Hij behoort tot de generatie academici die bij hun eerste sollicitatiegesprek verschenen met een haarband en een T-shirt met Mao erop.' Zijn zwager knipperde met zijn ogen. 'En aangenomen werden. Engelsviken is een middelmatige inge-nieur die om de een of andere merkwaardige reden aan het begin van de jaren tachtig een baan kreeg bij IBM. Na een paar jaar ging hij ineens weg. De officiële verklaring luidde dat hij voor zichzelf wilde beginnen.'

De serveerster kwam met de koffie. Zijn zwager pauzeerde even tot ze alles van het dienblad op tafel had gezet. Toen ze weg was, ging hij ver-der: 'Eigenlijk is Engelsviken een rotte appel.'

'Vertel.'

'Zijn salaris bij IBM was waarschijnlijk niet voldoende.'

'Verduistering?'

'Nee, Engelsviken had ook nog een paar andere plaatsen waar hij loon beurde.' De zwager knipoogde. 'Dus Engelsviken besloot IBM te verlaten.'

Gunnarstranda begreep dat het vertrek bij IBM op verschillende manieren was uit te leggen.

'Daarna is hij voor zichzelf begonnen,' ging zijn zwager verder. 'In de jaren tachtig dachten de banken dat geld een zoogdier was dat levende jongen op de wereld zette, als het om geld bedelende bedrijf het project maar in genoeg vreemde woorden verpakte.'

Gunnarstranda keek om zich heen en pakte een sigaret uit zijn zak. Hij rolde hem tussen zijn vingers en vroeg: 'Heb je hem ontmoet?'

'Maar één keer.'

'Wat is het voor iemand?'

De ander dacht even na. 'Engelsviken vindt het moeilijk om de tering naar de nering te zetten,' zei hij uiteindelijk. 'Heb je de man nog niet ontmoet?'

'Nee. Ik heb alleen maar gehoord dat zijn echtgenote een stijlvolle vrouw is, met genoeg geld om er ook zo uit te zien.'

'Hm. First class. Maar hij niet. Hij is excentriek. Lust graag een bor-rel.'

Zijn zwager glimlachte geheimzinnig en boog naar voren: 'Er doet een verhaal over Engelsviken de ronde. Uit de tijd dat hij in de branche is begonnen.'

Hij zette zijn kopje op het schoteltje en droogde zijn lippen met een servet. 'Het bedrijf liep niet zo goed,' begon hij. 'Maar dat kon absoluut niet aan de verkoop liggen. Je moet begrijpen dat het begin jaren tach-tig was, toen de pc nog nieuw was en iedereen er wel een wilde. Boven-dien wilden alle bedrijven hun salarisadministratie en boekhouding automatiseren.'

Gunnarstranda leunde achterover en luisterde naar de sissende stem van zijn zwager. Hij luisterde naar het verhaal over Engelsviken, die als een dolle verkocht, maar nooit een rekening betaalde. 'Ze zaten tot hun nek in de schulden,' vertelde zijn zwager. 'De schuldeisers drongen aan op een faillissement.'

Zijn zwager tilde zijn kopje weer op en dronk het leeg.

Gunnarstranda schraapte zijn keel. 'Hij verkocht als een dolle, maar betaalde nooit een rekening?'

Zijn zwager spreidde met een scheve grijns zijn armen. 'Het bedrijf zat in Brekke. Ik ben er een keer geweest. Toen heb ik kennis met hem gemaakt.'

De man keek nadenkend de zaal rond. 'Veel te snobistisch ingerichte kantoren. Kostbare tapijten op de vloer en chesterfields in de kantine. Opslagruimte en garage in de kelder.'

Gunnarstranda zag in een flits zijn zwagers hoektanden, toen ging het verhaal verder. Zijn zwager leek goed op de hoogte te zijn van allerlei details. Hij wist in elk geval dat de bedrijfswagen midden in de winter met spekgladde zomerbanden reed. En hij wist wat voor weer het die dag was geweest. 'Het liep tegen het eind van het jaar, november of december. En die nacht was het een enorm noodweer, met regen en ijzel in het laagland en sneeuw in de bergen.'

Zijn zwager had ook gehoord dat Engelsviken op Brakerøya bij Drammen de beschikking had over een oude schuur. Daarheen was de vrachtwagen namelijk onderweg, volgeladen met computers, kantoormachines en andere dingen van waarde. Het gebeurde op de ochtend dat de deurwaarder beslag zou leggen op alle eigendommen. Engelsviken moest de hele nacht in touw zijn geweest om de wagen vol te laden. En toen hij klaar was, was de fles leeg en Engelsviken dronken. Hoewel de bronnen het op dat punt niet helemaal eens waren. Volgens één versie had Engelsviken helemaal niet meegeholpen, maar had hij het werk overgelaten aan een jonge man. Een andere bron beweerde dat de directeur de wagen had volgeladen en dat de jonge man zou rijden. In elk geval, de deurwaarder die de leiding had over de beslaglegging was plotseling op komen dagen, terwijl de wagen nog in de garage stond. De bronnen waren het erover eens dat er toen twee dingen waren gebeurd. De jonge man was er als een hazewindhond vandoor gegaan, en Engelsviken, die dus ladderzat was, was elegant in de cabine gesprongen, had de auto gestart en was er dwars door de dubbele garagedeuren vandoor gegaan.

Gunnarstranda's zwager siste zachtjes en pakte een dunne sigaar uit zijn borstzak. Gunnarstranda, die met zijn aansteker had zitten spelen, hield een vlammetje bij, zodat de ander paffend de sigaar aan kon steken.

'Vanaf dat moment is weer onduidelijk wat er precies is gebeurd,' vervolgde Gunnarstranda's zwager, die er desondanks een goede beschrijving van wist te geven. 'De auto was zo zwaarbeladen dat hij de eerste kilometers, de stad uit, nog goed op de weg lag. Maar toen Engelsviken bij Lierskogen kwam, begon het te sneeuwen. Het werd een echte sneeuwjacht en de weg was zo glad dat de auto's met spinnende wielen dwars op de weg stonden. De zwaarbeladen vrachtwagen moest tegen de heuvel op geworsteld zijn, voorbij Asker, helemaal tot de top van Lierskogen. Maar toen – onze drinkebroer is tenslotte zo gierig als de pest en wilde waarschijnlijk het tolgeld uitsparen – reed hij via de oude weg bergafwaarts naar Drammen. Dat ging niet goed. In een van de haarspeldbochten schoot hij van de weg.'

Zijn zwager blies met een geamuseerde blik een dikke, blauwe wolk tabaksrook uit. 'Engelsviken kon net op tijd uit de cabine springen voor de wagen de berg af tolde, waar hij vijftig meter lager werd tegengehouden door een boom. De hele helling lag vol computers. Waarschijnlijk was hij op slag nuchter toen hij over de rand keek en zijn hele bedrijfsvoorraad zag liggen.'

Het verroeste tandwiel begon te draaien. De piepende geluiden vulden het restaurant, en enkele gasten draaiden zich om.

Gunnarstranda's zwager pakte zijn kopje op en onderdrukte zijn krakende lach. Hij constateerde dat het kopje leeg was en schonk wat bij uit de kan die de serveerster op tafel had gezet. 'En toen moest Engelsviken zijn duim opsteken om thuis te komen.'

Gunnarstranda wilde iets zeggen, maar de ander wuifde hem weg.

'Dat is nog niet alles,' zei hij snel. 'De deurwaarder had namelijk gezien dat die jonge man ervandoor ging. En hij kon zich nog net op tijd omdraaien om te zien hoe de vrachtwagen de dubbele garagedeuren ramde en wegreed. Hij kwam daarop tot de conclusie dat het om een doodgewone diefstal ging. Het eind van het liedje was dat de verzekeringsmaatschappij zowel de vrachtwagen als de voorraad moest vergoeden, terwijl Engelsviken vrijuit ging.'

Gunnarstranda zat in gedachten verzonken te roken. 'Wat is er waar van dit verhaal?'

Zijn zwager haalde zijn schouders op, maar gaf geen antwoord.

De politieman rookte verder. Iemand had het verhaal over de gewiekstheid, de drinkgewoontes en de mazzel van Engelsviken in de wereld gebracht, en wat er ook van waar was, het feit dat het verhaal bestond, zei al genoeg.

'Dat hij de voorraad wilde laten verdwijnen en de crediteuren te slim af wilde zijn, dat klopt waarschijnlijk wel,' dacht de ander hardop. 'Dat hij werd tegengehouden door de ijzel en de boom is ook waar, maar het verhaal van de verzekering lijkt mij te ver gezocht.'

'Is hij alcoholist?'

'Dat betwijfel ik. Maar hij spuugt er niet in! Bij Barock heeft hij zelfs zijn eigen naamplaatje omdat hij daar champagne in magnums bestelde toen dat nog modern was.'

De ingenieur fronste zijn voorhoofd en dacht na. 'Hij is gewoon een groot kind, rijdt in een sportwagen en is gek op wilde feesten. Daarna gaat hij weer terug naar zijn vrouw, die voor de buitenwereld de schijn ophoudt en doet alsof er niets aan de hand is.'

'En ze vertrekt geen spier?'

'Jawel, maar ze heeft stijl. Ze kiest ervoor om hem niet de ogen uit te krabben, want dat soort verwondingen kun je niet verborgen houden en geven het voetvolk nog meer reden om te roddelen.'

Zijn zwager keek op zijn horloge en schoof zijn stoel naar achteren. 'Ik heb nog een lezing te geven,' zei hij verontschuldigend en hij pakte zijn spullen bij elkaar. Gunnarstranda wenkte de serveerster, die de rekening op tafel legde. 'Die is voor mij,' zei hij koel en hij schoof zijn zwagers biljet van honderd kronen vriendelijk terug.

'Ik geef je nog één tip,' zei zijn zwager toen de serveerster weer weg was. 'Ik weet niet hoe serieus Engelsviken tegenwoordig is, maar ik raad iedereen die met hem in zee wil gaan aan om goed op te letten.'

Hij pakte zijn diplomatenkoffer en keek de politieman aan. 'Ik heb alleen maar geruchten gehoord,' verklaarde hij en hij boog naar voren. Zijn gezicht stond zo hard als maar mogelijk was met zijn hangende oogleden.

'De rest moeten jullie zelf uitzoeken, maar Engelsviken gaat steeds opnieuw failliet. Laat me het zo zeggen: niemand verbaast zich erover als zijn bedrijven een buiklanding maken, maar de crediteuren trekken steeds aan het kortste eind.'

'Niets meer te halen?'

'Dat is nog zacht uitgedrukt.'

Ze verlieten de tafel en liepen naar de foyer, waar ze bleven staan om afscheid te nemen.

'Ik heb in deze context de naam van een advocaat horen noemen,' zei zijn zwager. 'Maar die wil me verdorie niet te binnen schieten!'

De politieman pakte een schrijfblok en keek erin.

'Brick?' stelde hij voor.

'Zou kunnen,' knikte zijn zwager terwijl hij zijn diplomatenkoffer in zijn andere hand nam. 'Ik heb gehoord dat die advocaat allerlei zaakjes voor Engelsviken regelt, als hij weer eens in het nauw zit. Een soort juridisch adviseur. Hoe kom jij eigenlijk aan die naam?'

'Software Partners is een soort concept waarin partners zich kunnen inkopen door eigen kapitaal in te brengen,' antwoordde de politieman. 'Dat concept schijnt door Brick te zijn uitgedacht.'

Zijn zwager siste veelzeggend en stak zijn hand uit.
Gunnarstranda pakte de hand. 'Bedankt voor je hulp,' mompelde hij.

# 23

Na het gesprek met zijn zwager wandelde Gunnarstranda naar het gerechtsgebouw, waar hij wat in de archieven rondneusde en informatie verzamelde. Hij pleegde een paar telefoontjes. Er ging nogal wat tijd in zitten, want advocaat Brick was een vlijtige schrijver. De firma Software Partners was in maar liefst zeven rechtszaken verwikkeld, en dat alleen al de afgelopen zes maanden. Eén zaak was trouwens weer ingetrokken. Gunnarstranda nam de moeite om alle strijdende partijen op een vel papier te noteren, dat hij in zijn portefeuille stopte. Veel zaken draaiden om het annuleren van koopcontracten omdat de betalingen uitbleven. Eén zaak speelde tussen Software Partners en A/S Rentoffice, de verhuurder van het gebouw waarin Software Partners zijn kantoren had. Rentoffice eiste uitzetting vanwege achterstallige huur. Advocaat Brick eiste, uit naam van Software Partners, een vergoeding voor wat Brick schandalige overtredingen van het huurcontract noemde en een zogenaamd aantoonbaar gebrek aan overeenstemming tussen het huurcontract en de feitelijke omstandigheden.

Gunnarstranda liep op de binnenkant van zijn wangen te kauwen toen hij het gerechtsgebouw verliet en Kafé Justisen binnenging.

Het was er druk. Grotendeels de gewone gokkers en werklozen die achter een glas bier zaten, maar hij zag ook hier en daar het gezicht van een collega. Achter in het café zat Reier Davestuen, rechercheur bij de fiscale recherche. Reier deelde zijn tafeltje met een blonde zwerver met een tandeloze grijns die steeds opmerkingen in de richting van de speeltafel riep. De arme Reier had zich helemaal in de hoek teruggetrokken, zodat hij niet steeds werd aangestoten. Dat lukte helaas niet. Reier Davestuen met zijn grote knuisten, schoenmaat 47 en kleding die altijd te klein leek te zijn, nam veel plaats in, en zijn opengeslagen financiële dagblad maakte de zaak er niet eenvoudiger op.

Gunnarstranda liep de steile trap op naar de galerij, de bovenverdieping van het café. Hier was het al even druk. Naast een gerimpelde kop onder een oude vilten hoed was nog een plaatsje vrij. De man had nog maar één slok bier in zijn glas over en had zijn overschoenen al aangetrokken om op te staan en te vertrekken.

'Is deze plaats vrij?' vroeg de politieman.

De man probeerde zijn lippen te bewegen, gaf zijn poging op en knikte even, zodat de hoed over zijn voorhoofd zakte.

'Dagmenu!' brulde Gunnarstranda naar de jonge serveerster die bij de deur naar de keuken zat te roken.

Het dagmenu bestond uit kipfilet, erwtenpuree, drie gekookte aardappelen gegarneerd met dille en een opvallend lekkere saus. Hij ging aan de kant zodat de oude man met de overschoenen hem kon passeren en tastte toe. Hij genoot van iedere hap. Hij glimlachte naar de serveerster, die een flesje mineraalwater bracht omdat ze wist dat hij dat wilde hebben. Hij had haar graag een compliment voor de saus willen geven, maar hij kreeg het niet over zijn lippen. In plaats daarvan bestelde hij op overdreven vriendelijke toon een pakje sigaretten.

Vanaf zijn plaats had hij een uitstekend uitzicht over het toeristendek, waar Reier Davestuen nog steeds in de beursnoteringen zat te bladeren. Gunnarstranda zag dat zijn collega zijn rechterhand optilde om te verbloemen dat hij zat te gapen. Hij haalde diep adem en schudde even met zijn hoofd voor hij met een trage, naar binnen gekeerde blik om zich heen keek. Zolang Reier zat, maakte hij een anonieme, grijze indruk. Zijn dunne, blonde haar hing voor zijn knokige gezicht. Hij droeg een te klein colbert en een gele stropdas, die zijn best deed hem te wurgen.

Het lukte Gunnarstranda ten slotte om Davestuens aandacht te trekken en hem een teken te geven. Reier schrok op en zwaaide enthousiast terug. Hij stond op zonder de tafel om te gooien, maar oogstte wel een verstoorde blik van zijn tandeloze buurman toen hij zich in zijn volle lengte oprichtte.

'Nog nieuws op de beurs?' vroeg Gunnarstranda met volle mond en hij hield zijn bord vast zodat het niet weg zou glijden toen Reiers knieën bij het plaatsnemen de hele tafel optilden.

'Niets nieuws te melden,' zei hij luid en hij liet de tafel weer zakken door zijn benen uit te strekken. Hij keek Gunnarstranda indringend aan. 'Helemaal niets!'

Reiers intensiteit was soms moeilijk te verdragen. Gunnarstranda sloeg zijn ogen neer. 'Ik heb een computerbedrijf dat belastingbetalers uitperst met zeven rechtszaken tegelijk,' deelde hij mee. 'Vooral panische eisen tot schadevergoeding die doen denken aan noodkreten van een lege portemonnee.'

Davestuen knikte en legde zijn grote handen gevouwen voor zich op tafel, twee bleke hammen vol stugge, blonde haartjes.

'De directeur heeft een twijfelachtige reputatie,' ging Gunnarstranda verder. Hij rook de geur van mottenballen die opsteeg uit Reiers colbert. 'Hij heeft in de loop van een paar jaar al verschillende faillissementen op zijn naam verzameld.'

Hij pakte een brochure. 'Voor zijn huidige bedrijf probeert hij vers kapitaal bij investeerders los te peuteren.'

Davestuen pakte de brochure aan. Hij bladerde erdoor en stopte bij de foto van boekhouder Bregård. 'Is dat die twijfelachtige man?'

'Nee,' zei Gunnarstranda vlug. 'De twijfelachtige directeur wordt daar helemaal niet in genoemd. En ik besef ondertussen dat dat een handige zet is.'

Hij slurpte van zijn koffie, die de serveerster voor hem neer had gezet zonder dat hij erom had hoeven vragen. Hij glimlachte naar haar en zij glimlachte terug; niet alleen uit beleefdheid, ze knipoogde ook nog. Dat beviel hem wel. Hij viste een sigaret uit het pakje en bood Reier er ook een aan.

'Nee, bedankt,' antwoordde hij en hij hief afwijzend zijn hand op. Gunnarstranda keek hem verbluft aan. 'Jij? Gestopt met roken?'

Reier Davestuen knikte ernstig.

'Wanneer dan?'

'Gisteren.'

Gunnarstranda boog met respect en stak zijn eigen sigaret aan.

'Die snorremans ken ik,' ging Davestuen rustig verder terwijl hij met een dikke, gele vinger naar de foto van Bregård wees. 'Øyvind Bregård. Werkte ooit als incasseerder in het criminele milieu. Nog steeds één bonk spieren?'

Gunnarstranda knikte langzaam.

'Hij is in elk geval veroordeeld voor mishandeling.'

Gunnarstranda blies afwachtend een rookwolk uit.

Davestuen fronste zijn knokige voorhoofd, probeerde zich dingen te herinneren.

'Hij werkte bij een incassobedrijf, een dubieus bedrijf dat we een paar jaar geleden hebben opgerold, maar ik kan me de naam niet meer herinneren.'

'En de veroordeling?'

'Hij heeft in elk geval vastgezeten. Hij had een Pakistaan in elkaar geslagen die een zaak had aan de westkant van de stad. Ik weet niet meer hoe de man heette en waar het is gebeurd, maar dat kunnen we uitzoeken.'

Gunnarstranda zei: 'Hij houdt zich nu met heel andere zaken bezig, met computers. Maar waarschijnlijk ook van twijfelachtig allooi.'

Davestuen knikte.

'Hij is boekhouder.'

Davestuen glimlachte. 'Erg twijfelachtig,' verzekerde hij en hij ontblootte een gouden brug in zijn onderkaak.

'Ik onderzoek de moord op een vrouw die daar werkte,' ging Gunnarstranda door. 'Ik weet niet of het bedrijf iets met de moord te maken heeft. Maar het stinkt wel.'

Davestuen spuugde in zijn hand en wreef de lok op zijn voorhoofd plat. 'Ik kan niet veel doen ...'

'Je kunt dingen nazoeken en uitvinden waar die mensen zich mee bezighouden. Hoe is het eigenlijk mogelijk dat die incasseerder daar als boekhouder aan het werk is?'

Gunnarstranda tikte met een lichtbruin verkleurde nagel op de foto van Bregård.

Reier keek naar Bregårds snorrengezicht, pakte de brochure op en bekeek hem van dichterbij. 'Oké,' zei hij ten slotte. 'Maar vooralsnog alleen over de telefoon.'

Gunnarstranda stond op. Er gebeuren grote dingen in deze wereld, dacht hij. Europa, de afbrokkeling van het Oostblok, en nu is Reier Davestuen ook nog gestopt met roken. Hij liep naar de telefoon aan de muur. Het werd tijd om Frølich te pakken te krijgen en een bezoek te brengen aan Software Partners, dacht hij tevreden.

# 24

Voor zijn chef hem op zijn mobiel belde, was Frank bezig geweest met het bestuderen van Sonja Hagers overzicht van de zakenrelaties van Software Partners. De vooruitzichten voor een succesvolle visvangst waren minimaal. Het probleem lag in de grote onderlinge verschillen tussen de bedrijven. Er zaten winkels bij, een paar kleine bedrijfjes die je terugvindt in de bezemkasten van grote kantoorgebouwen, maar ook gewone boekhandels. Hij moest dus eerst selecteren.

Gewapend met een grote portie geduld ging hij aan het werk met Brydes Handelsregister en de Gouden Gids. Systematisch begon hij de firma's in groepen te sorteren: een groep kopers van computersystemen, een groep mogelijke investeerders en een groep die onder beide categorieën viel.

Na tweeënhalf uur trok hij zijn schoenen en groene anorak aan en begon hij aan het veldwerk.

Gelijk bij de eerste uitworp had hij beet.

De ingang lag in een zijstraat van de Rådhusgata. De omgeving was een vacuüm. In de Rådhusgata reden auto's langs en liepen mensen gehaast voorbij, zonder zelfs maar een blik opzij te werpen in de straat, waar het rustig en stil was als achter een havendam. Er was maar één winkel. Deze.

De winkel was voor klanten nauwelijks interessant, de etalage was nietszeggend en stoffig en viel alleen maar op door een versleten markies die wapperde in de wind en kraakte op de maat van het zware verkeer dat een stukje verderop langsreed. De zon had bijna alle kleuren op de affiches verbleekt. Ordners, elektrische typemachines en grote calculators stonden achter het glas.

Hij ging naar binnen. De deurbel rinkelde, net als in een konditorei. Alleen de geur van versgebakken broodjes ontbrak. En een bakkersvrouw in een rode schort achter de toonbank. Er was helemaal niemand. Hij keek om zich heen. Verlaten. Niemand te bespeuren. Er hing een droge lucht. Een brommende kopieermachine en een zwak geruis van buiten waren de enige geluiden die de ruimte vulden.

Hij deed nog een keer de deur open en dicht. De bel rinkelde schel. Er was beweging.

Opeens stond hij daar, een man op leeftijd, rechte rug, klein en mollig, met een pruik die zo zwart was als de haren van een verfkwast. Uit zijn oren staken kleine, grijze plukjes haar.

'Goedemorgen!' De man lachte uitnodigend en stak zijn hand uit.

Frank legitimeerde zich.

De vrolijke gezichtsuitdrukking verdween, maar de winkelier nodigde zijn bezoeker vriendelijk uit plaats te nemen achter een scheidingswand, waar hij een klein kantoortje had ingericht dat vol lag met kranten en half ingevulde kruiswoordraadsels.

De politieman gaf hem zonder een woord te zeggen de pasfoto van Reidun Rosendal.

De ander liet zijn vingers over het tafelblad lopen en papieren optillen tot hij zijn bril vond. De bril had een zwart montuur van kunststof en dikke glazen. Toen hij de bril op zijn neus had gezet, knikte hij enthousiast naar de vrouw op de foto.

'Ze is dood,' zei Frank. Dan had hij dat maar weer gehad. 'Vermoord, en ik doe onderzoek naar die moord.'

Het nieuws maakte indruk. De man beet op zijn lip. 'Dood?'

'Kwam ze hier vaak?'

De man nam de tijd om zich te vermannen. 'Een paar keer, vorige week voor het laatst,' begon hij. Zijn handen tastten verward langs de tafelrand. 'Nee, nee, nee,' zuchtte hij met een verdrietige blik in zijn ogen.

De politieman leunde achterover en wachtte.

'Ze heeft het deelgenootschap geregeld.'

'Deelgenootschap?'

'Ik ben mede-eigenaar geworden van Software Partners.'

Plotseling fronste hij zijn voorhoofd. Een soort reactie op de nieuwsgierigheid van de politieman.

'We zijn geïnteresseerd in alles waar Reidun Rosendal zich de laatste weken van haar leven mee bezighield,' verklaarde deze geruststellend. 'In absoluut alles. We willen niet steeds in het duister tasten.'

De man keek hem over zijn bril aan.

Frank Frølich knikte joviaal. Maar vroeg zich tegelijkertijd af hoe deze man met nietmachines uit de jaren zestig in de etalage mede-eigenaar was geworden van een yuppiebedrijf als Software Partners.

De man zei: 'Ik ben de eigenaar van dit gebouw.'

Hij dacht even na, alsof het een lang verhaal was.

'De winkel heeft de laatste jaren alleen maar met verlies gedraaid. Ik kon het hoofd boven water houden met de huuropbrengsten van de rest van het gebouw. En zo was ik ook doorgegaan, als niet dat probleem met de grootste huurder was ontstaan.'

De man noemde de naam van een technisch tijdschrift. Frank herinnerde zich de stoffige rij blinde ramen op de eerste verdieping. De man zou van de huuropbrengsten zeker niet vet worden.

'Ze hebben de huur opgezegd. En zonder die inkomsten ga ik failliet.'

De ogen onder de pruik stonden bedroefd. 'Het is allemaal krap. De huurmarkt is ingestort. Er zijn de laatste jaren veel te veel kantoorgebouwen gebouwd. Het is onmogelijk om nieuwe huurders te vinden, dus de kans is klein dat mijn inkomen weer hoger wordt.'

Hij staarde afwezig voor zich uit, maar plotseling klaarde zijn gezicht op.

'Als mevrouw Rosendal niet met haar aanbod was gekomen, had ik niet geweten wat ik had moeten doen!'

'Wat voor aanbod was dat?'

'Ik ben dealer geworden. Een nieuwe serie producten. Ik heb me in het bedrijf ingekocht ... en ben nu dealer geworden.'

Een nieuwe partner in Software Partners! De logica zat in de naam. 'Hoe bent u mede-eigenaar geworden?'

'Ik koop een aandeel in het bedrijf, en krijg automatisch het recht om hun producten te verkopen.'

'Een soort van franchising?'

'Nee! Ik ben mede-eigenaar.'

'Maar is de concurrentie in de computerbranche niet moordend?'

'Jazeker.'

Een glimlach speelde om zijn mondhoeken. Er glinsterde iets in zijn ogen toen hij uitriep: 'Maar Software Partners gaat een nieuw type software op de markt brengen, waarvoor ze in heel Noorwegen het monopolie hebben!'

Alsof daardoor de concurrentie minder werd, dacht de politieman.

'Dus u hebt aandelen gekocht in Software Partners?'

Weer was er een schaduw van twijfel in zijn ogen te zien.

'Aandelen? Ja, waarschijnlijk ...'

'Hebt u ze niet gekregen?'

Hij lachte verontschuldigend. 'Het gaat om een bepaalde technische constructie, om de bureaucratie te ontlopen. A-aandelen en B-aandelen of zoiets.'

Hij was niet helemaal tevreden met zijn eigen antwoord en draaide onrustig op zijn stoel.

'Mag ik u vragen hoeveel dat mede-eigendom u heeft gekost?'

Afwijzende lijnen boven de bril.

'Ik zie niet in wat dat met het onderzoek te maken heeft.'

Het werd tijd om hem een beetje met zwijgen te plagen, dacht Frank. Hij keek de man aan en liet de stilte voortduren. De ogen aan de andere kant van de tafel schoten onrustig heen en weer.

'Tweehonderdvijftigduizend!'

'U durft!'

Frølichs verbazing was niet gespeeld. Tweehonderdvijftigduizend kronen was veel, in elk geval voor deze man.

De toon, de verbazing bevielen de man. 'Gecalculeerd risico,' pochte hij. 'Je bent nooit te oud om risico's te nemen.'

Pauze. Hij staarde in gedachten naar het plafond. 'Maar eigenlijk is er geen sprake van enig risico. Met dat nieuwe computerprogramma lopen de klanten de deuren plat bij de dealers. Software Partners heeft het monopolie voor het hele land en ik vang dus twee vliegen in één klap. Ik krijg mijn aandeel uit het moederbedrijf én ik heb de winst in deze winkel.'

De politieman strekte zijn benen naar voren.

Hij kende de argumenten. In de glimmende brochure had Bregård ze ook gebruikt.

De man was een pijproker. Zijn pijp was ooit rood en glimmend geweest, gemaakt van bruyèrehout. Nu was de glans verbleekt. Het mondstuk was verbeten en kopergroen van kleur. Hij vulde de pijp met tabak uit een trommeltje op tafel. Rød Orlich.

'Je bent nooit ... puf puf ... te oud ... puf ... om risico te nemen ... puf puf.'

Blauwe rookwolken dreven de winkelruimte in. Het rook goed. Hij gooide de lucifer in de asbak en pakte een nieuwe.

'Ik kon kiezen ... puf ... ik kon een lijfrente kopen ... of ... puf ... U moet begrijpen dat ik ook aan mijn pensioen moet denken ... Ah, tabak is het beste dat ik mezelf gun ... Of ik kon investeren in een risicoproject en mijn spaargeld daarvoor gebruiken. Ik koos het laatste. Ik heb alles geïnvesteerd!'

Tevreden met zichzelf klemde hij de pijp tussen zijn tanden. Zijn duimen stak hij in zijn vestzakken. Het vest spande over zijn bolle buik. De pruik leek een beetje op een Hitlerkapsel.

'Dat is vandaag de dag het probleem! Het zakenleven heeft investeerders nodig die risico durven te lopen. Solide bedrijven als Software Partners krijgen problemen als ze zich tot de gewone kredietinstellingen wenden.'

Enthousiast zwaaide hij met zijn pijp in het rond. 'Kunt u mij zeggen waarom ik had moeten aarzelen? Waarom zou ik de kans niet grijpen toen ik hem kreeg? Mevrouw Rosendal heeft mij een rentevoet voorge-rekend waarvan niemand bij de huidige marktsituatie durft te dromen.'

'Mevrouw Rosendal?'

De man knikte. 'Jazeker! Mevrouw Rosendal persoonlijk!'

Frank kreunde inwendig. Software Partners: een kermisvrouw op platte schoenen, Snorremans en een snobistische dame uit de villawij-ken. Reidun in een nauwe rok en ervaring uit het postwezen. Zouden die types voor deze keurige man een winst mogelijk maken waarvan niemand durfde te dromen? Er klopte iets niet.

'Kunnen er ook anderen meedoen?'

Hij stak de pijp weer in zijn mond en trok zijn gezicht in een zakelij-ke plooi. 'De firma heeft het aantal mogelijke deelnemers beperkt, en de minimale inzet bedraagt honderdduizend kronen.'

Hij dacht na. Pafte aan zijn pijp. Tot verwondering van de politieman kreeg hij de pijp al bij de eerste trek weer in de brand. Wat een geur!

'Ik moet zeggen dat ik blij ben dat ik gelijk heb toegehapt.'

'U hebt er alle vertrouwen in?'

Er viel een druppeltje bruin speeksel van het pijpmondstuk op Rei-dun Rosendals pasfoto. 'Als u haar had ontmoet, dan had u wel gewe-ten dat het goed zat.'

De dromerige uitdrukking was weer terug op zijn gezicht. 'Zij kwam van een andere wereld.'

'Van een andere wereld?'

De rechercheur veegde de foto droog met de mouw van zijn trui. De lichtbruine vlek verdween niet en maakte het gezicht van de vrouw onduidelijk.

'Tja, hoe zal ik het zeggen, niet alleen lang en mooi, maar, ach, kijkt u toch eens rond.'

'Ja, en?'

'Ik kon het aan u zien toen u binnenkwam. U zag het direct! Failliet! Kijkt u maar. Met wat voor omzet kan ik pronken? Niets. Elke zomer lig ik in de clinch met het belastingkantoor omdat ze mijn omzetcijfers niet vertrouwen. Wat denkt u dat ik kon kopen van deze vrouw, die hier trouw met haar brochures naartoe kwam en haar waardevolle tijd hier besteedde? Niets! Maar ze kwam! Steeds opnieuw! Het was een vrouw van een andere wereld!'

Frank merkte dat hij het antwoord schuldig moest blijven.

Het was tijd om op te stappen.

Gelukkig, zijn mobiel ging.

# 25

'Hier is dus hun kantoor,' zei Frank Frølich.

Gunnarstranda bleef staan en bestudeerde de voorgevel. Duur, dacht hij, typisch Oslo West. Hij mompelde: 'Dit gebouw is hoogstens vijf jaar oud.'

'Maar niet alle kantoren zijn verhuurd,' voegde Frølich eraan toe. Hij wees naar een rij dode ramen in een van de vleugels.

'De huur kost dus een bom duiten,' meende Gunnarstranda en hij liep als eerste naar binnen.

Kristin Sommerstedt knikte hen toe met een uitdrukkingsloos gezicht. 'Er is boven niemand aanwezig,' wist ze te vertellen.

'Maar de boekhouder is waarschijnlijk in de fitnessruimte,' voegde ze er snel aan toe toen ze Gunnarstranda's blik zag. 'Dat zei hij in elk geval toen hij hier een halfuur geleden voorbijkwam.'

De politieman keek een beetje geïrriteerd op zijn horloge. Het was halfeen 's middags.

De fitnessruimte bevond zich in de kelder. Beneden bleef je verschoond van de luxe waarmee de rest van het gebouw verzadigd leek te zijn. De wanden in de gangen waren niet geschilderd en de vloer was na het pleisteren onbehandeld gebleven. Ze moesten een paar zware stalen deuren door die met zo'n harde knal achter hen dichtvielen dat het tussen de kale wanden nagalmde. Verderop hoorden ze de geluiden van iemand die met gewichten aan het trainen was.

Gunnarstranda stapte als eerste over de hoge drempel. Bregård lag op een trainingsbank en duwde met trage bewegingen een stang met een aanzienlijke hoeveelheid ijzer van zijn borst omhoog. Hij maakte geen aanstalten de oefening te onderbreken. De man snoof als een nijlpaard. Zijn gezicht was rood aangelopen en nat van het zweet, en zijn mond onder de imponerende snor zwol bij elke ademhaling op als een opgeblazen kikker.

Eindelijk. Met een enorme klap liet de man de stang los. Hij kwam overeind. De bloedvaten in zijn slapen namen hun normale omvang weer aan. Zijn borstspieren tekenden zich duidelijk af onder zijn trainingsshirt.

'Dat was zwaar,' klonk Frølichs stem.

Gunnarstranda zocht iets om op te zitten.

Bregård haalde hijgend adem en schonk geen aandacht aan Frølichs poging tot conversatie. Gunnarstranda nam hen op. Twee grote kerels. Bregård was vooral geïnteresseerd in zijn eigen handpalmen.

De ruimte was spaarzaam gemeubileerd. De hoofdinspecteur klauterde op het zadel van een hometrainer. Hij lachte even, trapte een paar keer rond en zette zijn handen op het stuur.

'Vast niet zo zwaar als het beheren van de boekhouding van A/S Software Partners,' beweerde hij afgemeten.

Bregård stond op en strekte zijn armen naar achteren.

'In het Handelsregister staat u niet vermeld,' vervolgde Gunnarstranda.

Bregård leunde met zijn rechterhand tegen de muur en rekte met wijde bewegingen zijn bovenarmen. Eerst de rechterarm, daarna de linker. Alleen zijn ademhaling was in de kleine fitnessruimte te horen. De man startte onmiddellijk een tweede rekoefening. Eerst rechts, toen links.

Frølich, die een paar halters had gevonden om mee te spelen, floot een liedje.

De atleet bukte zich en pakte een witte handdoek van de vloer.

'Hun gegevens zijn nooit up-to-date,' hijgde hij in de handdoek.

'Maar vorig jaar hadden ze ook al niets van jullie ontvangen.'

Bregård veegde zijn nek droog en wendde zich tot Gunnarstranda. De politieman glimlachte.

Frølich floot.

De boekhouder verhief zijn stem ietwat. 'We zijn vorig jaar begonnen.'

Hij ging verder met afdrogen. 'Dus dit jaar sturen we voor het eerst de balans op.'

'Die hebben jullie dus nog niet opgestuurd?'

'Nee!'

'Maar dan kunt u het het Handelsregister ook niet kwalijk nemen dat ze niet up-to-date zijn.'

Bregård raakte geïrriteerd. 'Ik neem ze helemaal niets kwalijk!'

'Maar ik begreep zojuist dat alles was opgestuurd en dat zij hun zaakjes niet op orde hadden.'

Gunnarstranda trapte snel drie keer rond, stopte en wachtte op antwoord.

Bregård ging zitten met een starre grijns om zijn mond.

'Oké,' zei hij en hij hief zijn handen op. 'Ga maar mee naar boven! In dit bedrijf kennen we geen geheimen, onze boekhouding is openbaar.'

'Elke boekhouding is openbaar,' verbeterde Gunnarstranda hem. 'Waarom is er niemand op kantoor?'

Bregård keek verstoord naar de fluitende man voor hij opnieuw een geërgerde blik op Gunnarstranda wierp. Hij gaf geen antwoord.

Gunnarstranda stapte van de fiets en liep naar Bregård toe. Bleef voor hem staan. 'Hoe komt het dat u het zich kunt veroorloven om hier midden op de dag te gaan trainen?'

Bregård glimlachte geduldig, maar het kostte hem moeite de glimlach tevoorschijn te toveren.

'Waarom wil Software Partners geen huur betalen?'

Bregård probeerde zijn glimlach te laten overgaan in een welwillende grijns, zonder succes. 'Geen huur betalen?' bootste hij Gunnarstranda na. 'Als u daar vragen over hebt, zult u met mijn baas moeten praten.'

'Maar u bent toch verantwoordelijk voor de boekhouding?'

'Zeker!'

Er schoten vonken uit Bregårds ogen, en plotseling waren ook de opgezette aderen aan zijn slapen terug.

'Geef dan antwoord!'

Bregårds mond kreeg een geërgerde trek. 'Hou eens op!' schreeuwde hij naar de nog altijd fluitende Frølich.

Het gefluit verstomde onmiddellijk.

Het werd doodstil.

Bregård pakte de handdoek die over zijn schouder hing en wreef driftig over zijn nek.

'Daar hebt u zich al afgedroogd,' deelde Frølich mee.

Bregård draaide zich om, maar Gunnarstranda ging tussen hen in staan. 'Waarom is uw baas onbereikbaar?'

'Dat weet ík toch niet!'

Zijn stem had een metaalachtige klank gekregen. Zijn gezicht was roder dan voorheen.

'Als wij hier komen, is hij nooit aanwezig!'

'In deze branche kun je niet overleven als je elke dag acht uur lang op je kont op kantoor blijft zitten!'

'Maar er moet toch iemand op kantoor zijn! Als je wilt overleven! Waar is Engelsviken?'

'Ik heb al gezegd dat ik dat niet weet!' Zijn stem sloeg over van woede. Zijn handen hielden de handdoek stevig vast.

'U hebt uw handen ook al afgedroogd!'

Frølich leunde glimlachend tegen de muur. Maar Gunnarstranda liet Bregård niet aan het woord komen. 'Waarom kan hier niemand antwoord geven op vragen?' siste hij de ander toe. 'Waarom verstopt u zich achter uw baas?'

'Ik heb me verdomme niet verstopt!'

'Vertel dan waarom jullie de huur niet betalen!'

Even dacht Gunnarstranda dat Bregård hem naar de keel zou vliegen. Het werd tijd voor een lachje, bedacht de politieman.

Bregård staarde verward naar zijn eigen handen.

Gunnarstranda kwam nog iets dichter bij hem staan. 'Uw enige succes in de financiële wereld,' fluisterde hij, 'is dat u bijna een man hebt doodgeslagen die zijn schuld niet kon betalen.'

Bregård loerde naar hem.

'Dus hoe komt het dan dat uitgerekend u plotseling de boekhouding doet van een bedrijf dat het halve koninkrijk wil veroveren?'

'Ik heb mijn straf gehad,' zei Bregård met een hol klinkende stem.

'Dat betwijfel ik ook niet.'

'Ik heb betaald.'

'Zeker.'

Gunnarstranda gaf Frølich een teken. Hij maakte zich klaar om te gaan, maar draaide zich nog een laatste keer om naar de man met de snor. 'Maar van boekhouden weet u net zoveel als ik van de Engelse vossenjacht.'

Hij glimlachte weer. 'Helemaal niets.'

Daarna keerde hij Bregård de rug toe en trok hij Frølich met zich mee naar buiten.

'Hoe gaat het met Svennebye in zijn ontnuchteringscel?' vroeg Frølich toen ze weer in de auto zaten.

'Ligt waarschijnlijk te slapen,' mompelde de hoofdinspecteur afwezig. Hij schrok op van het geluid van de pieper. Hij probeerde hem uit te zetten en pakte de mobiele telefoon. 'We praten later wel met hem,' zei hij zacht met zijn hand over het apparaat voor hij zich naar voren boog om te luisteren.

'Nu?'

Gunnarstranda vroeg zich even af of hij het direct zou vertellen, maar besloot om nog even te wachten. Hij pakte een sigaret. 'Rij naar Torshov,' zei hij luid en hij hoorde zelf hoe opgewonden zijn stem klonk.

# 26

De beide rechercheurs moesten zich moeizaam een weg banen naar het trappenhuis, waar de trap in een lange kurkentrekkerspiraal omhoog leidde. Het was er krap. Een geüniformeerde politieagent stond met de handen op zijn rug in het portaal op de tweede verdieping. Hij probeerde er onaangedaan uit te zien, maar dat lukte niet echt. De adamsappel boven de blauwe kraag ging snel en nerveus op en neer. De man had onnatuurlijk lange en dunne benen. Aan zijn voeten lag een lichaam onder een stijf plastic zeil, dat duidelijk al eerder was gebruikt. Het was vies en er zaten gaten in. Een schijnwerper tekende scherpe schaduwen en benadrukte meedogenloos elk detail. De bloedsporen op de muur leken in het felle licht bijna zwart.

Gunnarstranda keek op naar de man in uniform. 'Misselijk?' vroeg hij.

De man met de adamsappel hield zijn handen achter zijn rug en staarde voor zich uit. Het bleke, smalle gezicht leek ongewoon klein onder de uniformpet. Zijn antwoord ging ten onder in het lawaai van de mannen op de trap.

'Wie heeft hem gevonden?'

'Elise Engebregtsen. Een bejaarde vrouw, woont op de eerste verdieping.'

Deze keer had hij diep ademgehaald. Zijn stem klonk schel en weerkaatste tegen de wanden. Iedereen bleef staan, draaide zich om en keek naar hem. De adamsappel ging steeds sneller. Hij keek met kleine, nerveuze vogelblikken naar rechts.

'En het moordwapen?'

'Scherp voorwerp. Niet op de plaats delict aangetroffen.'

De fotograaf die iets hoger op de trap stond, giechelde. Gunnarstranda keek hem met gefronst voorhoofd aan en draaide zich toen weer om naar het lijk. Hij zuchtte, knikte voor zich uit. Keek bij de trap omhoog. Bloed aan de muur en op de treden. Als een fijne douche, maar hier en daar ook een brede streep waar een grote druppel was uitgelopen.

Hij bukte zich, trok een gummihandschoen van een rol die rechtop op een traptrede stond. Hij stapte over een plas bloed heen en tilde het zeil op om beter te kunnen zien. Dat ging niet gemakkelijk. Hij moest zijn jas ophouden om hem niet te bevuilen, terwijl hij ook het met bloed besmeurde zeil moest optillen.

Hij vloekte en trok zijn jas maar uit. 'Hou vast,' zei hij tegen de agent, die niet naar de vloer probeerde te kijken. Gunnarstranda sloeg het zeil helemaal aan de kant.

Het gezicht van Sigurd Klavestad was witter dan het ooit was geweest. Leeg en glazig staarde hij omhoog. Zijn ogen leken wel grote knikkers, dacht Gunnarstranda toen hij hem aankeek. Achter zich hoorde hij de tinnen soldaat luid slikken, terwijl hij zelf ook een akelig gevoel in zijn maag kreeg toen hij de scherpe, diepe snee zag waarmee het slachtoffer bijna was onthoofd. Voorzichtig legde hij het hoofd weer in de oude positie terug.

Hij staarde even in gedachten naar het dode lichaam. Blote voeten. Blote armen. De dode had duidelijk snel wat kleren aangetrokken. De lange paardenstaart was stijf en kleverig van het bloed.

Hij wendde zich weer tot de tinnen soldaat met de nerveuze adamsappel. Nam de jas van hem aan.

'Ga maar,' zei hij zacht. 'Zeg tegen de jongens dat ze de namen achterhalen van iedereen die hier in het blok woont of hier na gistermiddag is geweest.'

Gunnarstranda bleef staan. Hij probeerde de niet meer aanwezige sfeer te bespeuren. Hij liep snel naar de schijnwerper en deed hem uit. De mensen die tot nu toe hard aan het werk waren geweest, stopten. Niemand zei iets. Langzaam wenden zijn ogen aan het nieuwe licht. Grauwgeel licht van een kaal peertje aan de muur boven de trap.

Hier was hij gevallen. Bang.

Gunnarstranda sloot zijn ogen. Opende ze weer. De anderen hadden zich niet bewogen. Keken hem aan. Langzaam trok hij de gummihandschoen uit en liet hem op de vloer vallen. Hij pakte de rol onder zijn arm. Hij begroef zijn beide handen in zijn jaszakken en haalde diep adem, voor hij zich naar Frølich wendde, langs hem heen liep en vertrok.

Op de begane grond werden ze opgewacht door Bernt Kampenhaug, die de leiding over het onderzoek had. Eigenlijk wel een sympathieke accordeonist. In november en december speelde hij minstens drie keer per week op kerstbijeenkomsten. Bovendien verzamelde hij oldtimers. Hij bezat drie oude politiewagens. Aardige vent, zolang hij niet aan het werk was en zolang je niet met hem in discussie ging over politiek. Bernt was een man met een uitgesproken mening. Hij was vóór strengere uniformregels en vóór bewapening. Op dit moment zag hij eruit als een toerist. Hij had zijn zonnebril in zijn haar gezet, kauwde kauwgom en leek uitermate tevreden met de pasvorm van zijn overall. In zijn hand hield hij een radio met een korte antenne. Hij had zichzelf voor de gelegenheid voorzien van een wapen dat zijn achterste nog breder maakte dan het normaal gesproken al was. Gunnarstranda merkte dat Bernts aanblik op zijn zenuwen werkte.

Kampenhaug stak de radio onder zijn arm en begeleidde hen, met één hand achter zijn riem gehaakt, naar buiten. Daar zette hij zijn zonnebril weer op zijn neus en duwde hem met een vinger op zijn plaats. De radio begon te kraken en hij probeerde achter de afzetting een houding aan te nemen voor de persfotografen.

Een journalist riep iets naar Gunnarstranda, die deed alsof hij niets hoorde.

'Het lijk is gevonden door een oude vrouw op de eerste verdieping,' zei Kampenhaug gedreven en hij wees met zijn duim. 'Ze maakt een tamelijk verwarde indruk.'

Hij liep weg om een journalist weer achter de afzetting te jagen en kwam wijdbeens teruggemarcheerd, de zon in zijn gezicht.

'Het oude mens brabbelde dat ze de verkeerde te pakken hadden, omdat er niemand kon zijn. Aderverkalking, als je het mij vraagt. Hij woonde trouwens boven haar. De deur is open!'

'Oké,' zei de hoofdinspecteur.

De agent met de vogelblik stapte over het afzetlint. 'Jij bent toch agent?' brulde Kampenhaug als een echte militair. 'Veeg dan eerst die kots weg, voor je met iemand gaat praten!'

# 27

Gunnarstranda constateerde dat de flat van Sigurd Klavestad hem niet meer vertelde dan hij al wist. Twee kamers en een keuken. Doucheruimte met toilet, met een deur vanuit de hal. In de hal hingen lachspiegels. In een van de spiegels leek zijn neus op een koolraap en in een andere kreeg zijn gezicht de vorm van een acht en zag het eruit als een karikatuur.

Binnen was het een rommeltje. Stripboeken, schoenen, kledingstukken, jacks en truien lagen overal op de vloer. Het kastenprincipe was voor Klavestad een onbekend fenomeen, dacht Gunnarstranda. De mogelijkheid om spullen op te ruimen. Hij liet de lachspiegels over aan zijn collega en bekeek twee posters die aan de wand hingen. Een was een kopie van een Frans affiche uit de negentiende eeuw. Een schilderij van een revuemeisje met zwaaiende rokken. Op de andere poster stond een bijziende Marilyn Monroe in vogelperspectief. Met wijd open mond vlijde ze zich tegen een gordijn aan.

Hij liep naar de badkamer en bleef op de drempel staan. De witte wastafel was rood bevlekt. De vloer was nat. Zonder een woord te zeggen deed hij een stap terug en liep naar de woonkamer. Hij nam twee gummihandschoenen van de rol in zijn zak. Hij opende het raam en riep naar Kampenhaug.

Het beviel hem niet dat Klavestad dood was. Het zat hem niet zozeer dwars dat Klavestad naar het hiernamaals was vertrokken, maar het nieuwe perspectief irriteerde hem. Er zeurde iets in zijn achterhoofd. Een knagende twijfel. De angst om zijn hypothesen te moeten bijstellen.

Voorlopig had hij twee steekwoorden. Mes en nacht. Dat beviel hem. Maar de snee beviel hem niet. Die ene haal langs de hals van het slachtoffer. Dat beviel hem helemaal niet. Verdomme! Waarom moest Klavestad vermoord worden?

De moord zou slapende honden wakker maken. Die afgestudeerde betweters die voortdurend de behoefte hadden om hardop te zeggen

wat alle anderen dachten. Het zou alleen maar extra rompslomp opleveren. Er zouden uitspraken worden verlangd en een persconferentie.
Formalisme. Dat irriteerde hem. Maar er zat ook een positieve kant
aan. Hij merkte dat hij langzaam woedend werd. Dat was een goed
teken, zei hij tegen zichzelf en hij draaide zich om. Hij bleef staan kijken naar de haard. Een ouderwetse, beetje stoffige, betegelde hoekka-
chel met een marmeren bovenkant en vernikkelde handgrepen.

Gehoor gevend aan een plotselinge opwelling ging hij er op zijn hurken voor zitten. Hij voelde voorzichtig aan het gietijzer. Daarna nog
een keer zonder gummihandschoen. Hm. Zou kunnen.

Heel voorzichtig maakte hij het kacheldeurtje open. 'Frølich,' riep hij
zacht.

De ander kwam uit de hal gelopen. 'Hij lag waarschijnlijk te slapen,'
zei Frank. 'Het bedlampje brandde en het bed is niet opgemaakt.'

'Kijk eens,' zei Gunnarstranda zacht.

De ander bukte en keek naar de smeulende asresten. 'Hij heeft de
kachel aangehad,' luidde zijn onverschillige commentaar.

'Hij niet,' zei Gunnarstranda bedachtzaam. 'Hij niet. En dit is geen
hout. Het smeult. Dit is stof. Kleding! Als er überhaupt nog iets van
over is!'

# 28

Elise Engebregtsen stond hen op te wachten en had de deur al geopend toen ze de lift uit kwamen. Ze was dik. Buitengewoon dik. En haar grijze lachje onthulde een oud kunstgebit.

'Goeiemorgen,' zei ze. 'Ik weet niks. Dus jullie kunnen wel weer gaan. Ik weet niks.'

Frank Frølich lachte beleefd en knikte even. Hij keek op haar neer. Ze droeg een geruit schort, had dikke armen en een enorm achterwerk. Haar dikke enkels bolden over haar pantoffels heen. Ze was een jaar of vijfenzestig, misschien zeventig. Ze klapperde met haar gebit. Klikkende geluiden die ze maakte met haar nerveuze tong. Wat een beet! Net een forel, dacht hij gefascineerd.

Gunnarstranda hoestte.

'Nou, kom dan maar binnen. Maar ik heb het gezegd. Ik weet niks.'

Ze waggelde voor hen uit. Breed als een sumoworstelaar. Een klein hoofd met vet, roodbruin piekhaar, bij de oren rondgeknipt. Een zware, ritmische ademhaling. Ze was een worstelaar, een echte worstelaar. Haar gebit klapperde.

'Ja, ja,' steunde ze. Moeizaam ging ze zitten. 'Zo, ja zo.'

Ze pakte een gebloemde thermoskan. Schonk koffie in.

'Ja, zo.'

Kleine kopjes met roosjes erop. 'Suiker?'

Frank schudde zijn hoofd.

Hij rook een zurige lucht. Alsof er hierbinnen mos op de muren groeide. Een soort omageurtje. Er hingen kleine, ronde fotootjes op het lichtblauwe behang met neutrale witte bloemetjes. Handwerk. Borduursels en breiwerk. Aan de wand tegenover hem hing een foto van de vrouw des huizes zelf. Een baby op elke arm en een gelukkige protheseglimlach op haar gezicht.

'Ik heb het al gezegd, ik weet niks.'

Zenuwen. Klapperende tanden.

Gunnarstranda slurpte van zijn koffie. 'Wanneer hebt u hem gevonden?'

'Vanmorgen.'

'Hoe laat was dat?'

'Halfnegen. Na de kerkdienst op de radio.'

Gunnarstranda knikte langzaam.

'Ja, ja,' hijgde ze. 'Zo, ja.'

'Dat was vast enorm schrikken,' zei de rechercheur meelevend.

'Ik heb al tegen die man met die grote knuppel gezegd dat ik niks weet!'

Knuppel! Frank hoestte.

Gunnarstranda knikte. 'Hij vertelde dat u gezien had dat Sigurd Klavestad vannacht wegging?'

Ze haalde diep adem. Krabde aan haar onderarm. 'Dat klopt, ja. Hij ging weg, dat weet ik zeker.'

'Hoe laat?'

'Vannacht om vier uur.'

'Vannacht. Hebt u zo goed op de tijd gelet?'

Ze schudde snel het hoofd. Het piekhaar sloeg tegen haar wang.

'Ik was wakker. Ik slaap zo slecht, dus ik was wakker en hoorde hem de trap afrennen!'

'Hij rende de trap af?'

'Ja, de eerste keer.'

'Dus hij rende de trap af en kwam toen weer naar boven?'

Elise Engebregtsen knikte.

'Hoe weet u dat hij het was?'

Ze haalde haar schouders op. 'Dat denk ik.'

'Maar u weet niet zeker dat hij het was?'

'Ik zei toch al dat ik niks weet.'

'Maar om de een of andere reden dacht u dat híj de trap afrende.'

'Ja, hij maakt altijd zo'n lawaai.'

'Gebeurt dat vaker?'

Ze knikte weer.

'En nadat hij naar boven was gegaan, kwam hij weer naar beneden?'

Weer knikte ze.

'Rende hij toen ook?'

'Nee, toen hoorde ik hem pas toen hij buiten was.'

'De tweede keer ging hij dus zachtjes naar beneden?'

Ze knikte.

'Hoeveel tijd zat ertussen?'

'Tien minuten, misschien een kwartier.'

'Zag u dat hij het huis verliet?'

'Ja.'

'Hoe? Zag u zijn gezicht?'

'Ik zag dat hij het was.'

'Maar zag u zijn gezicht?'

'Ik heb zijn lichaam gezien.'

'Het zou dus ook een ander kunnen zijn.'

'Hij was het!'

Nu was ze boos. Haar mond was een rechte streep en er zat een scherpe rimpel tussen haar ogen, die bijna verdween in haar samengetrokken gezicht.

Gunnarstranda knikte. Hij dronk nog wat koffie.

'Wat wilde u buiten gaan doen?'

'Vuilnis wegbrengen.'

'Wat gebeurde er?'

'Ik kreeg de deur niet open.'

'Kreeg u de deur niet open?'

'Nee.'

Gunnarstranda wachtte geduldig.

'Ik kreeg hem maar op een kiertje open.'

Ze huiverde. Krabde weer aan haar onderarm.

'Een kier.'

Ze werd nu erg onrustig. Haar blik schoot heen en weer.

Gunnarstranda wachtte.

'En toen zag ik die witte hand.'

'Die hand, ja ...'

Gunnarstranda knikte met zijn blik strak op haar gericht, alsof ze een klein kind was en hij de woorden eruit moest trekken.

'En op de vloer ...'

'Op de vloer, ja ...'

'Bloed op de vloer ...'

'Bloed, ja. Een hand en bloed ...'

'En toen heb ik het door de kier gezien! Het lijk, het lichaam op de vloer.'

Gunnarstranda leunde naar achteren. 'Versperde hij de weg? Zijn lichaam lag dus voor de deur?'

Ze knikte.

'Als u nu uw ogen sluit ...' zei de politieman.

Ze sloot gehoorzaam haar ogen.

'... en u probeert Klavestad voor u te zien, toen hij vannacht wegging.'

Ze knikte.

'Ziet u zijn gezicht?'

'Nee.'

'Maar u ziet zijn lichaam?'

'Ja.'

Gunnarstranda stond op. Hij staarde naar buiten. Beneden strekte de stad zich grauw en verlaten uit. 'Liep hij de weg af?'

'Ja, naar beneden.'

'Hou uw ogen gesloten, mevrouw Engebregtsen. U ziet hem de weg af lopen. U ziet zijn lichaam in het licht van de straatlantaarns. Een lange, zwarte jas. Dat klopt toch?'

'Ja, die zwarte jas, ja.'

'En zijn haar, heeft hij het in een paardenstaart?'

'Weet ik niet.'

'Waarom niet?'

'Dat zie ik niet.'

'Draait hij zich om?'

'Nee. Ik loop bij het raam weg en ga naar bed.'

Ze had haar ogen weer open.

Gunnarstranda keek haar ernstig aan. 'Weet u zeker dat Klavestad daar liep?'

Nu raakte ze geïrriteerd. 'Ja, heb ik gezegd.'

'Maar u zag geen paardenstaart?'

'Nee, ik geloof dat hij een capuchon droeg.'

De politieman knikte. 'Capuchon,' mompelde hij. 'Hebt u uw buurman weleens zonder paardenstaart gezien?'

Ze haalde haar schouders op.

'Weet u, mevrouw Engebregtsen, ik heb hem nog nooit zonder paardenstaart gezien. U wel?'

Ze haalde opnieuw haar schouders op.

'Mevrouw Engebregtsen?'

Nog een keer dat schouderophalen. Ze krabde zich. Ze had krassen op haar armen.

'Zo, ja, zo.'

Gunnarstranda zuchtte. Hij speelde met zijn koffiekopje. Zuchtte nog een keer. 'Hartelijk bedankt voor uw hulp, mevrouw Engebregtsen.'

Ze gaf geen antwoord, bleef nerveus over haar onderarmen wrijven. Klapperde weer met haar gebit.

Gunnarstranda stond op, knikte tegen Frank. 'Straks komen er anderen om uw verklaring op te nemen. Ik hoop dat u hun nog een keer hetzelfde wilt vertellen.'

Ze gaf geen antwoord.

De beide politiemannen draaiden zich om en verlieten haar. Het laatste wat ze hoorden was het klapperen van haar gebit. Alsof ze naar een vlieg hapte die er niet was.

# 29

'Het lawaai dat ze hoorde, moet Klavestads val zijn geweest,' zei Gunnarstranda later in de auto tegen Frank Frølich.

Deze knikte, maar hield zijn blik op de weg gericht.

'De moordenaar moet weer naar boven zijn gegaan,' ging de inspecteur verder. 'Hij moet het bloed hebben weggewassen in de badkamer en daarna, om bewijs te vernietigen, in de kamer zijn bovenkleding hebben verbrand, die waarschijnlijk onder het bloed zat. Daarna heeft hij Klavestads jas aangetrokken en is hij verdwenen.'

'Ze zag dus de moordenaar weglopen, en niet Klavestad?'

'Vermoedelijk.'

'Hoe heeft hij het slachtoffer naar het trappenhuis gelokt?'

'Hij moet wakker gemaakt zijn. Reidun Rosendal werd ook van tevoren gebeld. Vermoedelijk heeft de dader gebeld om te zeggen dat hij kwam. Ik betwijfel of hij lang heeft staan aanbellen. Dat zou te riskant geweest zijn. Maar nadat hij heeft getelefoneerd, heeft hij aan de deur gebeld. Klavestad heeft de deur opengemaakt. Maar het is moeilijk te zeggen wat er precies is gebeurd.'

'De moordenaar kan zich in het trappenhuis hebben verborgen.'

'Of het is iemand van wie Klavestad niets te vrezen had,' stelde Gunnarstranda voor.

'Een executie.'

'Ja, ja.'

De hoofdinspecteur wuifde geïrriteerd met zijn hand.

'Maar waarom in het trappenhuis?'

Gunnarstranda staarde in gedachten uit het raampje. 'Dat duidt op nervositeit. Het zou veiliger zijn geweest om de flat binnen te gaan.'

Frank was niet overtuigd. 'Iemand die zoiets doet, kan niet nerveus zijn!'

'Maar dat was hij wel,' bracht de ander er rustig tegenin. 'Doodsbang. Het feit dat de moord überhaupt is gepleegd, duidt erop dat de dader bang is. Het geheel ruikt naar paniek!'

Frank zweeg.

'Voorlopig,' zei Gunnarstranda opeens, 'ben ik vooral nieuwsgierig naar wat onze gluurder vannacht heeft gedaan. Dus rij daar maar naartoe.'

# 30

Deze dag was er meer leven in Johansens trappenhuis. Een sterke, aangename kerriegeur kwam hun op de trap tegemoet, waarop Franks maag zacht en klagend begon te knorren, wat werd overstemd door het geluid van spelen en lachen uit een flat met een openstaande deur.

Naarmate ze hoger kwamen, stierven de geluiden weg. Op de bovenste verdieping waren de kinderen nog nauwelijks te horen, en de geur van het oude trappenhuis verdreef de etenslucht.

De oude man liet hen binnen, ging zelf in zijn oude stoel zitten en wees naar de bank terwijl hij een sigaret aanstak met zijn oude Zippo. Frølich schoof wat rommel aan de kant op het lange meubelstuk. Hij pakte zijn schrijfblok en potlood en gaf Gunnarstranda een teken dat hij er klaar voor was.

'Nu ben ík aan het woord,' zei de politieman bij het raam. 'En daarna mag u zeggen of u het met mij eens bent of niet. Oké?'

Johansen keek zwijgend voor zich uit, zond alleen een verachtelijke blik naar de kleine man bij het raam. Met een rochelende ademhaling inhaleerde hij de sigarettenrook.

'Reidun Rosendal werd in haar eigen woning vermoord.'

Johansen keek even naar Frank Frølich. 'Pienter baasje, die chef van jou,' zei hij met een spottende grijns.

Gunnarstranda reageerde niet op zijn commentaar en ging verder: 'De flat was overhoopgehaald als bij een inbraak, maar er was niets van waarde aangeraakt. Daarom lijkt het erop dat de inbraaksporen ons op een dwaalspoor moesten zetten. Een poging van de dader om de recherche in verwarring te brengen. Als dat zo is, dan moet de moordenaar, zelfs als het in beginsel niet de bedoeling was om haar te vermoorden, iets van haar hebben gewild. In dat geval kunnen mogelijke verdachten alleen maar gevonden worden binnen Reidun Rosendals netwerk, zoals wij dat noemen. Familie, vrienden, vijanden en bewonderaars.' De laatste opmerking werd op ironische toon gemaakt. 'U,' benadrukte Gunnarstranda, 'maakt deel uit van dat netwerk. En u hebt een flat waarbij u recht bij haar naar binnen kunt kijken.'

'Getuige,' onderbrak Johansen hem nadrukkelijk. 'Ik ben een getuige, en jullie hebben al vastgesteld dat ik niets heb gezien.'

Hij begon te hoesten, maar nam toch nog een paar trekjes van zijn sigaret toen de hoestaanval voorbij was. De peuk was tot aan de gele vingertoppen van de man vochtig bruin. De rode bloeduitstorting in zijn linkeroog was niet zo fel meer en trok alleen nog de aandacht naar de adertjes in zijn ooghoek.

'Hoeveel mensen hebt u zondagmorgen door de poort zien binnen-komen?'

'Daar heb ik al antwoord op gegeven.'

'Welke andere mannen hebt u bij haar gezien?'

Johansen zweeg.

'Wie is er de laatste tijd bij haar op bezoek geweest?'

'Mooi weer vandaag!'

Johansens toon was zo mogelijk nog droger dan Gunnarstranda's. Hij drukte zijn sigaret uit in de overvolle asbak en keek Gunnarstranda strak aan. Hij zat met halfopen mond astmatisch te ademen.

Er hing een drukkende stilte.

'Hebt u ooit telefonisch contact opgenomen met Reidun Rosendal?'

'Nee.'

'Ook vorige week niet?'

'Nee!'

'En als ik nu beweer dat u vorige week telefonisch met haar gespro-ken hebt?'

Johansen zat stil voor zich uit te kijken.

'U liegt, Johansen.'

'Nee!' onderbrak de oude man hem. Hij bewoog onrustig. Zelfs de wallen onder zijn ogen waren in beweging. 'Ik was het vergeten!'

'Was u ook vergeten dat u hier voor het raam stond te masturberen?'

Johansen haalde diep adem.

'Bent u ook vergeten wat u aan de telefoon hebt gezegd?'

Johansen antwoordde niet.

'U hebt haar bedreigd.'

Johansen trok een beetje met zijn schouders.

'Wat hebt u tegen haar gezegd, Johansen?'

Zijn schouders waren nu rustig. Zijn ogen stonden kil. 'Dat weet je niet,' constateerde hij triomfantelijk. 'Je weet verdomme niet wat ik heb gezegd!'

De hoofdinspecteur herhaalde met een metaalachtige stem: 'Wat hebt u tegen haar gezegd, Johansen?'

'Dat zou je wel willen weten, hè?'

Frank zag dat Johansen er nu echt bij was, even, maar toen gleed hij weg, trok hij zich in zichzelf terug. Hij grijnsde zijn slechte tanden bloot.

'Ik vertelde hoe ze moest worden geneukt!'

De beide mannen staarden hem aan.

'Hoe ze in haar kont geneukt moest worden!' Hij lachte luid en wild terwijl hij met één hand op zijn dijbeen sloeg. Het lachen ging over in hoesten.

De beide anderen bewogen niet.

De oude man moest zijn zakdoek pakken. Al gauw was zijn ademhaling weer normaal, zwaar en rochelend. Hij had duidelijk het gevoel dat hij een overwinning had behaald. Steeds opnieuw richtte hij zijn troebele blik op de hoofdinspecteur, alsof hij verwachtte dat die om zou vallen.

'Ik geloof u,' zei Gunnarstranda. 'Dat hebt u tegen haar gezegd. Maar ze was het er niet mee eens!'

Opnieuw werd het stil in de kamer. Johansen rochelde heel zachtjes.

'Ze was het er niet mee eens,' herhaalde de politieman, 'dus liet ze de gordijnen zaterdag open, om u te laten zien hoe het wel moest!'

'Je liegt!' fluisterde Johansen zacht, zonder zijn ogen op te slaan.

'Ze heeft u echt wat laten zien,' siste Gunnarstranda. 'Ze lag op haar rug onder de man te kronkelen. Ze keek naar u en geilde u op. Alsof ze met een stokje in u zat te prikken, zoals ze dat ook zou doen bij een miezerig ratje in een kooi.'

'Nee!'

Johansen sprong op met zijn oude, gerimpelde vuist opgeheven, klaar om te slaan. Op hetzelfde moment was Frank er om zijn arm te grijpen. Die voelde aan als droog, rimpelig golfkarton.

'Je liegt!' schreeuwde Johansen terwijl Frølich hem in zijn stoel terugduwde. Hij keek woedend naar de kleine, kale man die met samengeknepen, glinsterende ogen vanaf het raam op hem af kwam.

'Ze sarde u,' lachte de hoofdinspecteur. 'Ze heeft de duivel in u wakker gemaakt, Johansen. De duivel die er niet tegen kan dat hij wordt getreiterd. De duivel die schreeuwde dat dat hoertje daarbeneden moest boeten! Ze moest op haar knieën! Ze moest boeten! Boeten en branden in de hel! Daarom hield u niet op voordat ze dood op de grond lag!'

Johansen zweeg nu. Hij verborg zijn gezicht in zijn grote gerimpelde handen.

De politieman bleef een tijdje naar hem staan kijken. Toen liep hij terug naar het raam.

Frank keek op en ontmoette Gunnarstranda's blik. Ze wachtten allebei.

Eindelijk haalde de oude man zijn handen voor zijn gezicht weg.

'Wat deed u woensdag op Torshov?' vroeg Gunnarstranda.

'Een middagwandelingetje,' antwoordde Johansen. Hij had iets van het oude cynisme teruggevonden waarmee hij hen tot nu toe benaderd had.

'Waar was u gisternacht?'

'Hier.'

'Hebt u daarvoor een getuige?'

'Nee.'

'U bent woensdag om halfeen in de Agathe Grøndahls gate gezien. Was u daar?'

'Je weet toch alles al.' Hij klonk al iets makker.

'Ja of nee?' vroeg de politieman bits.

'Ja.'

'Bent u later nog een keer in de Agathe Grøndahls gate geweest, woensdag in de namiddag of 's avonds? Of afgelopen nacht?'

'Nee.'

De oude man pakte een peuk uit de asbak en stak hem moeizaam aan. De hand met de sigaret trilde toen hij rookte. Johansen ondersteunde de hand met zijn linker om het trillen te stoppen. Hij gaf het op en legde de sigaret weg.

'Oude kwetsuur,' probeerde hij een verklaring te geven.

'Weet u dat Sigurd Klavestad in het huis in de Agathe Grøndahls gate woonde, waar u woensdag bent gezien?'

'Wie is verdomme Sigurd Klavestad?' vroeg de oude nauwelijks hoorbaar. Hij leek ineens helemaal verstijfd.

'De jongeman met de paardenstaart die u vanhier helemaal bent gevolgd naar de Agathe Grøndahls gate.'

Johansen gaf geen antwoord. Hij staarde naar de vloer.

'Hij is vermoord.'

Het hoofd van de oude man kwam langzaam in beweging. Zijn ogen lieten de vloer los.

'Iemand heeft hem afgelopen nacht de keel doorgesneden.'

Johansen haalde diep adem. 'Vermoord?'

Hij zat met open mond. Een druppel speeksel lag op zijn onderlip. Als een slaapwandelaar stond hij op en liep door de kamer op en neer.

'Hij is dus dood?'

Tijdens het lopen wreef hij over zijn rechterbeen.

'Wist u dat, Johansen?'

De oude liep zwijgend verder.

'Geef antwoord op mijn vraag!'

'Nee!' Johansens stem klonk mak. 'Dat wist ik niet.'

Hij bleef staan, haalde adem en drukte zijn rechterbeen naar beneden. 'Arbeidsongeval. Af en toe willen de zenuwen niet.'

Frank kon het niet laten om naar het ongecontroleerde trekken van Johansens been en hand te kijken.

'Het enige wat helpt is een stukje lopen, iets doen,' ging de oude man verder.

'Waarom bent u achter hem aan gelopen?' vroeg Gunnarstranda iets vriendelijker.

Johansen ging weer zitten. 'Hij was hier,' zuchtte hij met vermoeide stem. 'Hierbeneden.'

De man maakte een beweging met zijn hoofd naar het raam. Hij nam zijn pakje shag van tafel. Haalde er wat tabak en vloeipapier uit. Met trillende vingers scheurde hij het papier in stukjes. Hij staarde treurig naar het vloeipapier en de tabak op de vloer.

'Hier!' Gunnarstranda gaf hem een van zijn sigaretten en hield hem een aansteker voor.

Johansen rookte. 'Ik ben hem achternagegaan omdat ik hem wilde ... ik geloof dat ik hem wilde wurgen.' Hij blies de rook uit. Toen hij Gunnarstranda's blik zag, rechtte hij zijn rug. 'Ik zei alleen dat ik geloofde dat ik dat wilde,' benadrukte hij snel. 'In mijn hoofd wilde ik hem vermoorden.'

Hij staarde naar Frank. Draaide zijn hoofd naar Gunnarstranda. 'Hij was hier,' herhaalde hij paniekerig. 'Bij het hek! Hierbeneden!'

Hij stond op, liep langzaam naar het raam en keek naar buiten. 'Hij heeft haar met een mes doodgestoken,' beweerde hij opgewonden. 'Hij heeft haar gestoken.'

Zijn stem brak en hij moest even hoesten om zijn stem weer kracht te geven. 'Ik wilde hem te pakken nemen. Ik ben hem achternagegaan, om uit te zoeken waar hij woonde.'

'Wie hebt u nog meer in haar flat gezien?'

Stilte.

'Hebt u iemand gezien?'

Stilte.

'U hebt haar twee jaar in de gaten gehouden, Johansen. U hebt er toch wel mensen gezien?'

Een knik.

'Wie?'

De oude man strompelde terug naar zijn stoel en ging zitten. Zijn handen hielden de armleuningen stevig vast.

Gunnarstranda volgde hem. 'Wie?'

Geen antwoord.

'Wie?'

Frank keek naar de wallen onder de ogen van de oude man. Zijn grauwe kleur, de ronde schouders en de roos op zijn verschoten kleding. Frank Frølich zag een heel klein mannetje ineengedoken in een stoel.

Johansen schraapte zijn keel. 'Niemand.'

Hij kwam tot rust. 'Niemand,' herhaalde hij onduidelijk met gesloten ogen. 'Alleen haar.'

De oude man ontglipte hun. Hij mompelde iets onverstaanbaars.

Gunnarstranda kwam in beweging. 'U moet meekomen naar Grønland. We moeten uw vingerafdrukken nemen.'

Johansen boog zijn hoofd.

'En we gaan uw woning doorzoeken.'

Frank kwam traag overeind en begon direct de laden in een oude ladekast open te maken die scheef tegen de wand leunde. Tegelijk boog de hoofdinspecteur zich over de oude man heen. 'U verbergt iets, Johansen,' fluisterde hij. 'U verzwijgt veel te veel. Maar ik kan u één ding beloven! Als we hier in huis een mes of iets anders vinden dat scherper is dan een taartschep, dan kunt u uw reis terug naar huis wel vergeten!'

Frank rommelde in de la. Potloden, balpennen en een stukje vissnoer. Een verroeste schroefmoer was het enige stukje metaal. Dit gaat wel even duren, dacht hij en hij pakte een kroondop op.

# 31

Gunnarstranda keek uit het raam de oude man na, die met zijn stok de lange helling naar Grønlandsleiret af strompelde. Arvid Johansen, de gluurder. Een gebogen gedaante in een mantel met een hoed met een rand op zijn hoofd. De man draaide zich om en hief zijn stok op naar het politiebureau. Een gebaar vol haat. Een geste waaruit sprak hoezeer de man bereid was tot samenwerken. Zwijgende onwil. Is dat alles wat je kunt, vroeg de politieman bij het raam zich af. Kan die opgeheven vuist door vlees snijden? Levend mensenvlees? Het zou een goedkope oplossing zijn om daarvan uit te gaan. Gemakkelijk. Maar waarschijnlijk een slechte oplossing. Wees dus maar blij dat we geen wapen hebben gevonden.

De deur achter hem ging open. Er kwam een man binnen, gevolgd door een agent die zich weer omdraaide, naar buiten liep en de deur zonder een woord te zeggen weer sloot.

De contouren van de nieuwaangekomen tekenden zich af in het raam. Allemachtig! Het gezicht van de man was nog roder dan een appel. Gunnarstranda keek afwisselend naar het gezicht in het spiegelende raam en naar Johansen, tot de oude man uit het zicht verdween achter de kerk van Grønland.

Toen draaide hij zich om en vroeg Svennebye plaats te nemen, maar die gaf geen gehoor aan zijn verzoek. De man bleef hulpeloos voor het bureau staan. Gunnarstranda begreep dat het de man de laatste tijd niet goed gegaan was. Hij zag er bedroevend uit. De openhangende jas onthulde een bevlekte broek met open gulp. Een punt van zijn overhemd was in de rits vast blijven zitten. Zijn stropdas hing als een springtouw om zijn hals. De politieman snoof even en besloot het raam open te zetten.

'Ga zitten,' herhaalde hij. Hij strekte zijn hand uit en knikte naar een stoel die midden in de kamer stond, anderhalve meter van het bureau.

De man schraapte zijn keel en frunnikte aan zijn rechterhand, waar een groot wit verband omheen zat. Uiteindelijk lukte het hem zijn jas over de stoelleuning te hangen. Hij nam voorzichtig plaats, waarbij hij steeds met het puntje van zijn tong over zijn lippen streek.

'Naam?'

'Egil Svennebye.'

'Beroep?'

'Werkloos.'

'Pardon?'

'Werkloos!'

De politieman ging met een bedachtzame rimpel op zijn voorhoofd zitten. Hij besloot alles volgens de regels te doen en pakte een microfoon uit een la van zijn bureau. 'Alles wat in deze kamer wordt gezegd, wordt op band opgenomen,' verklaarde hij en hij prutste even met de microfoon, die eerst niet wilde blijven staan en steeds opnieuw omviel.

Zo. Hij ving de blik van de andere man. Svennebye keek scheel. Bleekblauwe pupillen zwommen heen en weer in lichtgele eiwitten.

'Uw naam is Egil Svennebye. Uw laatst geregistreerde arbeidsplaats is bij A/S Software Partners, waar u in dienst was als marketingchef. Klopt dat?'

De man knikte.

De politieman wees naar de microfoon.

'Ja.'

De man veegde met het verband het zweet van zijn voorhoofd. Hij hoestte.

'Ik zal eerlijk tegen u zijn,' beloofde Gunnarstranda na een pauze van een paar seconden. 'Openbare dronkenschap valt niet onder mijn taken. Ik hou me bezig met moord.'

De pupillen zwommen niet meer.

'Waarom beschouwen ze u bij Software Partners nog steeds als werknemer?'

'De leiding is nog niet op de hoogte van mijn ontslag.'

'U hebt dus ontslag genomen?'

'Ja.'

'Waarom?'

Svennebye sloeg zijn ogen neer en zuchtte: 'Ik heb een paar dagen nagedacht en ben tot de conclusie gekomen dat dat de enige goede beslissing is.'

Gunnarstranda leunde achterover. Hij trok met de punt van zijn schoen de onderste la van zijn bureau naar voren en liet zijn voet op de open lade rusten. Zijn broek trok omhoog en ontblootte een stuk krijtwitte huid met talloze lichtblauwe bloedvaatjes boven de rode tractorrand die de boord van zijn sok had achtergelaten.

Svennebyes blik was star op Gunnarstranda's been gericht.

'Hoe beoordeelt u Software Partners als werkgever?'

'Mag ik een beetje water?'

De politieman stond op en liep naar de witte wasbak naast de deur. Hij draaide de kraan open, die onmiddellijk huilende geluiden begon te maken. Hij liet het water stromen terwijl hij af en toe met zijn vingers voelde. Hij keek naar Svennebyes profiel. Zijn voorhoofd was nat van het zweet. Hij kon zich niet herinneren dat hij zelf ooit zo'n kater had gehad en er zo bedroevend bij had gezeten. 'Ik ben zo vrij geweest om contact op te nemen met uw familie,' deelde hij mee en hij pakte een kartonnen bekertje dat niet helemaal schoon was en spoelde het om. 'Uw vrouw beweert dat u het daar niet naar uw zin had, bij Software Partners.'

De arrestant pakte met trillende vingers het bekertje water aan en dronk het gulzig leeg.

'Dat klopt. Ik ben op zoek naar een andere baan.'

Zijn stem klonk buiten adem.

De politieman ging zitten. Hij legde zijn armen op tafel.

'Waarom?'

'Het beviel me daar niet.'

'Wat niet?'

'Te klein, te weinig verantwoordelijkheden.'

Svennebye zweeg. Het rode gezicht vertoonde weer een onzekere trek.

'Ik wil details. Uw vrouw vertelde over een nogal eigenaardige zakenreis die u een paar weken geleden hebt gemaakt.'

De andere man grijnsde even. 'Eigenaardig is het goede woord,' mompelde hij. Hij rilde en legde zijn jas over zijn schouders. Hij sloeg zijn armen over elkaar. 'We zouden naar een computerbeurs in Londen, Engelsviken, Bregård ... ik en ...'

'Reidun Rosendal,' vulde Gunnarstranda bits voor hem in. 'Wanneer?'

'Precies zeven weken geleden.'

'En dan komen we meteen bij een punt dat mij interesseert.' Gunnarstranda dacht even na. 'Hoe is het u gelukt, als echte drinkebroer, om in de pubs van Londen kurkdroog te blijven?'

Svennebye knikte rustig. De onverwacht informele toon van de politieman leek hem te ontspannen.

'Ik had nogal wat problemen met het systeem daar,' antwoordde hij. 'Op mijn werk, bedoel ik.'

Zijn grijns leek in zijn mondhoeken te zijn vastgevroren. Dit viel hem niet gemakkelijk.

'Vertelt u maar,' drong de rechercheur aan en hij zag dat zijn boodschap aankwam. De man knikte voor zich uit. 'Het leek allemaal zo ongestructureerd en zonder planning. Alsof er iets niet klopte!'

Gunnarstranda speelde met een sigaret en viel hem niet in de rede.

'Zolang je maar op alles ja en amen zegt, is iedereen je beste vriend. Maar als je eisen stelt, word je tegengewerkt. Dan regent het hatelijke opmerkingen en commentaar.'

'Wat voor eisen?'

Svennebye luisterde niet. Hij was nog bezig met de hatelijkheden. 'Hoe meer ik erover nadenk, hoe duidelijker het wordt. Er zijn daar twee kampen. Aan de ene kant de mensen die van alles op de hoogte zijn, en aan de andere kant de mensen die dat niet zijn. Ik hoorde bij de laatste categorie.'

De man keek over de tafel. 'Wat voor eisen?' mompelde hij afwezig. Hij werd ernstig. 'Als je bijvoorbeeld resultaat wilt zien van waar je mee bezig bent!'

Het gesprek begon Gunnarstranda steeds beter te bevallen. 'Bent u daarom door het lint gegaan?'

Svennebye sloot zijn ogen en leunde achterover, zodat de rugleuning kraakte. De politieman liet hem nadenken. 'Reidun en ik zijn er tegelijk begonnen,' vertelde hij ernstig. 'Software Partners kreeg langzaamaan een naam. Ze zochten tegelijk een verkoper en een marketingchef. Ik ben al over de vijftig.'

Zijn ogen stonden nu veel levendiger. Op zijn gezicht stond ironie te lezen.

'Ik kan al bijna met de vut.'

Gunnarstranda keek hem aan. Het rode gezicht en de wallen onder de ogen. De jas en de broek, die nu naar opgedroogde urine en braaksel roken, waren van goede kwaliteit. De politieman kon zich hem goed voorstellen tijdens de ochtendvergadering van een projectgroep. In schone kleren, weliswaar. De man vertelde over het werk in zijn branche. Zijn schorre stem repeteerde sleutelwoorden als creativiteit en jeugd. Hij had nooit gedacht dat hij de baan zou krijgen. Maar toen hij werd aangenomen, had hij zich een locomotief gevoeld. 'Ik ben al over de vijftig,' herhaalde hij glimlachend. 'Ik had een hele groep jonge economen de loef afgestoken.'

'Maar toen ...' vervolgde hij. 'Laat ik het zo zeggen: de baan leek een uitdaging.'

Gunnarstranda kreeg te horen dat het de bedoeling was geweest dat hij een distributienet en dealernet zou ontwikkelen. Sonja Hager en advocaat Brick – Svennebye wist niet zeker of hij ook bij de bedrijfsleiding hoorde, maar hij dacht het wel – en de rest van de zogenaamd geïnformeerden hadden tijdens het sollicitatiegesprek een solide indruk gewekt. Maar daarna gebeurde er niets. 'Kunt u zich voorstellen hoe dat is?' vroeg de man. 'Je wilt je werk doen, je wilt iets presteren! En je krijgt alleen maar gebazel te horen! Geen concrete planning. Alleen af en toe 's avonds laat een telefoontje thuis.'

De man zuchtte teleurgesteld. 'Engelsviken. Op de achtergrond hoor je rockmuziek. En dan vraagt hij of ik 's avonds om halftwaalf naar een vergadering wil komen.'

Hij zuchtte weer. 'Daar ga je dan heen, met tegenzin, maar je vindt dat je moet. En dan zit Engelsviken daar halfzat met die advocaat te bazelen over visioenen waarbij vergeleken de bouw van de toren van Babel nog niets is.'

Hij haalde adem. 'Uiteindelijk moet je dan jezelf wel de vraag stellen waar je mee bezig bent en of daar geld mee te verdienen valt. Waar stop je al je tijd in? Waar zijn we verdorie mee bezig?'

De man balde zijn gezonde hand tot een vuist. 'En je kunt er niets tegen doen! Je durft niet eens je baan op te zeggen.'

Svennebye vervolgde wat zachter: 'Ik had het gevoel dat ik in een val zat. Toen de politie maandag belde, kon ik er niet langer blijven. Mijn dorst werd te groot.'

De politieman knikte. 'En de reis naar Londen? Was die niet serieus?'

'Ik ben gewoon meegegaan,' ging de man op dezelfde toon voort. 'Ik had mijn vermoedens, moet u weten.'

'Wat voor vermoedens?'

'Dat alles fout zou gaan. Ze waren geen van allen voorbereid. Van tevoren eindigde elk gesprek over de planning al in verhalen over pubs en bier en ...'

Hij glimlachte, voor zover zijn droge lippen dat toelieten. 'Ik ben de eerste avond meegegaan, maar heb alleen een cola gedronken en ben teruggegaan naar het hotel.'

Gunnarstranda liet de ander tijd om na te denken.

'Het was hopeloos! De directeur drong zich aan Reidun op en kwam met bedenkelijke voorstellen, terwijl Bregård zich gewoon vol liet lopen en als een afgewezen minnaar in een Amerikaanse B-film zat toe te kijken.'

Svennebye veegde met het verband over zijn voorhoofd. 'De volgende ochtend zat ik alleen aan het ontbijt. Ik heb een paar uur in de lobby zitten wachten, want we zouden naar die beurs gaan. Niemand kwam opdagen. Begrijpt u? Niemand! Ik ben gaan zoeken. Ik vond Reidun en de directeur, die in het bubbelbad zaten te vrijen, zonder zich van iemand iets aan te trekken, zeker niet van mij toen ik daar met mijn aktetas stond en op mijn horloge wees.'

Hij veegde weer over zijn voorhoofd. 'Ik besloot me er niet druk over te maken. Het ging mij niet aan waar ze de nacht doorbrachten. Maar het ergerde me vreselijk dat de directeur maling had aan zakendoen. Dus heb ik bij Bregård aangeklopt.'

Weer verscheen er een scheef lachje op Svennebyes gezicht. 'Øyvind was net wakker toen ik kwam. Ongeschoren en met een kater van je welste. Hij was alleen geïnteresseerd in waar de anderen waren. Toen ik vertelde waar ik hen had gezien, flipte hij helemaal.'

Svennebye glimlachte zover zijn droge lippen dat toelieten. 'Hij is er in zijn onderbroek naartoe gegaan. Aan het eind van de gang kwamen we het liefdespaar tegen. Ze kwamen arm in arm op ons af. Bregård zei niets. Hij gaf Engelsviken een ram voor zijn kop, zodat die tegen de vlakte ging. Hij was helemaal de weg kwijt. Øyvind dus. Hij schold Reidun uit voor hoer.'

Svennebye wachtte even.

Gunnarstranda stak zijn sigaret aan en plukte een stukje tabak van zijn lip. Hij inhaleerde en blies een grote rookwolk uit.

Svennebye staarde naar de rook die tussen de vingers van de politieman door kringelde. Gunnarstranda haalde een verkreukeld pakje sigaretten zonder filter uit zijn zak, schudde er een platgedrukte sigaret uit en bood die de ander aan.

Svennebye rookte gretig. Hij stond op, liep naar de wastafel en spuugde. Hij dronk nog wat water en ging weer zitten.

'U hebt nog niet alles verteld,' herinnerde Gunnarstranda hem. 'Hoe ging het verder met Engelsviken?'

'Hij kwam weer overeind. Ze stoven op elkaar af. Het was een ongelijke strijd. Engelsviken is nogal gezet en niet bepaald in topvorm. En u hebt Bregård toch gezien? Een gewichtheffer. Binnen twee tellen lag Engelsviken weer op zijn rug.'

Svennebye glimlachte even. 'Een schoonmaakster die verderop in de gang aan het werk was, ging er in paniek vandoor. Gillend, met de stofzuiger op sleeptouw. Even later kwamen er twee mannen van de beveiliging met wapens onder hun jas. Breedgeschouderde types, die gebrekkig Engels spraken dat niemand van ons kon verstaan. Schotten of Ieren of zoiets. Ik heb in elk geval geprobeerd de gemoederen weer wat te sussen. Dat lukte ook een beetje. Die beveiligingsmannen hebben Engelsviken meegenomen en hem op zijn bed gelegd. Reidun, die arme stakker, voelde zich zo opgelaten dat ze naar haar eigen kamer is gevlucht. Bregård ging ook weer naar bed en ik ben alleen naar de beurs gegaan.'

'Engelsviken is toch getrouwd?'

'Hm.'

'Zijn vrouw, Sonja Hager, werkt toch ook in het bedrijf? Hoe ging dat?'

'Sonja was niet meegegaan naar Londen.'

'En daarna, hoe ging het met Reidun en de directeur?'

Svennebye haalde zijn schouders op. 'Dat ging mij niet aan. Maar ik begrijp niet wat die vrouw zich daarbij heeft voorgesteld. Je kunt op zo'n reisje natuurlijk uit de band springen, maar om er daarna mee door te gaan, is iets anders. Kent u Engelsviken?'

'Nee, helaas.'

'U hebt niets gemist.'

Hij hief zijn handen op. 'Nou ja, dat klinkt misschien idioot, maar ik mag hem niet. Maar dat is persoonlijk. Hij is wel oké.'

Hij knikte.

'Echt oké. Daarom is hij ook gevaarlijk. Hij ziet er niet bijzonder uit.'

Hij hield zijn hoofd scheef. 'Midlifecrisis. Zijden pak, sportauto en ogen op steeltjes als zijn vrouw even de andere kant op kijkt. Maar hij heeft uitstraling. Energie, enorme energie. Kan met iedereen praten en is nadrukkelijk aanwezig door zijn manier van doen. Dus ik keek er niet van op dat hij Reidun had weten te versieren voor een nacht. Als er iets leuks te beleven was, was zij van de partij.'

Hij drukte zijn sigaret uit. Leunde naar voren en greep het pakje sigaretten dat Gunnarstranda over tafel schoof. Hij stak een nieuwe sigaret op. Met een bedachtzame rimpel op zijn voorhoofd nam hij een paar diepe trekken.

'Maar ik begreep niet waarom ze ermee doorging.'

'Hadden ze een relatie?'

'Hm. Een tijdje.'

De man op de stoel sloot zijn ogen. 'Na die reis werd het allemaal erg onaangenaam. Voor mij in elk geval. Ik had in Londen dingen gezien die anderen misschien niet hadden gezien.'

'Sonja Hager wist van niets?'

'Nee.'

Hij aarzelde.

'Misschien toch wel. Ik weet het niet.'

Hij glimlachte weer even. Een van de wondjes op zijn bovenlip ging kapot. 'Als ze het wist ...'

'Ja?'

'Dan heeft ze het niet gemakkelijk gehad. Ik bedoel ... ze werken tenslotte samen ...'

Gunnarstranda staarde in gedachten voor zich uit. 'Hoe lang heeft de relatie geduurd?'

'Weet ik niet.'

'Hoe weet u zeker dat het voorbij was?'

Svennebye likte aan zijn kapotte lip. 'Twee weken geleden is er bij ons ingebroken.'

Hij boog naar voren en steunde zijn kin in zijn hand.

Gunnarstranda spitste zijn oren. Het woord 'inbraak' liet ergens een belletje rinkelen. Hij luisterde naar Svennebyes beschrijving van de chaos. Overal hadden lege laden gelegen. De man vertelde dat er alleen bij Software Partners was ingebroken, de andere kantoren waren ongemoeid gelaten. Svennebye was 's ochtends als eerste op kantoor geweest. Hij had het ontdekt en had direct Engelsviken opgebeld. Hij had de directeur verteld wat er was gebeurd en gezegd dat hij de politie zou bellen. Daar had de directeur nogal zenuwachtig op gereageerd. Hij had hem haast uitgescholden. Uiteindelijk werd het Svennebye verboden om wat dan ook te doen voor Engelsviken ter plekke was. Toen de directeur eindelijk kwam, kregen Svennebye en Reidun Rosendal de opdracht om alles netjes op te ruimen. Daarna kregen alle personeelsleden het verbod opgelegd om met anderen over de inbraak te praten.

Svennebye drukte zijn sigaret uit en leunde achterover. 'Al bijna een halfjaar spannen ze om het minste of geringste een rechtszaak aan! Maar van een inbraak doen ze geen aangifte! Ze wilden er zelfs niet over nadenken!'

Hij maakte een plotselinge beweging met zijn hoofd. 'Dat is wat ik zojuist bedoelde met twee kampen. Het leek erop dat Reidun, Lisa Stenersen en ik ergens buiten werden gehouden. Iets wat met die inbraak te maken had.'

De man zuchtte. 'Het eindigde met een felle discussie, en die ruzie ontwikkelde zich tot een echt drama tussen Reidun en Engelsviken.'

Hij zuchtte vertwijfeld. 'Stelt u zich voor. De directeur greep haar van achteren vast en probeerde haar mee te trekken naar zijn kantoor, zodat niemand kon zien wat daar gebeurde. Hopeloos.'

Svennebye likte weer over zijn lippen. 'Ze heeft hem onomwonden duidelijk gemaakt dat hij van haar af moest blijven!'

'Het was niet gewoon een ruzie tussen twee geliefden?'

'Integendeel! Reidun had er genoeg van om Engelsvikens matras te zijn, daar twijfel ik niet aan. Ze was woedend. Zijn merkwaardige reactie op de inbraak had een soort lawine in gang gezet.'

'Hoe reageerde hij?'

'Eerst was het allemaal erg pijnlijk. Maar later ... Ik geloof dat hij het liefst de relatie had voortgezet.'

'Bedoelt u dat hij nog steeds achter Reidun aan zat?'

'Ja.'

'En dat was voor iedereen duidelijk?'

'Voor mij in elk geval wel.'

'En voor anderen?'

'Weet ik niet.'

'Wat is er bij de inbraak gestolen?'

'Niets.'

Svennebye snoof geïrriteerd. 'Maar dat is het punt niet! Het gaat om het principe. Inbraak is inbraak.'

Gunnarstranda hief bedarend zijn arm op. 'Hoe weet u zo zeker dat er niets gestolen was?'

'We hebben het er een hele tijd over gehad.'

'Wat werd er gezegd?'

'Tja, eerst hebben we alles gecontroleerd. Ik had onder andere een aantal briefjes van honderd kronen in een theekopje op mijn bureau. Die waren niet aangeraakt. Reidun heeft alles nagekeken. We waren het er allemaal over eens dat er niets gestolen was.'

'Maar wie voerde het woord? Iedereen? Of alleen de groep die niet geïnformeerd was?'

Svennebye staarde de politieman aan. Hij kauwde op zijn onderlip.

Het werd stil in de kamer. Gunnarstranda liet hem nadenken. Hij stond op en liep naar het raam, waar hij bleef kijken naar het verkeer op Grønlandsleiret.

'Ja,' klonk de schorre stem achter hem. 'Eigenlijk alleen wij. Reidun, Lisa en ik.'

'Waren de archieven opengebroken?'

'Ja, en alles lag op de vloer. Sonja ging helemaal door het lint. Het leek wel alsof ze ergens bang voor was.'

'U weet dus niet of er iets uit het archief gestolen is?'

'Nee.'

Gunnarstranda ging weer zitten. 'Waarom is het archief altijd afgesloten?' vroeg hij.

'Moet je mij niet vragen. Ik heb nooit toestemming gehad om het archief te gebruiken. Al het archiefwerk gaat via Sonja Hager. Als ik iets nodig heb, moet ik dat tijdig bij haar aanvragen. Pietje-precies dat ze is.'

Hij zuchtte, dacht even na. 'Maar Sonja is oké. Ze moest alleen haar man eens wat vaker op de vingers tikken. Dat is misschien wel de kern van de zaak. Ze loopt maar wat rond en verkoopt holle frasen. Ik heb er zó genoeg van!

Maar misschien moeten we wel medelijden met haar hebben,' voegde hij er nog aan toe, zonder al te mild te klinken. 'Haar man zet bijna elk weekend de bloemetjes buiten, terwijl zij thuis zit. Ze troont als een koningin in die grote villa met personeel.'

'Personeel?'

'Zeker. Een Filippijns of Thais meisje dat haar met het huishouden helpt.'

Een klein lachje vertrok de kapotte lippen. 'Die vrouw is gewoon lachwekkend!'

Gunnarstranda keek hoe de ander kleine rookwolkjes uitblies.

Lachwekkend, dacht hij en hij vroeg: 'Hoe bedoelt u dat? Dat ze lachwekkend is?'

Svennebye lachte weer. 'Als u me dat zo vraagt, kan ik alleen maar zeggen dat ze altijd lachwekkend op mij overgekomen is. Pathetisch. Onnozel. Vraag me niet waarom.'

Gunnarstranda veranderde van onderwerp. 'Hoe ging het met Bregård na de reis naar Londen?'

'Ik geloof dat hij zich rustig heeft gehouden. Hij had zijn woede afgereageerd. Af en toe keek hij Reidun met van die hondenogen na, als ze haar benen liet zien.'

Een kort, hikkend lachje. 'En dat gebeurde nogal eens.'

'Is Bregård een heethoofd?'

De ander dacht na. 'Dat kan ik eigenlijk niet zeggen. Er is eigenlijk niets mis met hem. Houdt zich vooral bezig met jacht en sport. Ik heb hem maar één keer zo zien doordraaien, en toen had hij een kater.'

'Ik heb gehoord dat hij met een jachtgeweer in een skibox op zijn auto rondrijdt.'

'Dat klopt.'

'Waarom doet hij dat?'

'Hij rijdt na werktijd regelmatig naar het bos om op houtduiven en kraaien te schieten. Hij hoopt waarschijnlijk ook eens een auerhoen of een haas te raken.'

'Wat vindt u daarvan?'

Svennebye aarzelde. 'Zo zijn er een heleboel. Er zijn heel veel mensen dol op jacht en outdoorsporten.'

'Maar dat jachtgeweer ligt altijd in de skibox op het autodak?'

De andere man knikte.

'Is die skibox afgesloten?'

'Geen idee. Daar heb ik nog nooit over nagedacht. Zo is Bregård nu eenmaal. Hij heeft een jachtgeweer op z'n autodak. Hij mag graag opscheppen over die natuurervaringen. Zonsondergang en koffie koken op een kampvuur. Dat verhaal.'

De politieman leunde achterover in zijn stoel en zag hoe de ander zwijgend het hoofd liet hangen. De man worstelde met een probleem. Toen hij eindelijk zijn hoofd ophief, was zijn blik hard en onverzettelijk. 'Wat ik nu ga zeggen, moet u wel interesseren, omdat u een dienaar van de wet bent,' proclameerde hij. 'Toen we terugkwamen uit Londen, kreeg ik de opdracht een catalogus samen te stellen over een product waar ik helemaal niets van af weet.'

Hij hield een veelzeggende pauze en voegde eraan toe: 'De anderen hadden daar dagenlang lopen feestvieren.' Hij prikte met een witte vinger op zijn borst. 'Ik was degene die naar de beurs ging. De anderen niet. Toch beweerde Engelsviken later dat hij met een contract terug was gekomen!'

De wijsvinger ging sneller. 'Ik ben de marketingchef! Ik ben verantwoordelijk voor de verkoop. En Engelsviken verlangde dat ik zijn concept aan de man zou brengen in een brochure die over het hele land verspreid zou worden. Maar hij wilde niet vertellen waar het over ging. Hij kraamde alleen maar computeronzin uit, waar ik niets van begreep. Daarom kon ik de producten ook niet goed in de catalogus omschrijven. Uiteindelijk schreef ik een heleboel lariekoek zonder enige betekenis.'

De wijsvinger kwam tot rust in zijn zak voor hij zich over de tafel boog en boosaardig grijnsde met zijn gewonde lippen. 'Zeven weken lang hebben Reidun Rosendal, Engelsviken en Bregård iets verkocht waarvan niemand weet wat het is.'

'Wat betekent dat precies?' vroeg de politieman scherp.

Svennebye glimlachte weer. De droge lippen waren nog op meer plaatsen gebarsten en hij likte vlug wat bloed van zijn bovenlip.

'Precies wat ik zeg.'

'Maar zijn er mensen in getrapt?'

'Misschien. Dat weet ik niet. Maar hebt u ergens een handelsmerk kunnen ontdekken?'

'Nee,' moest Gunnarstranda toegeven. Hij leunde terug in zijn stoel. Inhaleerde. 'Ik heb heel veel mooie woorden gelezen.'

'Die mooie woorden heb ik geschreven.'

De politieman bestudeerde hem, rokend. Maar hij ging niet verder op de zaak in.

'Van nu af aan heeft Software Partners geen marketingchef meer. Omdat Reidun dood is, hebben ze formeel gezien geen verkoopapparaat meer,' ging Svennebye verder. 'Maar daarom stoppen ze niet met het verkopen van de nieuwe kleren van de keizer.'

Ze zaten een tijdje zwijgend bij elkaar. Tot de politieman de la uittrok en de cassetterecorder uitzette. 'Nu moet ik alleen nog uw handtekening hebben,' zei hij nadenkend en hij stond op. 'U hoeft niet lang te wachten.'

# 32

Het was vroeg in de ochtend. Gunnarstranda was om halfzeven opgestaan. Hij had snel en volgens het normale patroon zijn portie havermout gegeten, twee glazen magere melk gedronken en een halve kan kookkoffie. Nu zat hij in een taxi op weg naar Kampen. De taxichauffeur kletste aan één stuk door. Alles passeerde de revue: de Olympische Spelen in Lillehammer, de weerstand tegen de EU in de Boerenpartij en alle oude vrouwen in de stad die maar niet begrepen dat ze in bed hoorden te liggen in plaats van de straat over te steken als het voetgangerslicht op groen stond.

Het maakte hem niet uit. De politieman zat uit het raampje te kijken en was met zijn gedachten ergens anders.

De hoofdinspecteur vroeg de chauffeur te stoppen voor de kerk bij Kampen Torg. Het laatste stuk wilde hij lopen. Het was nog vroeg. Gunnarstranda hield van de slaperige rust die boven de houten huizen van Kampen hing. Hij vond het leuk om daar te wandelen en de idylle op te snuiven die uitstraalde van de kleurige houten huisjes en hekken rond de kleine tuintjes. Tijdens de wandeling naar de woningen aan de Kjølberggata dacht hij aan een artikel dat hij had gelezen over Oslo. Het was geschreven door een suffige bureaucraat die geloofde dat het mogelijk was om politici met verstandige praat te beïnvloeden. Het artikel ging erover dat het belangrijkste kenmerk van de stad het gebruik van kleuren op de woningen was. Gunnarstranda moest hem gelijk geven. Kampen was net een kleurig boeket, zelfs in april, als het gras nog niet groen was.

Al snel had hij zijn doel bereikt. Hij wandelde door de poort de binnenplaats op. De Skoda was nergens te bekennen. Op de binnenplaats hing de geur van autolak. Uit de garage klonken sissende en gierende geluiden. Hij liep om de garage heen en opende een kleine achterdeur, waarvan het hangslot open was.

Het was onmogelijk om iets duidelijk te onderscheiden. Vaag waren de contouren te zien van een lichtblauwe bestelwagen in een grijze mist van lak en oplosmiddel. In de mist kwam iets in beweging en al snel kwam een zwart, met olie bevlekt gezicht tevoorschijn. De man ontblootte een rij witte tanden. Gunder. 'Kom verder!' schreeuwde hij.

De politieman deed automatisch een stap terug. Hij deinsde over de halve meter hoge drempel achteruit de buitenlucht in.

'Je kunt daarbinnen toch niet zonder masker werken,' zei hij naar adem snakkend tegen de man, die hem was gevolgd. Gunder glimlachte vrolijk. Zijn ogen waren groot en wit. Vier rechte rimpels sierden zijn voorhoofd.

'Op het moment is het pure berglucht,' meende Gunder. 'Je had hier een uur geleden moeten zijn, dan had je je een weg moeten snijden door de nevel!'

Ze stonden op de binnenplaats, voor de garage met de scheve wanden en het dak van golfplaten dat elk moment naar beneden kon komen.

Zonder te antwoorden hield Gunnarstranda een brandende aansteker bij. De man had een peuk met de lengte van een vingernagel tussen zijn lippen gestoken en slaagde er meesterlijk in de sigaret aan te steken zonder zich te branden. Ze sjokten samen over de binnenplaats en door de poort naar de straat. Gunder wees de weg. Zijn zwarte, versleten klompen klepperden in de maat over het asfalt. Ze sloegen de hoek om en liepen naar de witte Skoda die langs het trottoir geparkeerd stond.

'Ik heb de verdeelkap vervangen, die was kapot. En ik heb er nieuwe bougies, een nieuwe V-snaar, stekers en twee kabels in gezet.'

De man sprak met de peuk op zijn onderlip.

'Maar de auto is nog maar drie jaar oud!' zei Gunnarstranda verontwaardigd.

De monteur in de smerige overall keek hem vriendelijk aan. 'Drie jaar?'

Hij knikte naar de Skoda. 'De leeftijd van die auto kun je beter in eeuwen uitdrukken.'

Gunnarstranda keek hem broedend aan. 'Is hij nu in orde?'

'Nu is hij in orde.'

'Hoeveel wordt het?'

'Kwitantie?'

Gunnarstranda keek fronsend naar het oliegezicht, dat nu vijf rimpels op het voorhoofd had. Daarbinnen ratelde het.

'Dat heeft met de btw te maken.'

'Zeg nu maar hoeveel het is!' barstte de ander geïrriteerd uit.

Gunder bestudeerde zijn handen. 'Het was ook geen mooie rekening geworden,' zuchtte hij. 'Zeshonderd.'

Gunnarstranda haalde de schouders op en greep in zijn binnenzak.

Hij pakte zes briefjes van honderd kronen uit zijn portefeuille.

Gunder lachte vriendelijk.

'Hij is ook wat roestig,' zei hij terwijl hij het geld in de achterzak van zijn overall stopte. 'Bij de deurkruk.'

Gunnarstranda gaf geen antwoord. Hij pakte zwijgend de sleutels aan die de ander hem aangaf.

'Ik doe ook roestschades,' verzekerde de monteur.

De politieman draaide zich om en liep naar de auto.

Gunder glimlachte en wandelde terug. 'Bel maar op!' riep hij voor hij om de hoek verdween. De auto startte brullend. De politieman glimlachte tevreden en reed de auto van de trottoirrand. Na een paar meter stopte hij en stapte uit. De motor snorde als een tevreden kat. Gunnarstranda opende de motorkap. Het klopte. Nieuwe kabels. Nieuwe verdeelkap. Hij was tevreden, kwam weer overeind en liet de motorkap dichtvallen. Hij zocht in zijn zakken naar een sigaret, vond er een en pakte zijn aansteker. Hij keek eens om zich heen en bleef als bevroren staan. Smerige ramen met witte letters. Over toeval gesproken! ADVOCAAT stond er op het eerste raam, toen een stukje muur, daarna de naam BRICK. Daarna weer een stukje muur en nog een keer ADVOCAAT.

Hij zette de motor uit, sloot het portier af en stak de straat over. Hij liep de poort door en de binnenplaats over. Wintergroene coniferen in een verzorgd bloembed. In de hoek een tuintafel. Een naambordje van messing. Met zuur stond in het metaal geëtst: BRICK, ADVOCAAT. M.N.A. Hier had Engelsvikens zaakwaarnemer dus een onderkomen gevonden.

De politieman stond even na te denken. Ten slotte nam hij een besluit. Hij draaide zich om en wandelde terug naar zijn auto.

# 33

Het was vrijdagochtend. De auto was in orde, maar een weekend naar het vakantiehuisje zat er niet in. Waarschijnlijk volgend weekend ook nog niet. En misschien daarna ook wel niet. Hij wilde er niet aan denken. Dat irriteerde hem alleen maar. Ergens ver in het oosten, boven Zweden, lag een grijs wolkendek. Dat zou volgens de meteorologen, gisteravond op het nieuws, in de loop van de dag regen brengen. Op zijn bureau lag de verklaring van marketingchef Svennebye. De man die niet wist wat zijn werkgever wilde verkopen. De man die niet begreep hoe de firma überhaupt iets kon verkopen. Omdat zijn superieuren geen zakendeden toen ze dat hadden moeten doen.

Gunnarstranda rookte. De as dwarrelde neer op de glanzende brochure van hetzelfde bedrijf. De brochure waarin een voormalige incasseerder, veroordeeld voor het mishandelen van een zakenman uit Hovseter, mensen met enorme winsten probeerde te verleiden hun geld op hem te zetten. Op Software Partners. Die dus bereid waren te betalen met klinkende munt. En bij wie zou dat geld in de kassa verdwijnen? Bij een groep onbekende aandeelhouders? Of bij Terje Engelsviken? De koning van de faillissementen met een grote portefeuille en een twijfelachtige reputatie?

De politieman had veel vragen die hij graag gesteld zou hebben aan de advocaat met het messing naamplaatje in Kampen. Maar hij was nog niet klaar. En waarschijnlijk was hij niet de goede man om de vragen te stellen. Het was beter die vragen aan anderen over te laten.

Gunnarstranda blies de as van Bregårds gezicht weg, drukte zijn sigaret uit in de asbak, pakte de telefoon en toetste een nummer in.

'Davestuen,' zei een kauwende stem.

'Gunnarstranda.'

'Aha,' kauwde de stem verder. Gunnarstranda was geïrriteerd, schraapte zijn keel en zei: 'Software Partners.'

'Dat dacht ik al.'

Davestuen kauwde nog steeds. Trage, smakkende kauwgeluiden. Het klonk als een kind dat met modder speelt.

'Heb je iets ontdekt?'

'Tja ...'

Gunnarstranda klemde de hoorn onder zijn kin om een nieuwe sigaret te zoeken. 'Zit je nog aan het ontbijt?' vroeg hij afgemeten beleefd. 'Nee, hoor,' smakte Davestuen in de hoorn. 'Ik bedwing mijn ontwenningsverschijnselen. We hebben een heel dik dossier over die Engelsviken,' kauwde hij onaangedaan verder.

Gunnarstranda knikte. Hij vroeg zich af wat Davestuen met het bedwingen van ontwenningsverschijnselen bedoelde, maar liet het onderwerp rusten.

'Geseponeerde zaken,' smakte de ander verder. 'Crediteuren die aangifte hebben gedaan van fraude. Ze waren van mening dat hij voor of tijdens het faillissement van een aantal bedrijven waarvan hij de leiding had, heeft gerommeld met de boedel.'

Gunnarstranda bromde wat. 'Wat ben je aan het eten?'

'Nicotine.'

De frons in Gunnarstranda's voorhoofd werd dieper. Hij hoopte dat de man zou ophouden, maar Davestuen bleef smakken.

'Engelsviken heeft vóór het faillissement die bedrijven helemaal leeggehaald. Alle zaken zijn geseponeerd bij gebrek aan bewijs. Elke zaak eindigde in geruzie over data. Engelsviken kon aantonen dat de spullen ruim voor de wettelijke termijn waren verkocht. Een patroon dat riekt naar gekonkel, als je het mij vraagt.'

Gunnarstranda bromde weer iets. Hij had eindelijk de sigaret gevonden waar hij naar zocht.

'Maar deze zaak is anders. Nu is het de bedoeling dat zijn bedrijf, dat hij deze keer Software Partners noemt, het bedrijfskapitaal gaat vergroten.'

Davestuen zweeg. Gunnarstranda hoorde hoe de ander zat te spelen met de telefoonhoorn. De kleverige kauwgeluiden kwamen terug.

'Hun advocaat, die Brick, heeft een nieuwe truc bedacht om geld binnen te halen. Het zit best ingewikkeld in elkaar.'

'Hoe kun je nu nicotine eten?'

'Kauwgom. Heel harde stukjes, en ze smaken niet lekker.' Davestuen lachte hikkend. 'Moderne pruimtabak. Kun je je die oude mannetjes nog herinneren die vroeger op de fiets door de Markveien kwamen? Een flesje wodka in hun achterzak en twee slijmerige straaltjes tabaksap op hun kin.'

Gunnarstranda knikte. 'Ja,' mompelde hij afwezig. Hij zocht met zijn ogen het bureaublad af naar zijn aansteker.

Davestuen schraapte zijn keel. 'Nu maken ze kauwgom en beweren ze dat dat de nicotinebehoefte stilt. Denken we ook nog aan het milieu.'

'O?'

'Milieubeheer!'

'Ja, ja. Maar nu hebben we het over de financiële trucjes van die computerlui!'

'Ja, in plaats van geld te lenen, probeert Software Partners allerlei kleine bedrijven in de branche over te halen om mede-eigenaar te worden. Daardoor krijgen ze meer bedrijfskapitaal, en dat is op zichzelf niet zo gek. Alleen doen ze het op een merkwaardige manier.'

'O?'

Het viel Gunnarstranda op dat het even stil bleef.

'Dat is beter,' zei Davestuen. 'Even niet op die rotzooi kauwen. Dat financieringsplan stinkt aan alle kanten.'

Hij legde uit: 'De manier waarop Software Partners kapitaal verwierf was anders dan de wet voorschreef. De aandelen werden in pakketten van minstens honderdduizend kronen contant verkocht, zonder dat het plan door iemand was goedgekeurd. Bovendien kregen de nieuwe eigenaren geen enkele invloed in het bedrijf omdat ze zogenaamde B-aandelen kochten, die hun alleen maar beperkte rechten gaven. Het enige waar ze recht op hadden was interest en een soort recht op de verkoop van de producten van het bedrijf.'

Gunnarstranda luisterde geduldig. Het was het bekende verhaal. De winkelier uit de Rådhusgata met wie Frølich had gesproken, had het ook gehad over een minimuminzet. Hij had het ook als een voordeel gezien dat hij de waren mocht verkopen. Gunnarstranda stak zijn sigaret aan.

'Juridisch gezien speelt het zich in een grijs gebied af,' ging zijn collega verder. 'Omdat bepaalde delen van het plan niet in de wet worden beschreven. Die advocaat Brick beweert daarom dat de voorwaarden in de wetsartikelen die betrekking hebben op waardepapieren en waar het plan mee in strijd zou kunnen zijn, niet gelden.'

Davestuen nam een wat langere pauze, schraapte nog een keer zijn keel en niesde, begeleid door zachte kauwgeluiden. 'Aan de andere kant zou het hier best weleens om het grote geld kunnen gaan omdat de minimuminzet honderdduizend kronen bedraagt. Tien dealers zouden al een inkomen van een miljoen opleveren. Stel je voor hoeveel dat wordt als je het over vijftig winkeliers hebt, of desnoods honderd!'

Hij hoestte harder. 'Die economische kant van het verhaal is voor ons het interessantst.'

'O?'

Davestuens stem verdween in een hoestbui. 'Verdorie, schoot me die nicotinerommel in de keel!'

Gunnarstranda staarde naar de hoorn. Allemachtig, de man produceerde voortdurend geluid! Hij blies de as van zijn sigaret en begon, om het wachten wat te bekorten, geduldig een kring van zwarte schroeiplekken rond de foto van ex-incasseerder Bregård te branden.

Davestuen was er weer. 'Het geld gaat namelijk niet naar Software Partners, maar naar een financieringsbedrijf dat Partner Finance heet.'

'En wat klopt daar niet?' vroeg Gunnarstranda.

'Het probleem is dat niemand weet wie de eigenaar is van Partner Finance. Dus weet ook niemand waar het geld blijft dat binnenkomt. En het wordt nog verdachter als blijkt dat het bedrijf een adres op Guernsey heeft, een zogeheten belastingparadijs.'

Een zwakke geur van verbrand papier mengde zich in Gunnarstranda's neusgaten met de geur van tabak. Bregårds stralenkrans was half klaar. 'Maar het is niet in strijd met de wet?' vroeg hij.

'Eigenlijk niet,' zei Davestuen en hij vertelde verder dat de kern van de zaak was dat niemand in de financiële wereld met wie hij contact opgenomen had, Partner Finance kende. Dat was op zijn minst verwonderlijk. Daardoor begonnen de alarmbellen te rinkelen. En die wezen op fraude. Maar om duidelijkheid te krijgen of er echt sprake was van iets onwettigs, zou er een onderzoek moeten worden gestart.

Gunnarstranda beet op zijn wang.

'Voorlopig ziet het ernaar uit dat iemand het bedrijfskapitaal vergroot,' ging Reier verder. 'De nieuwe eigenaren mogen een nieuw product verkopen, en alles lijkt in orde.'

Gunnarstranda liet Davestuen uitpraten. Hij maakte de brandvlekken nog wat dichter op elkaar. Hij blies opnieuw het vuur in zijn sigaret aan en haalde diep adem. 'Die nieuwe dealers ...' begon hij om de aandacht van de ander te trekken.

Davestuen gaf geen antwoord. Er waren zelfs geen kauwgeluiden te horen.

'Ben je er nog?'

'Ja, ja.'

'Ik vroeg me af,' ging Gunnarstranda verder, 'wat die nieuwe dealers gaan verkopen?'

'Hoe bedoel je?'

'Tja, ze betalen toch een enorm geldbedrag, meer dan honderdduizend in contanten, om iets te mogen verkopen? Wat gaan ze dan verkopen?'

'Dat heb ik nog niet kunnen ontdekken.'

'Is dat niet vreemd?'

'Tja ...'

'Het punt is,' viel Gunnarstranda hem geërgerd in de rede, 'dat de marketingchef van Software Partners ook niet weet wat ze gaan verkopen.'

'O?'

'Ik zweer het je! Hij heet Svennebye. Hij heeft de brochures gemaakt, al die papierrommel waarmee die speculanten en wij worden overladen. Maar hij heeft geen flauw idee wat er zal worden verkocht. Natuurlijk weet hij dat het met computers te maken heeft. Maar waarom het voor de mensen in de branche zo aantrekkelijk is om met Software Partners in zee te gaan, begrijpt hij niet. Gewoon omdat hij eraan twijfelt of Software Partners überhaupt iets nieuws en interessants te verkopen heeft.'

'Wat zeg je nu?'

'Ja,' glimlachte Gunnarstranda, 'je hebt het goed gehoord. Bovendien kan ik je vertellen dat die marketingchef heeft besloten om ontslag te nemen. Hij denkt dat Engelsviken & co de boel belazeren, en wil het schip verlaten voordat het gezonken is.'

Hij inhaleerde en blies een blauwe rookwolk uit. Hij liet de informatie even op de ander inwerken.

'Hm,' zei Davestuen na een tijdje.

'Nu heb je iets om over na te denken, hè?'

Hij peuterde wat aan het hoofd van Bregård, dat nog niet helemaal had losgelaten.

Davestuen schraapte zachtjes zijn keel. 'Als het klopt dat Software Partners geen geld heeft,' vatte Davestuen samen, 'en als er tegelijk geld van de markt in de firma wordt gestopt, dan verdwijnt dat geld dus ergens.'

'Precies.'

'En als het geld verdwijnt,' concludeerde Davestuen, 'is er dus sprake van een misdrijf.'

Gunnarstranda knikte tevreden. Het beviel hem dat de stem in de hoorn iets scherper klonk.

'Omdat Software Partners nog niet aan zijn verplichtingen heeft voldaan en zijn boekhouding nog niet heeft voorgelegd aan het Handelsregister,' ging Davestuen verder, 'kan er dus ook nog niets gecontroleerd worden.'

Gunnarstranda zei niets. Hij rookte in stilte en liet de ander het tempo bepalen. 'Dat betekent dus dat het tijd is om in actie te komen.'

Gunnarstranda zweeg nog altijd en liet de ander hardop nadenken.

'Ja,' concludeerde Davestuen, 'dan moeten we eerst maar eens met die marketingchef gaan praten. Svennebye, zei je toch?'

'Hm.'

'Weet je trouwens wat het ergste is als je stopt met roken?'

'Nee,' antwoordde Gunnarstranda ongeïnteresseerd.

'Je kunt geen sigaret meer opsteken als de telefoon gaat. Dat is toch iets anders dan een stukje kauwgom nemen.'

'Ja, dat geloof ik graag,' antwoordde Gunnarstranda beleefd.

'Jij rookt nog steeds, hè?'

Gunnarstranda lachte even om Davestuens toon. 'Ja, ik wel,' antwoordde hij vrolijk en hij nam afscheid. Hij bleef met zijn vingers zitten trommelen voor hij zijn sigaret uitdrukte in de overvolle asbak. 'Ik wel,' herhaalde hij zachtjes voor zichzelf terwijl hij Bregårds hoofd, dat nu helemaal had losgelaten, wegtrok.

# 34

Op dat moment kwam Frølich de kamer binnen.

Gunnarstranda toverde een tevreden uitdrukking op zijn gezicht voor hij zich oprichtte en op zijn horloge keek.

'Wat is er met jou aan de hand?'

'Davestuen heeft ontdekt waarom Software Partners zijn archief afsluit,' vertelde Gunnarstranda vrolijk en hij zette de cassetterecorder op tafel. 'Maar er is nog iets anders.' Hij spoelde even en speelde het gesprek met marketingchef Svennebye af.

Ze luisterden zwijgend. Gunnarstranda steunde met zijn hoofd in zijn rechterhand. Af en toe bezweek hij voor de verleiding met een stukje verbrand papier te spelen. Frølich zat achterovergeleund op de bank met zijn beide handen achter het hoofd en zijn ogen strak op het plafond gericht.

'Driehoeksdrama,' zei de man met de baard toen Gunnarstranda de cassetterecorder uitzette.

'Veelhoek,' verbeterde Gunnarstranda hem. 'Van de een naar de ander. Eerst is ze een tijdje bij Bregård geweest, daarna iets langer bij de directeur, een tijdje bij deze en gene en ten slotte even bij Sigurd Klavestad. Voor ze wordt vermoord, en voor Klavestad wordt opengesneden.'

De hoofdinspecteur onderbrak zijn verhaal en was de ander voor: 'Ja, ik weet het. Dan komt dat oude zwijn ineens op de proppen en gooit alles door de war! Waar komt Johansen in beeld?'

'Misschien komt hij helemaal niet in beeld,' stelde Frølich voor.

Gunnarstranda haalde diep adem. Johansen verzwijgt iets, dacht hij. Zeker weten! 'Weet je waar hij mij aan doet denken?'

'Nee.'

'Een klein jongetje dat stout is geweest. Hij geniet ervan om ons om de tuin te leiden. Op één punt. Eén heel klein puntje. Daardoor voelt hij zich oppermachtig.'

Ze bleven even zwijgend zitten, tot Frølich zei: 'Die inbraak bij Software Partners ...'

'Ja.'

'Daar werd ogenschijnlijk niets gestolen.'

'Nee.'

'Er werd ogenschijnlijk ook niets bij Reidun gestolen.'

'Klopt.'

'Is dat toeval?'

'Geloof ik niet.'

Gunnarstranda liet zijn vingers ongeduldig over de rand van de tafel galopperen. 'We hebben meer dan voldoende redenen om Software Partners wat beter onder de loep te nemen,' zei hij.

Frølich knikte.

'Maar we moeten ook nog wat meer onderzoek doen naar die club Scarlet. Jij moet er maar eens heen gaan.'

'Goed,' bromde de ander. 'Maar wat doen we nu?'

Gunnarstranda pakte de hoorn van de telefoon en toetste een nummer in. 'Terje Engelsviken,' zei hij tegen de stem in zijn oor. 'Nou, dan niet,' beet hij toen de stem niet aan zijn wens tegemoet kon komen.

'Voor de verandering,' mompelde hij sarcastisch terwijl hij neerlegde.

'Weer niet aanwezig?'

'In een vergadering, ja. Volgens mij een vergadering bij hem thuis,' dacht hij hardop.

Frank knikte. 'Niet ondenkbaar.'

'Maar dan zouden wij er ook bij kunnen zijn, zodat we eindelijk een keertje met hem kunnen praten.'

'Had gekund. Jammer dat hij ons niet heeft uitgenodigd.'

Gunnarstranda stond glimlachend op. 'Zolang hij ons niet uitnodigt, moeten we dat zelf maar doen!'

# 35

Terje Engelsviken en Sonja Hager woonden in de Hoffsjef Løvenskiolds vei.

Gunnarstranda zat stil op de passagiersstoel uit het raampje te kijken naar de kale berkentakken en de vieze grijze grond tussen de gele restanten van het blad van vorig jaar langs de kant van de weg. Het voorjaar was in het begin altijd vies en grijs.

Eindelijk begon de auto aan de moeizame beklimming van Ullernåsen. Hier ook kale bomen met kale takken. Ook villawijken zien er grauw uit als de kleur van tuinen en bomen ontbreekt. Gunnarstranda keek ongeïnteresseerd naar de residenties in de schaduw van hoge, bladloze bomen, zwarte bast tegen een blauwe lucht.

Engelsvikens huis lag niet op de top, maar ook niet onder aan de helling. Een huis dat allesbehalve de indruk van spaarzaamheid wekte.

Frølich parkeerde voor een van de drie garagedeuren aan de straatkant. Gunnarstranda bleef naar het huis zitten kijken. Chocoladebruin met witte kozijnen, een schilddak bedekt met blauw geglazuurde dakpannen die glommen in het zonlicht. Grote spiegelramen weerkaatsten het uitzicht naar het zuiden en het westen. Een prachtige rotstuin voor de witte keldermuur versierde de rotsen tussen het huis en het gazon dat op straatniveau lag. Nu, zo vroeg in het jaar, zag je alleen de wintergroene planten en een enkele dorre tak die in de zomer vol groen blad zou zitten.

Op het nog altijd wintergele gazon stonden grote struiken tussen enkele fruitbomen, waardoor de indruk werd geschapen van een landelijke omgeving. Hij herkende de rode takken van de witte kornoelje en de karakteristieke hoornachtige bast van de forsythia waar de gele bloemen dikke knoppen hadden gevormd die nog niet opgesprongen waren. Tussen de takken door was vaag een pad te onderscheiden dat was bedekt met houtsnippers.

Het ging hun niet slecht, dacht hij. Een park rond het huis, ontworpen en onderhouden door vaklui, niet door een deftige mevrouw met spa en schoffel.

Het zwarte smeedijzeren hek piepte roestig toen ze over het grindpad naar de woning liepen.

De ingang aan de achterkant zag er relatief saai uit en paste niet bij de gevel aan de straatkant. Een doodgewone, kale metalen trap voerde naar een eenvoudige, bruine teakhouten deur. Gunnarstranda drukte op een knop die verborgen zat in de muil van een bronzen leeuwenkop.

Er was geen geluid te horen toen hij aanbelde. Of het was geen bel, of het huis was goed geïsoleerd. Niemand deed open, dus drukte hij nog een keer.

Ondertussen stroomde het water naar de zee.

Eindelijk. Langzaam werd de deur geopend door een glimlachend meisje met duidelijk oosterse trekken. 'Goedemorgen,' zei ze met een vragende toon in haar hese stem.

Ze droeg het uniform van een serveerster. Een korte, zwarte rok en blouse met een bijbehorend wit schortje. Het meisje glimlachte onzeker. Haar haar werd in een knot in haar nek bijeengehouden. Een paar lokken waren losgeraakt en hingen langs haar oren.

Gunnarstranda liet Frølich het woord doen. Franks blik was op de borst van het meisje gericht. Zijn stem vroeg naar Engelsviken. Hij kreeg geen antwoord. 'Engelsviken,' herhaalde Frank geïrriteerd.

Het meisje keek verward van de een naar de ander en sloeg ten slotte de deur weer dicht.

Gunnarstranda keek van de gesloten deur naar Frølich, die zijn hand naar de leeuwenkop bracht en de knop ingedrukt hield.

De tijd verstreek.

Eindelijk werd de deur weer geopend. Het was hetzelfde meisje. Maar haar gezicht stond anders. In haar ogen was angst te lezen.

'Nobody home,' stotterde ze. 'Nobody!'

En ze sloeg de deur weer dicht.

'Zag jij het ook?' vroeg Frølich.

'Wat?'

'Ze had haar blouse opnieuw dichtgeknoopt.'

Gunnarstranda begreep het niet.

'De eerste keer had ze haar blouse scheef dichtgeknoopt.'

'Ik dacht dat je naar haar borsten stond te kijken.'

'De tweede keer zat hij niet meer scheef.'

'Maar het gaat ons toch niets aan hoe de hulp in de huishouding erbij loopt!'

De ander draaide zich om en liep de trap af. 'Dat hangt ervan af of ze alleen is of niet,' meende hij.

Beneden op straat stond een Mercedes met gele knipperlichten aan die de garage in wilde, maar die werd versperd door de politiewagen.

Een zilverkleurige auto uit de duurdere prijsklasse. Een geïrriteerd getoeter, gevolgd door lichtsignalen verried het ongeduld van de bestuurder.

Het portier werd geopend. Een mooie donkerharige vrouw zette één voet op straat, boog zich uit de auto en keek Gunnarstranda aan. Het gezicht ging grotendeels verborgen achter een ronde zonnebril met spiegelende glazen. Een pluk van haar lange haar waaide tussen haar lippen. Toen ze de haarlok wegstreek, vormde ze een aantrekkelijk plaatje.

De hoofdinspecteur begreep wie ze was. Met uitgestoken hand liep hij naar haar toe en stelde zich voor. 'Ik vermoed dat u Sonja Hager bent,' zei hij joviaal.

'U staat in de weg!'

Haar stem klonk afwijzend.

Gunnarstranda gaf Frølich, die al in de auto zat, een teken. Hij reed achteruit.

'We hebben een paar vragen,' zei de politieman vriendelijk. 'Maar parkeert u eerst even de auto.'

De vrouw ging weer zitten. Een paar tellen later ging de middelste garagedeur open. De automotor brulde toen ze naar het vak tussen de glanzend gepoetste carrosserie van een lage sportwagen en een eenvoudige Japanse auto reed.

Gunnarstranda wachtte bij de donkere dienstauto en hield glimlachend het achterportier voor haar open.

'Gaat u niet liever mee naar binnen?' vroeg ze snel en ze keek even naar het huis. Gunnarstranda volgde haar ogen. Achter de grote ramen was vaag een gedaante te onderscheiden. Het leek een man. In elk geval iemand die veel langer was dan het kamermeisje in uniform.

Hij richtte zijn ogen op Sonja Hager, en toen hij even later weer in de richting van het huis keek, was er niemand meer te zien.

'Daar komen we net vandaan,' glimlachte hij vriendelijk. 'Er was niemand thuis, helaas.'

Het laatste woord sprak hij nadrukkelijk uit. 'Stapt u maar in.'

Hij sloot het portier, trok zijn mantel om zich heen en stapte zelf aan de andere kant in.

'U hebt elkaar al eerder gesproken,' knikte Gunnarstranda naar het achterhoofd aan het stuur. 'Frank Frølich.' De vrouw groette hem niet. Ze hield haar tasje stevig vast en staarde afwijzend voor zich uit.

'Hij heeft u toen gevraagd of u iemand kende die een innige relatie met Reidun Rosendal onderhield.'

'We kenden haar allemaal een beetje,' antwoordde ze kil.

'U kent geen man die nauwere banden met haar heeft aangeknoopt?'

'Øyvind,' zei ze kortaf op dezelfde toon. 'Dat wil zeggen … ik wist het niet, maar ik heb het van uw collega gehoord.'

'Maar niemand anders dan Bregård?'

'Nee.'

'U ging toch ook vertrouwelijk met haar om?'

'Dat wist ik niet.'

'Dat is ons verteld.'

'U moet niet luisteren naar alles wat er wordt gezegd.'

'Reidun was toch een mooie vrouw?'

'Jazeker.'

'En u kent niemand die met klamme handen in haar achterste probeerde te knijpen?'

Gunnarstranda pakte haar bij haar arm. 'Een halfjaar op hetzelfde kantoor en u kunt niemand verzinnen die op haar geilde?'

Ze staarde strak naar de hand van de politieman. Gunnarstranda liet haar arm niet los. 'Een heerlijk stuk lamsvlees … zonder effect op de jongens?'

'Waarom zegt u niet wat u op uw hart hebt?' vroeg ze ijskoud.

De politieman knikte ernstig.

'Laat me dan het volgende duidelijk maken: ik weet niet hoe vaak Reidun op haar rug ging liggen. Ook niet voor welke mannen. En ik wil het ook niet weten, het interesseert me totaal niet!'

Het portier viel met een klap dicht. Ze keken haar na toen ze stampvoetend naar het huis liep. Dat viel nog niet mee. Hoge hakken zijn niet praktisch op een grindpad. Vooral niet als je ook nog eens omhoog moet lopen.

'Temperamentvol,' zei Frank Frølich.

Gunnarstranda gromde.

'Wat gaan we doen?'

Gunnarstranda zweeg. 'Ik weet het niet,' zei hij uiteindelijk.

Frølich floot. 'Kijk eens naar rechts!'

Achter het ene grote raam zag Gunnarstranda een man en een vrouw staan. Ze stonden naar hen te kijken. De vrouw droeg Sonja Hagers elegante kleding. De man, in een grijs pak met een glanzende broek, was dezelfde die hij een paar minuten geleden had gezien.

'Eigenlijk wisten we wel,' constateerde de man achter het stuur, 'dat hij thuis was.'

Gunnarstranda dacht na. 'Voorlopig kan ik maar één ding constateren,' zei hij. 'Die twee daar zwemmen in het geld, terwijl alles erop wijst dat ze dat niet zouden moeten doen.'

'Zwemmen,' mompelde hij na een tijdje. 'Baden.'

Hij glimlachte. 'Badgasten die het water in gaan terwijl ze weten dat er een grote kwal in de buurt is. Hij kan rechts zitten, links, of precies onder hen. Ze weten niet waar. Maar ze merken het gevaar en trappelen met hun benen. Steeds sneller.'

Frølich startte de auto.

Gunnarstranda leunde achteruit. Hij keek op zijn horloge. Het was al vier uur geweest. Het zou dus wel weer avond worden voor hij klaar was met zijn dagelijkse werkzaamheden. 'We zullen zien,' zei hij, 'of deze paniek ons verder helpt. Waarom wil die snob niet met ons praten?'

'Laten we zeggen dat het klopt dat Software Partners werkelijk een fraudezaak is,' klonk de stem van de voorbank. 'Stel je voor dat Bregård en Engelsviken samen hebben gepraat na ons gesprek met Bregård in de fitnessruimte. Stel je ook eens voor dat die advocaat Brick een telefoontje krijgt van Davestuen van de fiscale recherche.'

Gunnarstranda luisterde, hij dacht na.

'Dan is het toch niet raar dat Engelsviken zo ver mogelijk uit onze buurt wil blijven?' ging Frølich verder.

'Tja,' meende de half overtuigde Gunnarstranda. 'Maar die fraude moet wat gesnuffel van de politie kunnen verdragen. Engelsviken heeft daar ervaring in ...'

Hij aarzelde. 'Misschien wordt de grond hun te heet onder de voeten.'

Hij merkte dat zijn lippen vertrokken in een grijns. Als het niet de rook van het vuur is waar we de hele tijd omheen draaien, dacht hij en hij sloeg zijn ene been over het andere.

# 36

Frank Frølich kreeg altijd een suf gevoel als hij in de rij stond. Net als in de tram: je stelt je machinerie in op geordende gedachten, trekt je in jezelf terug, kijkt geduldig naar de wereld om je heen en wacht tot het voorbijgaat.

Eva-Britt had dat niet. Ze genoot ervan. Ze zag een rij als een sociale gebeurtenis en was al in gesprek met twee gladde yuppen. Snelle jongens, lawaaischoppers die de wereld om hen heen graag op de hoogte stelden van hun mening.

Eva-Britt schaterde om hun flauwe grappen, kreeg een slok van het bier dat ze bij zich hadden en werd volgens de regels der kunst het hof gemaakt. Ondertussen hield ze continu zijn arm vast, alsof ze bang was dat ze ergens in meegesleurd zou worden.

Frank luisterde maar met een half oor en keek geduldig voor zich uit. Een glas rode wijn in zijn maag dempte het geklets van de opscheppers tot een aanvaardbaar niveau. Hij concentreerde zich liever op de deur die voortdurend open- en dichtging zonder dat er beweging in de rij kwam. Sommige klanten waren populairder dan andere. Hij keek naar een stel dat juist aankwam en perfect in de populaire categorie paste. Een vrouw in een hoerige outfit schoof met haar korte rokje van de achterbank van een taxi. Ze pakte de uitgestoken hand van haar aanbidder. Ze schoven zijdelings langs de rij, de vrouw met een kuise, neergeslagen blik, alsof ze topless onderweg was naar het strand. Ze drongen met moeite door de glazen deur, waar ze werden opgewacht door een solide uitsmijter met tattoos op de rug van zijn handen.

Toen Frank en Eva-Britt eindelijk binnen waren, hadden ze drie kwartier staan wachten. De yuppen verlieten hen ten gunste van twee spaarzaam geklede meisjes die zaten te zwaaien aan een tafeltje bij de dansvloer. Zelf vonden ze een plek tegen de muur, ver weg van de bar, maar met goed uitzicht op de dansvloer en de ingang. Een vrij tafeltje stampvol lege glazen en vieze borden.

Het viel niet mee om een gesprek te voeren. De muziek stond luid. Frank keek om zich heen en liet de menukaart aan Eva-Britt over. De club was half in het donker gehuld en had een grote dansvloer. Veel rijkelui. Vrouwen en mannen die op het centercourt het verschil kenden tussen een backhand en een forehand.

Eva-Britt vroeg wat hij wilde drinken.

'Tja,' glimlachte hij gedesoriënteerd, 'iets wat minder kost dan duizend kronen per fles.'

Na een hele tijd werd de tafel afgeruimd door een meisje dat nauwelijks om zich heen keek. Ze ruimde de tafel af zonder dat haar opviel dat er iemand zat, maar uiteindelijk kwam de bestelling toch sneller dan verwacht.

Frank pakte aarzelend zijn glas aan en speelde met de gedachte om bezwaar te maken. Er zat beslist niet meer dan vier deciliter pils in het glas van een halve liter. Hij vroeg zich af of ze hem zou zien als hij het bier in haar gezicht gooide en keek glimlachend op naar haar neus. Tegelijk gebeurde er iets aan de tafel van de yuppen. De jongens stonden op en wiegden met hun heupen alsof ze het winnende doelpunt in een finalewedstrijd hadden gescoord. De meisjes zwaaiden en riepen. Het leek een soort ceremonie te zijn. Het gezelschap begroette een nieuwe bezoeker. Frank leunde achterover en nipte van zijn bier. Er was iets met die gast. Misschien vanwege zijn glanzende kostuum. Het was een pafferige man van middelbare leeftijd, met dunne benen. Zijn grijze pak glinsterde bij elke beweging.

Frank volgde de man met zijn ogen. Hij had een flets en bleek gezicht, met een verstarde glimlach. Zijn luide stem was goed te horen. De serveerster kwam onmiddellijk met een fles champagne. Frank keek toe hoe hij de mensen om hem heen met een high five begroette. De man was hier goed bekend. Heel goed bekend. Hij werd zelfs even omhelsd door de serveerster met de zuinige blik.

Frank Frølich was zeker van zijn zaak.

De yuppentafel was nu erg uitgelaten. De nieuwkomer had ieders aandacht en maakte enthousiaste gebaren tijdens het praten. Hij maaide een glas van tafel zonder het te merken; kennelijk was hij al behoorlijk aangeschoten. De man maakte een opmerking en krulde zijn bovenlip in een stijve grijns. Iedereen sloeg dubbel van het lachen.

Vast een vrolijke snuiter, dacht Frank en hij begon voetje te vrijen met Eva-Britt. Ze at spaghetti met saus. Keek op, knipoogde en zoog een sliert spaghetti naar binnen. Ze had sexy lippen. Ze sloeg haar blik weer neer, schopte onder tafel haar schoen uit en legde haar voet in zijn kruis. Hij keek in zijn glas. Leeg. Hij wenkte de serveerster, die nog steeds deed alsof er niemand aan hun tafeltje zat.

'Nog een halve liter!'

Ze was al onderweg.

'Hé!'

Hij pakte haar bij haar arm.

Ze bleef staan, draaide zich bijna om.

'Die man die je zojuist omhelsde, is dat Terje Engelsviken?'

Nu keerde ze zich helemaal om en keek hem met iets meer interesse aan. Ze knikte.

'Dat dacht ik al,' glimlachte hij. 'Maar ik wist het niet zeker.'

Eva-Britt draaide zich om.

'De man die nu zijn colbert uittrekt,' verklaarde Frank.

Ze keken allebei hoe Engelsviken met zijn jasje stond te worstelen, onzeker achteruitwankelde en weer een glas omgooide. Het zag er nogal geestig uit. Het hele gezelschap brulde van het lachen. Engelsviken zelf lachte het hardst. Hij hield de lege fles omhoog en brulde door de hele zaal. De serveerster, die intussen achter de bar stond, knikte.

'Zo bestellen de grote jongens hun drankjes,' zei Frank.

'Heeft hij iemand vermoord?'

Eva-Britt zat weer met haar rug naar het gezelschap toe en speelde met haar vork.

'Ik weet het niet.'

Hij bestudeerde Engelsviken, die tussen de tafeltjes door wankelde. Links en rechts sloeg hij mensen op de schouders, bleef even staan om een paar woorden te wisselen. Kwam weer overeind, gooide zijn hoofd naar achteren en lachte. Hij wankelde verder en sloeg de hoek om naar het herentoilet.

Frank tilde voorzichtig de voet weg die nog steeds op zijn dijbeen lag. 'Ik moet even naar het toilet,' mompelde hij en hij volgde Engelsviken.

De toiletruimte was groot en helder verlicht. Er zaten witte tegels op de wanden en de geparfumeerde lucht werd vermengd met een zwakke geur van braaksel.

De man in het zijden pak stond volledig geconcentreerd, met een bezweet gezicht, voor een van de spiegels zijn haar te kammen. Hij zakte een beetje door zijn knieën en had grote moeite zijn kapsel in orde te brengen. Frank liep naar het urinoir. Hij dacht aan Reidun Rosendal met haar mooie mond. De man bij de wasbak was bezweet en had een buikje. Hij was niet echt mooi, maar wel joviaal. Hij had duidelijk veel vrienden. Kon moppen vertellen en luid lachen. Een sterke vent die in gezelschap met anderen domineerde. Zoals nu. Hij neuzelde een liedje.

'I'm just a gigolo,' neuriede hij. 'Just a gigolo.'

Verschrikkelijk vals.

Een van de toiletten werd doorgespoeld, de deur ging open. Een man liep naar de wasbakken en maakte zijn handen een beetje nat. Hij vertrok.

Ze waren alleen.

De politieman was klaar. Hij ging naast Engelsviken staan, die eindelijk tevreden was met zijn kapsel, zijn kam in zijn achterzak stopte en in de spiegel naar Frølich keek.

'Engelsviken?'

De man knikte. Draaide zich om. In zijn kwabbige gezicht hing nog steeds een krampachtige glimlach in de mondhoeken.

'Frank Frølich.'

Frank stak zijn hand uit. 'Ik doe onderzoek naar de moord op Reidun Rosendal.'

# 37

Het was al diep in de nacht. Inmiddels was het zaterdag geworden, officieel een vrije dag. Hij had al uren geleden naar bed moeten gaan, maar had het steeds uitgesteld. Hij wist dat hij niet zou kunnen slapen. In zijn hoofd bleef het maar malen.

Gunnarstranda zat aan de tafel in de kamer en bladerde halfslachtig in een handboek over onkruid. Dat wilde zijn zinnen nog weleens verzetten en daarom had hij er die avond al een paar keer ingekeken. Hij had problemen met een muntplant. Die was de laatste jaren de grote kwelgeest in de tuin bij zijn vakantiehuisje. Het zou akkermunt kunnen zijn, maar ook blauw kattenkruid. Het was niet echt belangrijk om te weten om welke soort het precies ging, maar het irriteerde hem dat het hem niet lukte dat vast te stellen.

Het grootste probleem was wel dat de plant een zeldzaam mooie clematis sibirica bedreigde die hij en Edel zelf hadden gezaaid en die hij tot nu toe in leven had weten te houden.

De clematis was inmiddels al meer dan tien jaar oud. De zaden hadden ze elf jaar geleden in de zomer geoogst, toen ze hun oude Volkswagen nog hadden. Ze hadden planten gezocht in Jotunheimen. Op de terugweg pauzeerden ze in Fåberg, en daar hadden ze de plek gevonden waar de clematis groeide. De witte klokjes waren allang uitgebloeid, maar de mooie bloemschermen met de zaadlijsten hadden langs de rotsen gelegen. Hij bladerde verder in het handboek, streek met de rug van zijn hand over de pagina's en keek van het gedroogde exemplaar in zijn herbarium naar de nauwkeurige tekeningen in het boek. Ondanks de fabelachtige penseelvoering van de tekenaar was de puzzel zonder vers materiaal niet op te lossen. Hij dronk verveeld wat uit een halfleeg flesje licht bier. Het boek over onkruid en deel twee van de Noorse flora van Fægri lagen samen met de bladen uit zijn eigen herbarium op tafel.

Die afschuwelijke messensteker ook. Een ongevoelige smeerlap die ze niet konden traceren omdat misdaden aan de buitenkant nu eenmaal niet zichtbaar waren. Alleen in de film liepen misdadigers rond die eruitzagen alsof ze zojuist uit het gekkenhuis waren ontsnapt.

Hij rolde het flesje tussen zijn vingers, zuchtte en pakte een droge, verschrompelde peuk uit de asbak. Hij stak hem niet aan. Hij draaide zich om, pakte de afstandsbediening en zette de tv aan. Aan de andere kant van de kamer verscheen een blauw beeld; een man met een slechte huid, holle wangen en een zonnebril wandelde de kamer van een naakte vrouw met een bleek engelengezicht binnen. De scène was werkelijk om te huilen en irriteerde hem mateloos. Het zwakke punt. Reidun Rosendal had geen geluid gemaakt. Het was en bleef een raadsel. Maar van deze film zou hij in elk geval niet wijzer worden.

Hij stond op en keek op zijn horloge. Het was al over tweeën. Hij zou naar bed moeten gaan. In gedachten bleef hij voor zich uit staan kijken terwijl de man met de zonnebril de vrouw op de televisie aan het schreeuwen bracht.

Hij gaapte. Keerde zich om. Allemachtig, wat een geschreeuw! Hij zette de tv uit, steunde met zijn rechterhand tegen zijn ischiaszenuw en kwam weer overeind. Hij liep naar het raam en keek naar buiten.

In de film gilden slachtoffers altijd. Wat voor geluiden waren in Reiduns flat te horen geweest?

Geweld. Natuurlijk kun je gewelddadigheid bespeuren in iemands karakter. Maar je ziet het niet in één oogopslag. In elk geval kon hij het niet zo snel ontdekken. Maar het was weleens gebeurd. In het beklaagdenbankje. Lange, bleke kantoorvingers en een blik. Twee smalle strepen achter dikke brillenglazen. Toen had hij eindelijk geweten waar het slachtoffer dat door de man met zijn bleke vingers was gewurgd, naar gekeken had.

Twee ramen in het huizenblok aan de andere kant van de straat straalden in de duisternis een warm, geel licht uit. De man daarbinnen stond op. Vandaag droeg hij een nethemd. Zijn bretels hingen naar beneden. De man opende het raam en blies de sigarettenrook naar buiten terwijl hij met zijn vrouw praatte, die achter hem was komen staan. Straks gaat ze weer huilen, dacht Gunnarstranda toen hij haar zag. Haar krappe, zwarte beha perste haar vlees in dikke kwabben.

Een huwelijk kan erg benauwend worden als je maar twee kamers en een keuken hebt. Gunnarstranda was de tel kwijtgeraakt van alle keren dat zij haar man vervloekte als hij op vrijdagavond wegging. Routine. De man had al jaren een ander.

Nu kwam ze naast de rokende man staan en streelde hem over zijn rug. Ik vraag me af wat het ergst is, filosofeerde de politieman. De gedachte dat hij haar bedriegt, of de gedachte dat iedereen het weet. Maar zij houdt het in elk geval uit, dacht hij grijnzend. Ze heeft hem nog niet vermoord.

Hij voelde de grijns op zijn lippen verstarren toen hij zich van het raam afkeerde en met een stijve beweging aan zijn stropdas trok.

Hij draaide zich nog een keer om en keek hoe de ontrouwe echtgenoot zijn armen om zijn dikke wederhelft heen sloeg. Ze had hem nog niet vermoord. Gunnarstranda grijnsde boosaardig. Hem niet. Waarom zou ze hem in vredesnaam vermoorden?

De stropdas kwam op de rugleuning van de stoel terecht en gleed door naar de zitting.

Natuurlijk zou ze hem niets aandoen!

Gunnarstranda zag hoe het licht in de flat van het echtpaar uitging. Hij probeerde zijn gedachten op een rijtje te krijgen terwijl een auto met een gele lichtbak op het dak door de regen onderweg was naar de nachtclubs in het centrum, die nog steeds open waren.

Hij knoopte zijn overhemd open. Hij was net halverwege toen de telefoon ging. Hij haalde diep adem, maar nam de hoorn niet direct van de haak. In plaats daarvan knoopte hij zijn overhemd weer dicht. Ze zouden hem wel een tijdje laten overgaan. Dat deden ze altijd als er 's nachts iets belangrijks was.

# 38

Het eerste wat Frank voelde waren de nawerkingen van Gunders foezel in zijn hoofd. Daarna hoorde hij, als in een slechte droom, in de verte de telefoon overgaan. Hij bewoog zijn hoofd en kreeg zijn neus vol haar. Hij tilde zijn hand op en streek haar haar weg. Hij werd bijna wakker, maar draaide zich daarna op zijn zij. Ze gleed van hem af. De telefoon bleef maar overgaan, maar Eva-Britt sliep door. Haar hoofd was één bos blond haar en in het donker leken haar tepels twee donkerblauwe steenmannetjes. Hij schoof van haar weg en tastte naar de telefoon. Hij moest zich uitrekken, kreeg de hoorn te pakken, tilde hem op en legde hem weer neer.

Eindelijk stil. Het raam stond op een kier en een zwakke luchtstroom kwam naar binnen. Haar parfum verspreidde een zoete geur. Gelukkig had hij maar één glas van de zelfgestookte jenever gedronken. Naar de duivel met Gunder! De monteur drong Eva-Britt telkens weer een fles van zijn brouwsels op. Meestal spoelde ze het spul door het toilet. Gisteren had ze dat niet gedaan, en hij was dom genoeg geweest om er iets van te drinken toen ze thuiskwamen.

Hij voelde hoe Eva-Britt op haar zij draaide. Haar achterste scheen hem hartvormig tegemoet. Hij streelde over haar heup. Ze bewoog traag, en van heel ver weg hoorde hij haar zachtjes knorren. Voorzichtig legde hij het dekbed over hen heen en draaide zich op zijn andere zij om verder te slapen.

Toen ging de telefoon weer.

Hij deed zijn ogen helemaal open en staarde in het donker. Hij keek door de spleet tussen de matras en het houtwerk van het vernielde bed. Hij moest op zijn knieën gaan zitten om de hoorn te kunnen pakken. Er klonk een krakend geluid. Zijn chef was aan de lijn. Gunnarstranda's bitse stem klonk energiek door de kamer.

Frank trok de hoorn naar zich toe. 'Besef je wel dat het nacht is?' fluisterde hij met doffe stem.

'Ja,' knetterde de hoorn. 'Kleed je aan!'

Frank struikelde over het bed. Hij was er niet aan gewend dat de matras op de vloer lag. Dat deed pijn! Hij rolde over de vloer. Verdomde telefoon. Aan het werk! Waarom had hij de stekker er niet uitgetrokken?

Hij kwam op handen en voeten overeind. Hij had nog minder zin om te werken dan een ambtenaar tijdens cao-onderhandelingen. Zijn hersens voelden aan als een schildpad die zich had teruggetrokken. Hij gruwde bij de gedachte dat hij op twee benen moest staan, maar het ging. Hij werd wel duizelig, maar godzijdank niet misselijk. In zijn mond had hij een smaak van bier, knoflook en wittebrood.

Hij wankelde naar de badkamer en gooide wat water in zijn gezicht. Zijn hoofd voelde aan alsof het onder een stapel planken lag. Hij poetste zijn tanden en hield daarna zijn hand voor zijn mond om zijn adem te controleren. Hij ging niet tegen de vlakte. Hij kleedde zich aan, liep naar de keuken, schreef een boodschap voor Eva-Britt op een hoekje van de broodzak en scheurde het af. In de deur naar de slaapkamer bleef hij even staan. De bedombouw omlijstte haar en de matras. Ze lag op haar zij, zonder dekbed, met haar gezicht naar hem toe. Het leek alsof ze in een doos lag. Donkere tepels. Strakke buik, ronde benen en een dun streepje haar dat naar haar kruis krulde.

En ik kan ook nog geen overuren declareren, dacht hij verbitterd. Hij vouwde het stukje papier halverwege om en zette het als een tentje op het nachtkastje, bij de telefoon. Stilletjes deed hij de deur achter zich dicht.

Op de trap werd hij weer duizelig. Buiten regende het. Hij aarzelde even voor hij in de auto stapte. Hij keek op zijn horloge. Kwart voor drie. Hij kreeg even last van zijn geweten toen hij besloot toch achter het stuur te stappen. In zijn jaszak vond hij een stukje kauwgom. Hij haalde het papiertje eraf. De kauwgom smaakte naar papier.

Hij reed snel over de ringweg. Het was nacht en het regende. De ruitenwissers veegden langzaam over de voorruit, en de kruising bij Sinsen weerspiegelde zich leeg en machtig in het glimmende, natte asfalt. Een sexy vrouwenstem klonk over de radio. Daarna luisterde hij naar *When the night comes* van Joe Cocker. Bij de gitaarsolo na de verplichte brul kreeg hij kippenvel. De verkeerslichten knipperden geel in de lege Hans Nielsen Hauges gate. Een blonde snol wreef tegen een vent aan in een telefooncel op de hoek van de Sandakerveien. Het was vast koud. Half april. De regen kleurde de knipperlichten donker, ze leken haast oranje.

Frank parkeerde op de taxistandplaats aan de Advokat Dehlis plass. Hij stapte uit de auto en bleef even in de frisse regen staan om diep adem te halen. De kasseien op de rotonde glommen van het vocht en fonkelden in het licht van de juwelierswinkel.

Frank voelde dat zijn kaken pijn begonnen te doen en hij spuugde zijn kauwgom uit in de dichtstbijzijnde vuilnisbak. Door de Bergensgata kwam een gebogen gestalte naar hem toe. Het was Gunnarstranda. Zonder paraplu, met een natte jas. Vanaf de schouders was de grijze stof donkergekleurd.

'Jij moet rijden,' begroette Frank zijn collega en hij stapte zelf aan de passagierskant in.

Gunnarstranda remde voor rood licht op de kruising met de Arendalsgata. Frank gaapte ongegeneerd luidruchtig. Gunnarstranda keek geïrriteerd naar rechts. 'Jij was gisteravond toch aan het werk?'

'Je kunt daar niet urenlang achter een kop koffie blijven zitten!'

'Er is ook nog een tussenweg. Je ruikt naar drank.'

'Daarom vroeg ik ook of jij wilde rijden.'

'Heb je iets ontdekt?'

Frank knikte rustig voor zich uit. 'Het is groen.'

De ander liet de motor brullen, en de auto kwam met iets wat leek op een kangoeroesprong in beweging.

'Engelsviken was er ook.'

Gunnarstranda reed zwijgend verder.

'Zijden kostuum en Italiaanse schoenen. Nogal dronken. We hebben elkaar bij het urinoir getroffen.'

'Heb je met hem gesproken?'

'Even. Hij was er nogal trots op dat hij haar had geneukt.'

'Wie?'

'Reidun. En dat was eigenlijk alles wat hij te zeggen had.'

'Niet meer?'

'Hij begon stennis te maken. Vroeg waarom de politie hem naar het toilet moest volgen.'

Frank zuchtte. 'Hij was al behoorlijk dronken toen hij kwam. Hij ging bij een groepje yuppen zitten dat hij al kende. Twee jongens en twee meisjes die helemaal door het dolle waren toen hij in de deuropening verscheen. Hij trakteerde hen op champagne.'

Frank gaapte en ging verder: 'De man had het zweet op zijn voorhoofd staan. Was nogal luidruchtig en stond voortdurend met zijn armen te zwaaien. Hij sleepte die meisjes mee naar de dansvloer. Daar probeerde hij bij een van hen zijn vingers in haar slipje te stoppen, terwijl iedereen toekeek.'

Gunnarstranda knikte even, remde af en gaf richting aan naar rechts voor hij door het geel knipperende verkeerslicht reed. De ruitenwissers schraapten zacht over de voorruit. Hij drukte de sigarettenaansteker in.

Frank vertelde verder: 'Dat gebeurde vlak nadat wij bij de toiletten met elkaar hadden gesproken. Maar het meisje wilde niet, en dat leidde tot wat commotie. Ze gaf hem zo'n harde klap dat het boven de discomuziek uit te horen was.'

De sigarettenaansteker sprong met een klik terug, en Frank draaide het raampje open toen de ander een sigaret aanstak.

'Toen keek Engelsviken naar mij,' ging Frank door. 'Het werd heel pijnlijk. De meisjes gingen weg, zodat Engelsviken helemaal alleen op de dansvloer achterbleef. Wijdbeens, kromgebogen en met een zieke grijns op zijn gelaat. Plotseling begon hij zichzelf in het gezicht te slaan. Gaf zich minstens tien keer een harde draai om de oren. Boven zijn hoofd knipperden rode en groene discolampen en de muziek stond keihard. Hij sloeg hard, zijn hoofd schudde heen en weer. Knettergek!' Frank gaapte luidruchtig. 'Toen hij eindelijk ophield met slaan, had hij een bloedneus. Maar hij merkte er niets van. Met zijn overhemd uit zijn broek slenterde hij terug naar het tafeltje. Hij had nog steeds die zieke grijns op zijn gezicht. Hij zag er verschrikkelijk uit. Het bloed uit zijn neus liep in zijn mond, zodat zijn tanden helemaal rood gevlekt waren. Daarna nam hij een flinke slok uit de champagnefles, sprong op de tafel en begon te brullen.'

Gunnarstranda rookte met een droge glimlach om zijn lippen.

'Toen had Eva-Britt er geen zin meer in.'

'Eva-Britt?'

'Mijn vriendin. Zij dacht dat die hele ongein met mij te maken had en voelde zich niet meer op haar gemak. Dus zijn we vertrokken. En dat is eigenlijk nog niet zo lang geleden.'

'En had die ongein iets met jou te maken?'

'Hij heeft mij tussendoor een paar keer aangekeken,' grijnsde Frank en hij bedwong een nieuwe geeuw.

'Jullie gesprek in de toiletten ...'

'Ja?'

Gunnarstranda tikte de as van zijn sigaret door een kier van het raampje. 'Was dat dronkenmanspraat?'

'Hij ging niet tekeer, als je dat bedoelt. Eerst kwam hij wel joviaal over. Ik ben hem achternagegaan naar de toiletten om met hem in contact te komen. Ik heb hem verteld wie ik was en dat ik tijdens het onderzoek had kennisgemaakt met zijn vrouw.'

Frank gaapte. 'Hij werd heel nerveus en liet me zelfs niet uitpraten. Hij omschreef Reidun als een matras. Nogal vreemd taalgebruik. Daarna ging hij pissen, maar toen schreeuwde hij opeens: "Wat is dat in vredesnaam voor whisky die ze hier verkopen? Mijn pis ruikt gewoon naar bier!"'

Frank trok zijn jas recht. 'Op die toer dus!' kreunde hij en hij ging door: 'Toen werd hij weer wat rustiger en keek over zijn schouder naar mij en zei: "Ja, ik ben een paar keer over haar heen gegaan. Dat wil je toch weten?"

Ik heb geen antwoord gegeven. Toen hij klaar was, hief hij zijn hoofd op en zong luidkeels een liedje. *I'm just a gigolo!*

Ik keek hem alleen maar aan. Plotseling schopte hij tegen de condoomautomaat, duwde er lachend tegenaan en werd daarna ineens persoonlijk, alsof we oude vrienden waren. Hij legde met een sentimentele blik zijn arm om mijn schouder en begon als een echte dronkenlap geheimpjes te vertellen. "Weet je wat ik me het best kan herinneren?" zei hij. "Als ze klaarkwam, dan begon ze te kwetteren, net een kanarie."

"Meen je dat?" vroeg ik hem, maar die reactie beviel hem niet. Hij werd kwaad en begon te schreeuwen: "Klotesmeris! Waarom loop je achter mij aan naar het toilet? Ben je soms homo?" En toen ging hij weg.'

Gunnarstranda beet op zijn onderlip. 'En daarna kwam dat optreden op de dansvloer?'

'Ja, even later. Van de wc is hij direct naar de tafel van die yuppen gelopen en sleepte die beide meisjes mee naar de dansvloer. En toen begon het.'

'En hij hoefde niet in de rij te staan om binnen te komen?'

'Nee. Scarlet heeft een club voor stamgasten, en hij is daar waarschijnlijk lid van.'

'Had hij gisteren iets te vieren?'

'Geen idee.'

Gunnarstranda reed naar de stoeprand en parkeerde. 'Je moet nog maar een keer naar Scarlet gaan.'

'Dat was ik al van plan.'

'Maar dan overdag, als de zaak gesloten is.'

Frank glimlachte zonder iets te zeggen. Hij draaide zijn hoofd om, keek de straat in en herkende waar hij was. 'Waarom zijn we hier?'

'Er is weer ingebroken in de flat van Reidun Rosendal,' antwoordde zijn chef en hij opende het portier aan zijn kant.

'Vannacht?'

Gunnarstranda knikte. 'En het lijkt erop dat de directeur van Software Partners een perfect alibi heeft voor het moment van de inbraak,' zei hij droog.

# 39

Het hek stond open. Het slot was helemaal stukgeslagen. Gunnarstranda bestudeerde de restanten en streek met zijn vingers over het metaal. Hij hoorde Frølich achter hem en rook een zwakke alcoholgeur.

'De dader moet minstens een breekijzer hebben gebruikt,' zei Frølich.

Ze liepen door de donkere poort. De deur naar het trappenhuis leek helemaal niet beschadigd te zijn. Merkwaardig, dacht Gunnarstranda en hij bleef staan.

'Het kan natuurlijk zijn dat de deur open was,' suggereerde de man achter hem. 'Het hek is opengebroken, maar de huisdeur was misschien nog open.'

'Hm.'

Gunnarstranda draaide zich om en liep terug naar de poort. Hij duwde het hek zo ver open dat het tegen de muur stootte.

'Hm,' herhaalde hij en hij voelde met zijn vingers langs de muur. Op de muur voelde hij een barst.

Frølich reageerde. Hij liep snel naar de auto en keerde terug met een zaklamp. Hij scheen op de muur, waar je de beschadiging op het pleisterwerk kon zien. Hij duwde het hek weer helemaal open. Het slot viel precies in de barst.

'Die barst is niet door langdurige slijtage ontstaan,' stelde Frølich vast. 'Dan waren er alleen krassen te zien geweest. Deze beschadiging komt door een harde klap.'

Gunnarstranda was het met hem eens. 'Je bedoelt dat iemand het slot kapotgeslagen heeft en daarbij de muur als onderlaag heeft gebruikt?'

'Daar lijkt het wel op.'

Gunnarstranda gaf niet direct antwoord. Hij streek over zijn lippen en bedacht dat het niet per se zo hoefde te zijn. Het hek kon ook tegen de muur geslagen zijn toen het slot kapotsprong. Het slot kon de barst ook op dat moment veroorzaakt hebben. Het resultaat zou hetzelfde zijn geweest. Hij hoorde Frølichs stem: 'Onze jongens moeten er maar eens naar kijken.'

Gunnarstranda knikte, opende de deur en liep als eerste de trap op. De deur van de flat was met een breekijzer opengebroken. Het hele kozijn was beschadigd. De witte spaanders lichtten op, zodat het leek alsof er verf op het kozijn was gemorst.

De flat was nauwelijks herkenbaar. Ook de eerste keer hadden er overal boeken en papieren in het rond gelegen, maar nu was het nog erger. De matras was helemaal opengesneden en was daarna tegen de muur gezet. De inhoud lag over de hele vloer verspreid. Het dekbed en het kussen hadden hetzelfde lot ondergaan. De vloer lag vol witte en bruine veren die uit het beddengoed afkomstig waren. De kastdeuren stonden open en de inhoud van de kasten lag op de vloer.

Iemand had systematisch de hele flat doorzocht.

Gunnarstranda moest zich inhouden om niet te vloeken. 'Hier is iemand grondig aan het werk geweest,' mompelde hij. Hij liep naar het raam en trok het gordijn opzij. De huizen waren in duisternis gehuld, op één na. Schuin boven, aan de andere kant van de straat, brandde achter twee ramen een geel licht.

Frølich veegde met zijn hand over zijn voorhoofd.

'Ik denk dat het tijd wordt om weer een praatje te maken met Arvid Johansen,' zei Gunnarstranda zacht en hij liet het gordijn weer los.

Ze liepen snel de trappen af. Buiten was het harder gaan regenen. Het water stroomde door de goot.

Gunnarstranda sloeg de kraag van zijn jas op en liep snel de straat over. Met grote stappen nam hij de trap. Frølich liep vlak achter hem.

Hij belde aan bij Johansen.

Niemand deed open.

Frølich stond met zijn oor tegen het raampje van de ouderwetse dubbele deur. 'Alles is stil binnen,' fluisterde hij. 'Misschien heeft hij ons gezien?'

Gunnarstranda belde nog een keer. Hij sloeg met zijn vuist op de deur. Er gebeurde niets. Nog een keer. Drie harde dreunen weerklonken in het stille trappenhuis. Geen reactie.

Frank Frølich tilde zijn rechterbeen op en trapte de deur in. De bout waarmee het slot was vastgeschroefd, brak als een stukje krijt doormidden. Beide deuren vlogen met een klap open.

Ze bleven allebei doodstil staan.

Door een deur viel licht in de hal. De badkamer. Verder was het donker.

Gunnarstranda ging als eerste naar binnen. Hij deed het licht in de kamer aan. De stoel was leeg. De bank was leeg. De badkamer was leeg. Johansens flat was leeg.

Ze doorzochten de flat vluchtig. Openden willekeurige kasten die propvol zaten met dezelfde rotzooi die ze er bij het onderzoek van de flat ook al uit hadden getrokken.

Op het aanrecht lagen een half brood en een halfleeg blikje leverpastei met langs de rand een donkere, harde korst. Een gevlekte koffiekan stond halfvol zwarte koffie. In de koelkast stond een pak kefir dat over de datum was. Twee flesjes bier stonden in de deur, samen met een halfvolle fles levertraan. Op het bovenste rek lag een stuk gezouten spek, in plastic verpakt, samen met een zak aardappelen.

Boven op de koelkast lagen een paar blauwe doktersrecepten, een aantal onbetaalde rekeningen en een nog niet geïnde cheque van de Sociale Dienst, waaruit bleek dat Johansen het niet al te breed had.

Midden op de keukentafel lag Johansens portefeuille. Dik, bruin, versleten leer. Gunnarstranda pakte hem op en woog hem in zijn hand. Hij maakte hem open. In een van de vakken zat een harde identiteitskaart. Op de kaart zat een foto van Johansen met een overhemd aan en een stropdas voor. De wallen onder zijn ogen vielen minder op dan in werkelijkheid. Uit de kaart bleek dat hij vijf jaar geleden met pensioen was gegaan.

De hoofdinspecteur wierp nog een korte blik op de foto voor hij het pak papier eruit haalde dat de portefeuille zo dik maakte. Een pak zo stijf als een briket. Het was blauw-wit van kleur, met rode en paarse schakeringen. Een enorme stapel briefjes van duizend kronen. Het bandje van de bank zat er nog om.

'Of hij is bezig iets uit te halen,' zei Frølich vanaf de bank, 'of er is iets met hem gebeurd.'

'Ik ben bang dat er iets met hem gebeurd is,' antwoordde Gunnarstranda. Hij pakte een doorzichtige plastic zak uit zijn jaszak. 'We moeten maar voorzichtig zijn.'

Hij stopte de bankbiljetten in de plastic zak. 'In de flat van Reidun vinden we vast geen vingerafdrukken.'

'Dat geld lag er donderdag nog niet!' zei Frølich. Hij was opgestaan en bestudeerde de inhoud van de zak.

'De portefeuille ook niet,' antwoordde Gunnarstranda en hij streek in gedachten met zijn vinger over zijn lippen. 'Hij kan het geld dus ook in zijn zak hebben gehad.'

# 40

De beide rechercheurs waren terug op het bureau. Het was nog vroeg in de ochtend en de afdeling was nog helemaal uitgestorven. Zij waren de enigen die door de gang liepen. Frank Frølich leunde vermoeid tegen de muur en keek naar Gunnarstranda, die in zijn zakken stond te zoeken naar zijn sleutels. Ten slotte had hij geen zin om nog langer te wachten en draaide hij de deur zelf van het slot. Hij liep als eerste naar binnen, plofte neer in een draaistoel, draaide rond en pakte twee kopjes van de vensterbank. Hij onderdrukte een geeuw.

'Ik vraag me toch echt af wat die inbreker heeft gezocht,' verwonderde Gunnarstranda zich. Hij zat op de bank terwijl Frank bezig was om koffie te maken.

'Er zit een patroon in,' verklaarde de hoofdinspecteur ontevreden. 'Drie weken geleden heeft iemand bij Software Partners ingebroken. Alles werd overhoopgehaald, maar klaarblijkelijk werd er niets gestolen. In de nacht van de moord heeft iemand Reidun Rosendals flat doorzocht, maar er werd niets van waarde gestolen. En vannacht is er nog eens iemand systematisch de hele flat door gegaan. Ik durf te wedden dat het dezelfde dader was.'

'Hm,' gaf Frølich traag toe. Hij zette zijn voeten op de vloer, draaide rond en bekeek zichzelf in het raam. Hij zag een rimpel ontstaan tussen zijn neus en zijn voorhoofd. 'Eigenlijk komt die hele inbraak mij merkwaardig voor,' barstte hij uit en het lukte hem niet langer zijn geeuw te onderdrukken. 'Ik zie het verband niet met de moord. Ik zie niet in waarom er eerst bij Software Partners is ingebroken en later bij Reidun. En ik snap al helemaal niet waarom zij moest worden vermoord.'

'Ze is niet vanwege die inbraak vermoord,' antwoordde de hoofdinspecteur bedachtzaam. Zijn gedachten bleven verborgen achter zijn vermoeide ogen.

Het werd stil in de kamer. Het koffiezetapparaat pruttelde. Gunnarstranda stond op, tilde ongeduldig de deksel op en keek naar de bruine vloeistof, die nog niet helemaal door het filter was gelopen.

Hij kan niet wachten, dacht Frank. En dat klopte. Gunnarstranda schonk voor zichzelf een kop koffie in. Hij vloekte hardop toen hij koffie over zijn hand kreeg en zijn vingers verbrandde. Hij veegde zijn hand aan zijn jas af en slurpte van de koffie. Hij ging weer zitten, blies in zijn koffie en nam nog een slok. Zijn kleine hoofd verdween bijna achter de grote kop. Alleen zijn kale schedel met de haarlok die eroverheen was gekamd en de rimpelige oren staken buiten de kop uit.

Hij keek op. Nu met een heldere blik. Hij zette zijn koffiekop met een klap op tafel. 'Laten we de dingen stuk voor stuk doornemen,' stelde hij voor. 'Niemand is bij haar in de moordnacht door het raam naar binnen geklommen. Dat staat vast. En Sigurd Klavestad durfde te zweren dat ze de deur op slot had gedraaid toen hij wegging. Maar Mia Bjerke ontdekte dat de deur openstond. De deur had geen snapslot, maar moest van buitenaf met een sleutel en van binnenuit met een draaiknop worden afgesloten. Hoe is de dief dan binnengekomen?'

'Zij heeft hem binnengelaten.'

'Of hij had een sleutel.'

Frank protesteerde. 'Reidun zou nooit van haar levensdagen de sleutel van haar flat uit handen geven.'

'Niet?' vroeg de ander verbaasd. 'Waarom niet?'

'Dat weet ik gewoon.'

Frank leunde naar voren. 'Daar was ze het type niet voor,' zei hij rustig. 'Ik stel me een vrouw voor die andere mensen op een afstand hield, die deed wat ze zelf wilde. Voor haar was het vooral belangrijk dat ze de dingen onder controle had. Zij was de enige die haar leven kon bepalen.'

Hij ging weer rechtop zitten. 'We hebben net ontdekt dat er ingebroken is. Waarom zou de moordenaar in de moordnacht wel een sleutel hebben gehad en nu niet?'

Gunnarstranda knikte langzaam.

'Niemand is in de nacht van de moord met een sleutel binnengekomen,' constateerde Frank met grote stelligheid.

Gunnarstranda's ogen lichtten op. 'Laten we ervan uitgaan dat je gelijk hebt. Er is niemand met een sleutel binnengekomen. We weten dat ze de deur achter Sigurd Klavestad heeft afgesloten. Toen Sigurd wegging, hadden ze nog maar een paar uur geslapen. Ze liep naar het raam en trok het gordijn dicht, zoals Johansen zei. Daarna ging ze weer naar bed. Sigurd vertelde Kristin Sommerstedt dat bij Reidun de telefoon ging vlak voordat hij wegging. Het was een anoniem telefoontje. Niemand meldde zich. Laten we ervan uitgaan dat de moordenaar heeft gebeld.'

Gunnarstranda pauzeerde even, stond op en keek uit over de stad waar nu een grijze schemering boven hing.

'Het lukte Sigurd Klavestad eerst niet de binnenplaats te verlaten,' ging hij verder terwijl hij over de stad bleef uitkijken. 'Het duurde even voor hij over de schuttingen was geklommen, en dat wordt bevestigd door Johansen. Reidun Rosendal ging weer naar bed, misschien viel ze weer in slaap. We weten in elk geval dat er wat tijd verliep. Sigurd beweerde dat het hooguit tien minuten duurde.'

Automatisch keek Frank even op zijn horloge. Het was halfzes. Hij zond een gedachte naar Eva-Britt, die thuis in zijn bed lag te slapen. Tegen de tijd dat hij hier klaar zou zijn, was zij vast al naar huis gegaan, naar Julie. Waarschijnlijk was ze boos op hem. Dus moest hij haar daarna weer bellen om een afspraak te maken voor bijvoorbeeld een ochtendwandeling, om het weer goed te maken.

'Uiteindelijk lukt het Sigurd om over de schutting te klimmen en op straat te komen,' klonk Gunnarstranda's stem van bij het raam.

'Hm.'

Gunnarstranda knikte voor zich uit en draaide zich toen naar Frank om. 'Ik denk dat de oude man de moordenaar ook heeft gezien,' concludeerde hij. 'De man wilde eerst ook niet toegeven dat hij het stel in de taxi had gezien toen Sigurd Klavestad naar huis ging. Die beide hippies, die het hek en de deur naar het trappenhuis open lieten staan. Johansen zweeg tot wij hem uiteindelijk onder druk zetten. Dus moet hij de moordenaar ook hebben gezien. Daarom behandelde hij ons zo uit de hoogte. Hij speelde een spelletje met ons, wist wat wij wilden weten en zweeg daarover. Hij was heel erg tevreden met zichzelf. Omdat hij Klavestad was gevolgd, wist wie hij was en waar hij woonde.'

Gunnarstranda glimlachte kil. 'Die informatie heeft hij geruild tegen een flinke stapel bankbiljetten. Hij heeft de moordenaar gezien en hij wist wie het was! Je hebt zelf gezien hoe opgewonden hij was toen hij hoorde dat Klavestad was vermoord. Als Johansen Klavestads naam en adres aan de moordenaar heeft verkocht, dan is het niet vreemd dat hij de zenuwen kreeg toen wij hem onder druk zetten.'

'Hm,' zei Frølich nadenkend. 'Hoe heeft Johansen na de moord de moordenaar gevonden?'

Gunnarstranda haalde zijn schouders op. Opeens werd hij onzeker. 'Moeilijk te zeggen,' meende hij en hij schudde de onzekerheid van zich af. 'We weten dat hij Reidun al meer dan een jaar in de gaten hield. Hij moet iedereen gezien hebben die bij haar op bezoek is geweest. Daar zit een mogelijkheid. Hij heeft de moordenaar herkend en hij wist wie het was.'

Het beviel Frølich niet dat Gunnarstranda onzeker was. 'Twijfelachtig,' beweerde hij. 'Er moet een betere verklaring zijn.'

'Misschien. Maar laten we hier voorlopig eens van uitgaan.'

De hoofdinspecteur draaide zich weer naar de stad toe. 'We weten dat Sigurd Klavestad de moordenaar bij de poort is tegengekomen. Daarom ligt hij nu bij Schwenke op de tafel. Hij heeft degene gezien die naar Reidun toe is gegaan en haar heeft vermoord.'

Frank sloot zijn ogen. Opende ze weer. Hij trok de tas die op tafel lag naar zich toe en pakte de zak met bankbiljetten eruit. Hij hield de zak tegen het licht, liet hem voor zijn gezicht schommelen.

'Zou die oude sufferd zoiets doms proberen?'

Gunnarstranda keek hem aan. 'Heb jij een beter voorstel?'

Frank schraapte zijn keel. 'De hardloper, die blaaskaak die een etage hoger woont. We kunnen hem wat meer onder druk zetten en uitvinden of hij echt zo weinig weet als hij zegt.'

Gunnarstranda trok zijn neus op. 'Bjerke,' mompelde hij in gedachten. Hij knikte. 'De man heeft inderdaad maar heel weinig gezien tijdens zijn rondje hardlopen.'

Hij glimlachte even. 'Het zal interessant zijn om te horen wat hij te zeggen heeft over de inbraak van vannacht.'

Zijn glimlach verbreedde zich tot een grote grijns. 'Goed idee, Frølich!'

Hij pakte de telefoon. 'Zullen we eens een paar van onze jongens naar Bjerke toe sturen om zijn ochtendloop te versjteren?'

Gunnarstranda nam de hoorn van de haak, belde en gaf de nodige aanwijzingen. Daarna leunde hij achterover in zijn stoel, met zijn koffiekop in zijn hand. 'Dat is dan dat,' zei hij zacht. Hij bracht de kop naar zijn mond, maar zette hem snel weer neer. Zijn mond vertrok na een slok koude koffie. Hij stak een sigaret op en blies een blauwe rookwolk uit.

Die geuren zal ik nooit vergeten, dacht Frank en hij sloot zijn ogen. Rook, koffie en Aqua Velva, de aftershave van zijn chef. De nachtelijke geuren in deze kamer.

'Toch zijn er nog veel dingen onduidelijk,' ging Gunnarstranda bedachtzaam verder. 'Maar laten we eerst kijken naar wat we wel weten. De moordenaar ...' begon hij. 'De persoon die Klavestad tegenkwam en door Johansen werd gezien, liep de binnenplaats op. Het hek was open. De freaks van de bovenste verdieping met de verlepte cannabisplanten op de vensterbank hadden het opengelaten. De moordenaar liep de trap op en belde bij Reidun aan.'

Gunnarstranda pauzeerde even. Frank haalde diep adem en nam het van hem over: 'Reidun dacht dat Sigurd terugkwam!'

'Waarschijnlijk,' stemde Gunnarstranda knikkend in. 'Ze stond op, liep naar de deur ...'

Hij zweeg.

Geen van beiden zei iets. Frank stond op, liep met de koffiekan naar de wasbak en vulde hem met water voor nieuwe koffie. Gunnarstranda leunde met zijn ellebogen op tafel. Hij staarde leeg voor zich uit, pafte aan zijn sigaret zonder hem uit zijn mond te nemen.

Voor de tweede keer bleef hij zitten luisteren naar het gepruttel van het koffiezetapparaat.

'Maar vanaf dat moment moeten we voorzichtig zijn,' mompelde Gunnarstranda voor zichzelf.

'We weten dat het mes van Reidun was,' stelde Frank vast.

De ander knikte.

'De moordenaar heeft het wapen dus niet meegenomen.'

Gunnarstranda knikte langzaam. 'Dat is belangrijk,' zei hij. 'Geen wapen.'

Hij doofde zijn sigaret, balde beide vuisten en zette ze onder zijn kin. Met zijn ellebogen op tafel liet hij zijn hoofd op zijn handen rusten. 'Ze opende de deur op een kiertje,' zei hij zacht. 'Omdat ze geen kleren aanhad. Ze dacht dat Sigurd terugkwam, maar toen stond er iemand anders.'

'Ze kende hem,' zei Frank. 'Hij was niet gewapend.'

'Ja,' knikte de ander. 'Ze kende de moordenaar. De moord was niet gepland, maar werd in een opwelling gepleegd. De moordenaar is om de een of andere reden geëxplodeerd. Maar hoe goed kende ze hem? Laten we zeggen dat jij daar had gestaan.'

'Dan had ze gevraagd wat ik in vredesnaam wilde.'

'En jij had gezegd dat je met haar wilde praten.'

'Vertel het dan maar, had ze gezegd.'

'En dan zou jij vragen of je binnen mocht komen.'

'Dan zou ze gezegd hebben dat ik op kon donderen. Maar als ik haar had gekend, had ze waarschijnlijk de deur voor mijn neus dichtgedaan en me in het trappenhuis laten wachten tot ze zich had aangekleed.'

'Zou kunnen,' stelde Gunnarstranda vast. Hij boog zijn hoofd. 'Zo zou het gebeurd kunnen zijn,' herhaalde hij zacht. 'Maar ze trok alleen een ochtendjas aan, zonder ceintuur, verder niets.'

Frank legde een voet op de rand van het bureau. 'Zo zou het gegaan kunnen zijn, tot het moment waarop ze de deur wilde dichtdoen!' Hij vocht weer tegen een geeuw, en verloor de strijd met een zachte klik van zijn kaak. 'Maar de persoon die buiten stond, gaf haar geen kans de deur te sluiten. Hij duwde de deur open en stapte naar binnen, voor ze ook maar kon reageren.'

'Maar dat klopt helemaal niet!'

Gunnarstranda stond op met zijn koffiekop, spoelde de koude troep door de wasbak, liep terug en schonk zijn kop weer vol uit de kan vers-gezette koffie. 'Als de moordenaar is binnengedrongen,' redeneerde hij, 'moet dat gebeurd zijn ruim voordat de moord werd gepleegd! Ze heeft tenslotte nog een ochtendjas aangetrokken. En hij moet ook de tijd hebben gehad om het mes, het moordwapen te vinden. En omdat hij ongewapend was gekomen, moet hij zo woedend geworden zijn dat hij in een opwelling het mes heeft gepakt en haar heeft omgebracht. Dat kost tijd! Bovendien heeft hij de flat helemaal overhoopgehaald. Dat kost ook tijd! En al die tijd heeft niemand van de buren ook maar het minste geluid gehoord. Hier klopt iets helemaal niet!'

Hij sloeg met zijn vuist op het tafelblad en wreef daarna over zijn hand. Hij had te hard geslagen.

'Goed,' zei Frank diplomatiek. 'We laten dit even voor wat het is en gaan met het volgende punt verder. We gaan ervan uit dat Sigurd Kla-vestad de moordenaar buiten heeft gezien. Daarom moest hij sterven. Maar waarom zou de moordenaar in vredesnaam iets van hem te vre-zen hebben?'

'Omdat Sigurd de moordenaar nóg een keer heeft gezien.'

'Waar?'

'Bij Software Partners, toen hij op zoek was naar iemand om zijn ver-driet mee te delen en bij Kristin Sommerstedt op bezoek ging.'

Frank floot. 'Als Sigurd is vermoord omdat hij de moordenaar bij Software Partners heeft herkend, dan moet het dus iemand zijn die iets met dat bedrijf te maken heeft. Voor zover wij weten had Reidun een goed contact met de meeste mensen daar. Waarschijnlijk zouden bij haar geen alarmbellen gaan rinkelen als iemand van hen op de stoep zou staan.'

Gunnarstranda knikte en zuchtte.

Frank glimlachte even. 'We weten dus dat de moordenaar iets te maken had met Software Partners,' zei Frank en hij kon zijn lachen niet inhouden. 'Waarom moest hij dan in vredesnaam bij dat bedrijf gaan inbreken?'

'Ja,' brulde Gunnarstranda. 'Natuurlijk!'

Hij sprong op. Zijn lippen trilden en hij streek nerveus met zijn lange vingers over zijn kale schedel. 'Zo moet het zitten,' fluisterde hij opge-wonden.

Frank kon hem niet meer volgen. 'Wat moet?' vroeg hij ongeduldig.

'Je hebt gelijk!'

Gunnarstranda fluisterde nog steeds. Zijn ogen schoten nerveus heen en weer. 'De inbreker werkt daar niet. Alleen de moordenaar!'

Frank begreep er niets van.

'Gebruik je verstand, Frølich!'

Gunnarstranda ging weer zitten en stak zijn sigaret bijna naast zijn mond, maar toen hij zijn aansteker pakte, waren zijn handen rustig en stonden zijn ogen koud en triomfantelijk. 'Het zijn natuurlijk twee verschillende personen.'

Hij grijnsde met slecht verborgen zelfingenomenheid. Hij stak zijn sigaret aan, leunde achterover en begon aan zijn resumé: 'Veertien dagen geleden werd er ingebroken bij Software Partners. Maar de inbreker vond niet wat hij zocht. Twee weken later ontmoet Reidun in Scarlet een man. We weten dat daar regelmatig computerlui over de vloer komen. Ze neemt Sigurd mee naar huis en ze gaan met elkaar naar bed. 's Morgens vroeg vertrekt hij. Daarna komt de moordenaar en praat met Reidun over iets wat heel belangrijk voor hem is. Het tijdstip duidt daarop. Als je 's zondags, 's ochtends om zes uur, bij iemand op bezoek gaat, moet je erg opgewonden zijn. Omdat Reidun haar bezoeker zonder kleren aan haar lijf ontvangt, was zij waarschijnlijk niet bijzonder geïnteresseerd. Ze is moe en wacht alleen maar tot haar bezoeker weer zal vertrekken. Uiteindelijk pakt hij een mes dat op tafel ligt en steekt het uit pure woede in haar borst. Daarna gaat de moordenaar ervandoor en denkt er niet aan de deur goed af te sluiten.'

Gunnarstranda stond op.

'Later komt de inbreker, die ook de inbraak bij Software Partners al op zijn geweten heeft. De deur is open en hij kan gewoon naar binnen wandelen.'

De kleine man ging weer zitten. 'Om de een of andere reden denkt hij dat wat hij zoekt, bij Reidun te vinden is. Hij ziet haar dood op de vloer liggen, maar maakt zich daar eerst niet druk over. Hij begint te zoeken, maar raakt dan in paniek. Het is inmiddels in de loop van de morgen, maar Mia Bjerke is nog niet terug van haar ochtendwandeling met man en kind en is nog niet begonnen aan de schoonmaak van het trappenhuis. De dief gaat ervandoor zonder dat hij iets heeft gevonden, maar hij heeft ook niet grondig genoeg gezocht. Hij voelt zich erg wanhopig en wil nog een keer terug. Dat heeft hij vannacht gedaan. Het lijk is weg en hij voelt zich veilig. Alles is een beetje tot rust gekomen en hij kan in alle rust inbreken en urenlang ongestoord zoeken.'

'Het is mij allemaal té toevallig,' zei Frank. 'Geef mij één reden waarom die inbreker juist op die morgen, als zij dood in haar flat ligt, bij Reidun op de stoep staat.'

'Ik kan je er wel meer geven,' glimlachte de andere man. 'Ze kan zelfs een afspraak met hem hebben gehad. Of er is een verband tussen de inbreker en de moordenaar. Misschien is hij hem wel gevolgd. Er zijn meer mogelijkheden. Maar dat is niet het belangrijkste.'

Hij glimlachte. 'We moeten uitvinden waar hij naar gezocht heeft, dat is voor ons het belangrijkste. Dan slaan wij toe!'

Frank keek hem aan. De oudere politieman met zijn sigaret en kop koffie had blauwgekleurde wallen onder zijn ogen. Zijn haarlok lag ongedisciplineerd over zijn schedel, zijn jas was gekreukt en zijn gezicht had een grauwe kleur onder zijn grijze baardstoppels.

Juist, dacht hij, dan slaan wij toe!

Hij draaide zijn hoofd om en zag dat het buiten al dag was geworden. De lucht boven de daken van Grønlandsleiret was blauw.

# 41

Frank voelde zich wel wat beter, maar allesbehalve in topvorm toen hij later die dag de glazen deur opende en bij Scarlet naar binnen wandelde. Het was stil in de halfdonkere club. De stoelen stonden omgekeerd op tafel, er hing een zoete geur van verschaald bier en sigaretten.

Hij liep de ruimte door, over de kleine dansvloer waar Terje Engelsviken zichzelf een paar uur eerder een afstraffing had gegeven, naar de bruine bar voor de enorme wand met flessen. Achter de bar voerden twee klapdeurtjes naar de keuken. Daar hoorde hij iemand rommelen.

'Hallo!' riep hij.

Er verscheen een man in de deuropening. Hij bleef tegen een van de klapdeurtjes leunen, met een vragende en afwijzende blik op zijn ronde, ongeschoren gezicht.

'Ik ben op zoek naar de eigenaar.'

'Dat ben ik.'

'Politie.'

Frølich liet zijn legitimatie zien. De man kwam uit de deuropening naar de bar toe. Hij bekeek de legitimatie. Zijn gezicht stond ernstig.

'Wat is er aan de hand?'

De politieman pakte een stoel van een van de tafeltjes en ging zitten. 'Het gaat om een van uw gasten,' zei hij achteloos en hij keek naar de man, die een bierglas uit een van de plastic bakken achter de bar pakte. Hij tapte bier in het glas en schepte steeds het witte schuim eruit dat uit de kraan stroomde. Een gewone man. Blauw, gebreid vest over een effen blauw overhemd. Een jaar of vijftig. Een beetje pafferig, rond restaurantgezicht met wallen onder de ogen die uitdrukkingsloos naar het glas staarden totdat de inhoud bruin en helder van kleur was. 'Ook een glas?' vroeg hij, zich concentrerend op zijn werk.

Frank aarzelde. 'Nee, dank u.'

De man pakte een pakje sigaretten en een doosje lucifers uit de borstzak van zijn overhemd. Hij legde alles op een dienblad en ging bij de politieman aan het tafeltje zitten. Hij opende het pakje sigaretten en stak een sigaret op die naar sigaar rook.

'Terje Engelsviken!'

De man knikte. 'Die kennen we,' antwoordde hij en hij legde het ene been over het andere. 'We noemen hem de Keizer. Hij is royaal met fooien,' verklaarde hij.

'Zaterdag 13 april.'

De man dacht na. 'Momentje.'

Hij legde zijn sigaret in de asbak, stond op en verdween.

Na vier minuten doofde de sigaret. Nog twee minuten later kwam de man terug met een kwitantie. 'Deze is gedateerd op 15 april,' zei hij en hij ging weer zitten. 'Dat betekent dat Engelsviken hier die zaterdag is geweest. Het is een kwitantie van een nieuwe ruit. We moesten er een vervangen.'

Frank Frølich fronste vragend zijn voorhoofd.

'Hij trapte door het glas heen,' verklaarde de man met een droge glimlach en hij wees over zijn schouder naar de glazen deur. 'Duur zaakje.'

'Hoe laat was hij hier?'

'Meestal komt hij om een uur of elf. Hij heeft een kaart en kan direct doorlopen. Hij hoeft niet in de rij te wachten.'

'En die zaterdag?'

De man ondersteunde zijn kin met zijn hand, waarmee hij weer een sigaret vasthield. Hij dacht na. Hij nam een laatste trek en doofde de sigaret in de asbak. 'Ik was hier om twaalf uur, dus ik kan niet zeggen hoe laat. Hij was hier al toen ik kwam.'

'Viel hij om de een of andere reden op?'

De man keek hem aan. Zijn ogen stonden plotseling uitdrukkingsloos. 'Waar gaat het over?'

De politieman gaf geen antwoord.

'Engelsviken is voor mij gewoon een goede klant,' ging de man verder. Hij dronk zijn glas leeg en klakte met zijn tong. 'Persoonlijk heb ik niets met hem.'

'Dat Terje Engelsviken hier die zaterdag is geweest, heeft hij zelf gezegd,' loog Frank terwijl hij de ander strak aankeek. 'U moet het zo zien: uw uitspraak bevestigt iets wat wij al weten. Maar ik wil graag uw versie van de gebeurtenissen horen.'

De man knikte. 'Het was net als anders,' zei hij terwijl hij een lucifer doormidden brak. Met de scherpste punt begon hij tussen zijn tanden te peuteren. 'Hij ging nogal tekeer.'

'Met wie was hij?'

'Weet ik niet. Hij hangt bij iedereen rond. Voelt zich op z'n gemak, kent mensen. Soms komt hij samen met iemand, maar ...'

Hij viste iets uit zijn mond en keek ernaar. 'Ik weet het niet. De Keizer spuugt er niet in, om het netjes te zeggen. En die avond had hij ook weer het nodige gedronken.'

'Meer dan normaal?'

'Misschien. Maar dat is moeilijk te zeggen.'

'Zegt de naam Øyvind Bregård u iets?'

'Nee.'

'Grote kerel, type bodybuilder, blond haar, ring in zijn oor en een enorme snor die hij in punten draait.'

De ander knikte en beet op de lucifer. 'De man met de snor. Die kennen we. Vriendje van Engelsviken.'

'Precies. Was hij die zaterdag ook hier?'

De man rolde het luciferhoutje door zijn mond heen en weer. 'Weet ik niet,' zei hij uiteindelijk. 'Hij is mij in elk geval niet opgevallen.'

Frank zocht in zijn binnenzak. Hij gaf de man de foto van Reidun Rosendal. 'Hebt u haar ook gezien?'

De man bestudeerde de foto. Hij hield zijn hoofd scheef. Hij wreef even over de bruine vlek die de foto een beetje onduidelijk maakte. Hij gaf het op. 'Moeilijk te zeggen,' mompelde hij. 'Ze ziet er heel gewoon uit, hè?'

'Ze was die zaterdag hier.'

De man keek Frank afwachtend aan.

'Ze is waarschijnlijk tussen halftwaalf en halfeen vertrokken. Samen met een slanke man, een jaar of 25. Zijn haar waarschijnlijk in een paardenstaart. Goed gekleed. Een beetje een kunstenaarstype, zwarte kleren en zijn neus in de lucht.'

De man knikte. 'Dat kan kloppen,' mompelde hij. Hij boog zijn hoofd achterover en wreef over de baardstoppels op zijn hals. 'Het tijdstip kan kloppen.'

'Hoe bedoelt u?'

'Ik kwam om een uur of twaalf. Er stond een lange rij. Er gingen maar weinig mensen weg. Even later was hier de beer los. De Keizer zocht ruzie. Ik heb even gekeken hoe het ging, maar toen werd het alweer rustig. Engelsviken zat aan de bar en riep iets tegen een man met lang haar die met een mooie blonde vrouw vertrok.'

'Wat was dat voor man?'

'Beetje verwaand type, zoals u hem beschreef. Lang, zwart haar.'

'Paardenstaart?'

'Nee.'

'En Engelsviken zat alleen maar te schreeuwen? Was dat alles?'

'Ja. De man stak zijn vinger op en is met de vrouw vertrokken.'

'Kan het zijn dat zij het was?'

De man keek weer naar de foto. 'Zou kunnen. Ik zag vooral haar achterste. Maar dat zouden wel haar billen kunnen zijn.'

'Was het een lange vrouw?'

'Ja, lange benen, zwarte, nauwzittende kleding, minirok.'

'Hoe lang?'

'Rond één meter vijfenzeventig.'

'Hoe was haar haar?'

'Blond.'

'Ik bedoel, had ze permanent of zoiets?'

De man keek naar de foto van Reidun met permanentkrullen.

'Nee,' concludeerde hij. 'Ze had een dikke bos blond haar. Bij de oren recht afgeknipt.'

Reidun! Frank schraapte zijn keel. 'Zeker weten?'

'Ja, daarom kan ik het me herinneren. Het was een mooie vrouw, sexy, met dat korte haar en dat figuur!'

'Wat riep Engelsviken?'

'Geen idee. Hij schold hen uit!'

'En toen?'

'Niets, toen werd alles weer rustig. Iemand heeft zich op Engelsviken gestort om hem weer in een goed humeur te brengen. De vrouw was weg.'

'Maar Engelsviken bleef zitten?'

'Ja!'

'En toen?'

De man glimlachte even en veegde over zijn mond.

'Dan kom ik op de kwitantie! Engelsviken bleef tot halfvier doorzakken. Toen we wilden sluiten, was hij in slaap gevallen. Hij leek wel bewusteloos. De jongens moesten hem naar buiten dragen. Dat gebeurt wel vaker.'

De man glimlachte verontschuldigend. 'Niet al te vaak, maar af en toe zijn er gasten die iets te veel drinken. Meestal zetten we hen dan in een taxi. Maar deze keer ging het fout.'

Hij wees weer over zijn schouder naar de deur. 'Toen ze hem door de deur naar buiten brachten, ging hij helemaal door het lint. Hij verzette zich uit alle macht en met een paar trappen had hij dwars door de deur geschopt.'

Hij zuchtte. 'Leuk hoor! Halfvier 's nachts en dan de deur kapot.'

'En toen?'

De man bestudeerde een nieuwe vangst met het luciferhoutje. Stopte het weer in zijn mond. 'Toen had ik waarschijnlijk uw collega's moeten bellen,' concludeerde hij. 'De politie.'

Hij beet op het luciferhoutje. 'Maar in plaats daarvan belde ik zijn vrouw. Ze kwam hierheen in een dikke Mercedes en betaalde vierduizend kronen voor de ruit, zonder morren.'

'Ik was gisteravond hier,' zei Frank afwezig.

'Ik hoop dat het gezellig was.'

'O, jawel,' zei de politieman knikkend. Hij vermande zich. 'Engelsviken was er ook.'

De ander gaf niet direct antwoord. 'Ik was hier in elk geval niet,' antwoordde hij onverschillig. Hij dronk zijn glas leeg.

'Engelsviken stond alleen op de dansvloer en sloeg zichzelf in zijn gezicht,' zei de politieman.

De ander staarde naar het lege glas in zijn hand.

'Hebt u hem dat wel vaker zien doen?'

'Nooit.'

'Waarom zou hij zichzelf zo vaak in zijn gezicht slaan?' vroeg de politieman verbaasd.

De ander grijnsde scheef. 'Misschien was hij kwaad op iemand.'

'Dat moet dan op zichzelf zijn geweest.'

De eigenaar zette zijn glas op tafel en stond op.

'Waarschijnlijk wel,' stemde hij in. Hij nam Franks hand aan en liep met hem mee naar de deur.

Frank bleef in gedachten voor de dubbele deuren staan kijken naar een rode, verroeste vuilcontainer. Hij dacht aan een man met lang haar die op een zaterdagavond, even na twaalf uur zijn vinger opstak naar Engelsviken. Arvid Johansen had Sigurd en Reidun om halfeen thuis zien komen. Reidun met haar korte, dikke haar, ongeveer één meter vijfenzeventig lang. Het kon kloppen.

Hij draaide zich om. Bij de bar was de eigenaar inmiddels bezig een nieuw glas bier voor zichzelf te tappen. Frank rukte zich los en liep terug naar de auto. Het was zaterdag en hij wilde naar huis om te slapen. Heerlijk onder een warm dekbed, dacht hij, een stripboek van Asterix om mee in slaap te vallen en net zo lang blijven liggen totdat hij vanmiddag vanzelf wakker zou worden en zin zou hebben in een glas bier.

Hij had het nog maar net gedacht toen hij werd opgeroepen via de radio.

# 42

Op de hoek van de Markveien parkeerde hij de auto half op het trottoir. Aarzelend wandelde hij verder. Er had zich een hele groep mensen verzameld in de buurt van de middelbare school van Foss, maar ze drongen niet op. Het waren vooral jongeren die in kleine groepjes stonden te praten. Ze huiverden in de koude wind en lachten nerveus. Af en toe wierpen ze een nieuwsgierige blik in de richting van de brug over de rivier.

Enkele journalisten knikten hem toe. Frank herkende Ivar Bøgerud, een vroegere studievriend, die op de helling tegen een boom leunde. Bøgerud stond een shagje te roken en te praten met een vrouw van een van de andere kranten. Ivars middenscheiding wordt ook steeds breder, constateerde Frank en hij knikte terug. Vreemd genoeg probeerden ze de rechercheur niet onmiddellijk aan te klampen. Ze worden ook steeds wijzer, dacht Frank. Ze wachten al tot er daadwerkelijk iets te halen valt.

Hij drong naar voren. Hij voelde zich gespannen. Bijna kwam hij in botsing met Bernt Kampenhaug. Dezelfde zonnebril, dezelfde krakende radio en een enorme grijns op zijn gezicht.

'Niet direct de mooiste vis die we nu gevangen hebben, Frølich!'

Frank glimlachte beleefd terug en liep door naar het lichaam dat op het pad lag. Verderop lag een hond, ook dood. De dode man lag half onder een afdekzeil. Het was duidelijk een wat oudere man. Winterschoenen, een bruine broek en een versleten jas. De natte kleding glansde in het felle licht. Het zou Johansen kunnen zijn, maar zijn gezicht lag verborgen onder het plastic. 'Hoe ziet het eruit?' vroeg hij en hij wees naar het lichaam.

'Kunnen we nog niet zeggen.'

Kampenhaug keek met samengeknepen ogen om zich heen. 'Iemand heeft het lijk half op de wal getrokken, maar toen wij hier kwamen, was er alleen die hond.'

Hij wees met de antenne van de radio in de richting van de dode hond. Het dier was doodgeschoten. Een lange roze tong hing als een stropdas uit zijn bek. Een witte vacht en een rode wond in zijn buik. Een man met een gewatteerde jas knielde bij hem neer.

Frølich keek weer naar het lijk op de oever van de rivier. Twee zwarte, met kunststof verstevigde winterschoenen wezen naar de hemel.

'Ik vermoed dat het een getuige is, naar wie wij op zoek zijn,' mompelde hij. 'Arvid Johansen, een gepensioneerde man.'

'Dat hoorde ik al. Het valt niet mee om zijn gezicht te herkennen!'

Kampenhaug bukte zich en trok een stuk van het zeil weg. Frank wendde zich af. De ander grijnsde. Hij legde het zeil terug en kwam overeind. 'De hond heeft het onderzoek bemoeilijkt,' zei hij. Hij wendde zich tot de man bij de hond en riep op scherpe toon: 'Hoorde je dat?'

Daarna liep hij naar de man toe en duwde hem in zijn rug. 'Als je de volgende keer weer een hond koopt, hou hem dan aan de lijn!'

De man keek hem aan met een gekweld gezicht. Bril, versufte blik en een slecht gebit. Frank had hem eerder gezien, maar wist niet meer waar. Een junk. Hij was volkomen stoned. Zijn ogen zwommen in zijn gezicht. 'Klotesmeris!'

Kampenhaug bukte zich. Het gezicht van de junk weerspiegelde tegen de groene achtergrond van zijn brillenglazen. Kampenhaug glimlachte en haalde uit. De man viel in de modder. Er sijpelde een straaltje bloed uit zijn mondhoek. Frank zei niets, draaide zich om en keek over het pad en langs de helling naar het water. Niet meer dan een kilometer van Arvid Johansens huis, vast nog minder. Tien minuten lopen. Hij keek naar het bijna stilstaande water en probeerde zich voor te stellen hoe iemand hier in de rivier kon vallen. Daarna draaide hij zich om naar de toeschouwers om te zien voor welke vrouw Kampenhaug zich zo stond uit te sloven.

De overall van de machoman maakte een krakend geluid toen hij overeind kwam. De man strekte zijn benen om de stof op zijn plaats te laten glijden, kwam daarna bij Frank staan en krabde in zijn kruis.

'Neem een maat groter,' zei Frank. 'Je bent te oud om indruk te maken op de vrouwen.'

'Ze hadden geen grotere.'

De radio kraakte en Kampenhaug boog er manhaftig overheen.

Frank had haar ontdekt. Rood haar, vermoeid gezicht met groene oogschaduw op haar oogleden. Blote voeten in hooggehakte schoenen. Puntige borsten onder een strak acryltruitje met een hoge col.

Bernt kwam dichterbij. 'Die geeft melk,' fluisterde hij. 'Noors stamboekvee, Frølich!'

Kampenhaugs tanden blonken wit onder de groene glazen van zijn zonnebril. Op zijn kin en hals zaten allemaal kleine wondjes.

'Je moet nieuwe scheermesjes kopen,' antwoordde Frank. Toen hij zag dat deze gedachtesprong te groot was voor de ander, voegde hij eraan toe: 'Vraag haar naam en adres maar. Je kunt altijd zeggen dat we nog langskomen om haar verklaring op te nemen.'

'Verdomme,' fluisterde Kampenhaug en hij haalde enthousiast nog een keer zijn hand door zijn kruis.

Idioot, dacht Frank. Hij liet Kampenhaug staan, stapte over het afzetlint en wandelde langs het pad omhoog. Het was onmogelijk te zeggen of de dode hier in het water was gevallen, maar het was vast niet ver hiervandaan.

Ondanks de verwondingen in het gezicht was Frank zeker van zijn zaak. Het was Johansen. Het was ook niet zo dat de schoenen en de jas de doorslag gaven. Hij wist het gewoon. Johansen was dood en voor zover de vingerafdrukken nog leesbaar waren, zou professor Schwenke ze vergelijken met de afdrukken die in het archief waren opgeslagen. Als het niet mogelijk was, zouden ze andere medische gegevens verzamelen om uiteindelijk de identiteit van de dode vast te stellen. Maar in feite was dat niet meer dan een formaliteit. Gunnarstranda zou een rapport krijgen waarin stond dat Arvid Johansen was verdronken. Er zou in staan dat de verwondingen het gevolg konden zijn van een val of door een buitenstaander konden zijn toegebracht.

Hij keek achterom in de richting van de brug. Kampenhaug was ook over de afzetting gestapt en stond te praten met de roodharige vrouw, die haar haar naar achteren had gestreken en druk met haar hakken stond te tikken.

'Hallo, Frølich.'

Ivar Bøgerud. Boodschapper van de roddelpers. Het viel hem op dat de man hem bij zijn achternaam aansprak. Dat was nieuw.

Frank trok even met zijn schouders. 'Je moet maar even met de baas zelf praten,' zei hij, naar Kampenhaug knikkend. 'Ik weet niets.'

Bøgerud rookte. 'Uit welingelichte bron heb ik vernomen dat de politie een man heeft doodgeschoten die met zijn hond aan de wandel was.'

'Sinds wanneer check jij een goed verhaal?'

'Zondagskrant, Frølich. Omdat we de concurrentie moeten aangaan met de kerk, moeten we de naakte feiten op tafel leggen.'

Ivar Bøgerud was ontdaan van elk gevoel van humor. Hij had een beduimeld schrijfblok tevoorschijn gehaald. 'Wat werd er over de radio gemeld?'

'Dat er een oude man levenloos in het water was gevonden.'

Frank keek naar Kampenhaug, die nu de roodharige vrouw weer aan zichzelf had overgelaten. Hij liep in het rond met de radio voor zijn mond. De mouwen van zijn overall had hij opgestroopt.

Bøgerud schoot zijn sigaret weg en maakte wat aantekeningen.

'De man kan per ongeluk in het water terecht zijn gekomen, maar in dit stadium van het onderzoek kan een misdrijf ook niet worden uitgesloten.'

Ze wandelden langzaam de helling op en om de school heen.

'De politie wil natuurlijk graag in contact komen met iedereen die de afgelopen dagen iets ongewoons heeft gezien of gehoord in de buurt van de rivier op het stuk tussen de Beierbrug en Foss.'

'En het schot?'

Bøgerud hield op met schrijven.

'Geruchten. Zoals altijd.'

'Er lag ook een dode hond, Frølich!'

'Dat verhaal valt onder de ethische regels van de pers. Je weet hoe dat gaat.'

'Is de hond door de politie doodgeschoten?'

'Praat met Kampenhaug.'

Bøgerud knikte. 'Welingelichte bronnen zeggen dat er een mogelijke verdachte is gearresteerd.'

Frank dacht even na. 'We hebben contact met een hondenbezitter die zich in de buurt van de dode bevond toen hij werd gevonden. De man zal net als iedere andere getuige worden verhoord.'

'Is het normaal dat de politie getuigen tijdens het verhoor bewusteloos slaat?'

Frank zuchtte. Hij draaide zich om naar zijn auto.

'We hebben gezien wat er is gebeurd, Frølich!'

Frank opende het portier.

'Heeft de politie zich op een of ander moment bedreigd gevoeld door de hond of zijn eigenaar?'

De politieman keerde zich weer naar de journalist om. 'Ivar,' zei hij afgemat. Toen veranderde hij van gedachten: 'Bøgerud! Dit is niet mijn zaak. Ik weet niets van die hond, of het dier überhaupt is doodgeschoten of wie dat dan gedaan zou hebben! De hond is dood. Er is een oude man gevonden in de Akerselva. Meer weet ik niet. Praat met Kampenhaug. Hij leidt het onderzoek en hij weet wat er is gebeurd. Oké?'

'Je stond twee meter bij hem vandaan toen hij de eigenaar van die hond aanviel. Heb je daar niets op te zeggen?'

Frank keek Ivar strak aan. Zijn blik wilde niet wijken. Hij kneep zijn lippen stijf op elkaar. Ben ik zelf ook zo, vroeg hij zich af. Hij haalde even diep adem en stapte in de auto. Hij sloeg het portier dicht voor de neus van de journalist, die hem probeerde tegen te houden.

Hij draaide de contactsleutel om. Keek nog even naar Bøgerud, die met een camera in zijn hand stond. Ook dat nog, dacht hij vertwijfeld. Hij werd vol in zijn gezicht geflitst. Wat een klotedag! Wat een verschrikkelijke klotedag!

# 43

Het was zondagmiddag. De industriegebieden bij Tøyen en Enerhaugen lagen er verlaten bij. Zonder mensen, lawaai van machines en geluiden van metaal op metaal was het hier volkomen doods. Als een filmset na de opnames, dacht Frank.

Ze liepen gearmd door de Jens Bjelkes gate. Eva-Britt raakte er nooit over uitgepraat dat Frank bij de politie was gegaan en ze kwam er regelmatig op terug hoe vreemd ze dat vond. Ook nu had ze weer een aanleiding om het onderwerp ter sprake te brengen. Twee keer hadden ze het pad langs de rivier op en neer gelopen, tussen de Beierbrug en Foss, waar de oude aan land was gehaald. Eva-Britt hing aan Franks arm. Ze maakte lange stappen en draaide bij elke stap met haar heupen. 'Ik had nooit gedacht dat jij een smeris zou worden,' vertelde ze voor de zoveelste keer.

Ze waren onderweg naar het huis van Eva-Britt. Een van de meisjes in het collectief paste op Julie terwijl Eva-Britt en Frank een wandeling maakten en naar sporen zochten op de helling langs de Akerselva.

Frank knikte afwezig. Hij was met zijn gedachten nog bij de wandeling die ze net hadden gemaakt, over het pad tussen de beide watervallen, waar de oude man misschien in het water was gevallen. Er was tot nu toe nog niets ontdekt dat Johansens dood zou kunnen verklaren. Ook zij hadden tijdens de wandeling niets gevonden.

'Ik kan het nog steeds niet geloven,' herhaalde Eva-Britt nog een keer bedachtzaam.

'Waarom niet?' vroeg hij, om niet al te afwezig over te komen.

'Weet ik niet. Het past niet bij je.'

Ze glimlachte. 'Ik kan me ook niet voorstellen dat je mensen in elkaar zou slaan.'

Hij zuchtte.

Ze draaide met haar ogen toen ze dat hoorde. 'En ga me nu niet vertellen dat de politie geen mensen in elkaar slaat!'

Frank bromde wat en spreidde zijn armen. 'Met het werk is niets mis.

Het is net als elke andere baan. Je wilt je werk grondig doen, je wilt resultaten zien. In dat opzicht heb ik alle mogelijkheden van de wereld. Zoeken naar de moordenaar.'

Hij zweeg en merkte dat ze hem scheef aankeek. 'Het grootste probleem is het nachtwerk met nauwelijks compensatie,' voegde hij eraan toe. 'Het enige wat verschilt van andere banen is de kans om te mislukken, om blunders te maken. Dat laat je nooit los. Geen minuut.'

'Denk je aan die dode vrouw?'

Ze waren aangekomen bij de weg, waar het verkeer een stuk drukker werd. Ze moesten oversteken. Daarom bleven ze staan wachten tot het wat rustiger werd en liepen daarna snel naar de overkant.

'Je gaat de wereld op een andere manier bekijken!' riep hij boven het lawaai van het verkeer uit en hij trok haar mee, de helling op, aan de andere kant van de weg. 'Het is moeilijk te begrijpen dat je nog steeds op dezelfde aardkloot bent als vóór je bij de politie begon. De waanzin van mensen komt van alle kanten op je af. Dat er iemand bestaat die zo gek is dat hij naar een vrouw toe gaat en met een broodmes op haar insteekt! Stel je voor! Een broodmes! Totdat de vrouw op de grond valt en sterft.'

Hij zweeg. Deed een stap opzij om een man in een leren jas te laten passeren die snel de helling op liep. Hij ging verder: 'Als je zoiets moet oplossen, dan moet je je helemaal geven.'

Hij bleef staan. 'Zoals Gunnarstranda gisternacht!'

Ze liepen door. 'Ik begrijp het niet,' voegde hij eraan toe. Hij dacht aan Gunnarstranda met zijn koffiekop in zijn handen, zijn opgewonden gezicht en zijn scherpe ogen. Hij had aan één stuk door gekletst, zonder rekening te houden met allerlei randvoorwaarden, vage aanwijzingen, vermoedens en een collega met een kater.

'Die man is altijd in vorm, dag en nacht! Neem nu deze zaak. We hebben de hele tijd gedacht dat iemand haar flat was binnengedrongen, de boel overhoop had gehaald, door haar werd verrast, haar neerstak en ervandoor ging. Maar Gunnarstranda ontdekt dat het twee personen moeten zijn geweest, die waarschijnlijk niets met elkaar te maken hebben. Eerst krijgt de vrouw bezoek van de een. Die vermoordt haar en gaat ervandoor. Daarna komt de ander en die doorzoekt de flat. Dezelfde persoon is ook verantwoordelijk voor de inbraak op het kantoor waar zij werkt. De inbreker stapt gewoon over het lijk heen, doorzoekt de hele flat, maar vindt waarschijnlijk niet wat hij zoekt. Daarom breekt hij nog een keer in, gisternacht, om wat grondiger te zoeken.'

'Waarom is het dezelfde persoon die ook bij het kantoor heeft ingebroken?'

'Dat weten we niet. Dat denken we, maar we kunnen dat niet controleren.'

'En als jullie het mis hebben?'

'Dat is het nu net. Dan stort alles in. Het risico om te mislukken is heel groot.'

Ze liepen zwijgend verder.

Ineens bleef ze staan en begon hard te lachen. De spleet tussen haar voortanden was duidelijk te zien.

'Wat is er?'

'Ik dacht alleen maar aan die tijd toen jij en Dikke op feestjes altijd een krat bier deelden. Jullie zaten altijd op de bank te drinken, te luisteren naar Pink Floyd en ...'

Ze dacht na, fronste haar voorhoofd. 'En ...'

Frank keek haar aan. 'Van der Graaf Generator!'

'Wat een naam! Niemand anders zou zo'n band goed kunnen vinden.'

'Van der Graaf was goed! Steengoed!'

'Ja, natuurlijk! Het is alleen heel komisch om dan te bedenken dat jij bij de politie bent gegaan. Hoe is het trouwens met Dikke gegaan?'

'Hij zit vast.'

Ze werd ernstig. 'Waarvoor?'

'Drugs.'

Ze hadden elkaar uit het oog verloren. Langzaam maar zeker. In twee jaar tijd hadden ze elkaar maar één keer gezien. Op een zomeravond. Het was warm geweest in de stad. De terrassen zaten vol. Mooie vrouwen, taxi's met het schuifdak open en keiharde muziek. Overal mensen. Dikke stond alleen in een hoek op het stationsplein. Naast hem stond een gettoblaster. Hij maakte nerveuze bewegingen met zijn hoofd, trappelde met zijn voeten en zijn handen wreven onophoudelijk over zijn lichaam. 'Ik word zo nerveus als ik steeds op dezelfde plek sta,' had hij gezegd. Hij had steeds gefixeerd naar een punt tussen de sterren staan kijken.

Nu zat hij de hele tijd op dezelfde plek, opgesloten in een gevangeniscel, als ze hem al niet met riemen hadden vastgesnoerd.

Het viel hem op dat ze nog steeds zweeg. Hij schraapte zijn keel. 'Ik was toen niet bepaald de man van je dromen.'

Ze gaf geen antwoord.

'Ik kan me nog goed die nacht op de boot naar Denemarken herinneren.' Hij lachte en voelde hoe ze hem steeds steviger bij zijn arm vasthield.

'Weet je waarom ik verliefd op je werd?' vroeg ze en weer liet ze de ruimte tussen haar voortanden zien. 'Je droeg wollen sokken.'

'O?'

'Een stijve pik en grijze wollen sokken.' Ze glimlachte. 'Behalve die grijze sokken was je helemaal naakt. Je zocht de hele hut af naar een condoom.'

Hij grijnsde. Bleef staan. Ze waren langs Gunders garage gelopen. Hij draaide zich om en wees naar de ramen waarachter het kantoor van advocaat Brick was gevestigd. 'Die advocaat daar,' wees hij, 'is ook betrokken bij die zaak waar we nu mee worstelen.'

Ze keken omhoog naar de ramen, waar de naam van Brick met grote letters op stond.

'Gunnarstranda ontdekte dat hij hier zijn kantoor had.'

'Is hij een verdachte?'

'Nee. Hij is de advocaat van de werkgever van de vermoorde vrouw. Software Partners. En waarschijnlijk een zwendelaar,' voegde hij eraan toe.

Ze leunde tegen hem aan. 'De advocaat werkt ook op zondag,' zei ze.

'Hè?'

'Ja, ik weet zeker dat ik iemand zag. Kijk! Het licht brandt.'

Ze zagen het allebei. Het raam was verlicht. Ze hield hem stevig vast. Ze drukte haar kin tegen zijn borst en streelde met haar gehandschoende vinger over zijn wang.

'Als je een echte smeris was,' fluisterde ze, 'dan ging je er nu heen!'

Hij grijnsde even. 'En jij dan? Blijf jij hier op straat wachten terwijl Dirty Harry zijn jasje rechttrekt en erop afgaat?'

Ze schoof haar gehandschoende hand onder zijn overhemd. Het maakte hem een beetje nerveus. Met die blik was ze tot alles in staat.

'Ik weet iets veel leukers wat we kunnen doen,' fluisterde ze tegen een knoopje van zijn overhemd.

'Vrijen?'

Hij knipoogde. 'Bij jou thuis? Aangevuurd door je huisgenoten?'

'Als we naar jouw huis gaan, moeten we de kleine meenemen.'

Frank schopte tegen de banden van een dikke bmw die langs de rand van het trottoir geparkeerd stond. 'Dat maakt niet uit,' zei hij. 'Die bak is vast van die advocaat. Hij is er duur genoeg voor.'

Op dat moment kwam er een man in een blauwe jas door de poort. Hij liep snel naar de auto toe.

'Die advocaat is nog jong,' fluisterde Eva-Britt.

Ze moesten aan de kant om plaats te maken voor de man. Hij bleef even staan om het alarm uit te schakelen. Al snel klonk een korte piep, het teken dat het alarm was uitgezet. De man opende de kofferbak en gooide er een rode aktetas in. Plotseling kwam er een mollige, oudere vrouw door de poort. Ze zwaaide met een blad papier, haar gezicht was rood van opwinding. In een gebreide trui en met pantoffels aan haar voeten rende ze naar de auto toe.

'Bjerke,' riep ze. 'Joachim Bjerke!'

# 44

Gunnarstranda voelde de koffie door zijn keel lopen. Op zijn tong en achter in zijn mond bleef een dun, ongezond laagje achter dat een beetje deed denken aan lijm. Het was al laat. Hij moest zorgen dat hij thuiskwam.

Hij was de hele zondag bezig geweest met zinloos rotwerk. Nu was het avond en morgen alweer maandag. Het werd tijd dat er iets ging gebeuren. De gedachte om naar huis te gaan, om televisie te kijken, stond hem tegen. Hij zou wat kunnen lezen, maar hij wist dat hij zich moeilijk kon concentreren. In zijn hoofd bleef het maar malen. De stukjes wilden nog niet op hun plaats vallen. Er ontbrak iets. Iets belangrijks. Zijn hersenen draaiden op volle toeren en schoven de stukjes heen en weer om het plaatje compleet te maken.

Voor hem op tafel lagen een opengeslagen krant en het sectierapport van Sigurd Klavestad. Veel Latijns gebabbel over rigor mortis en andere medische kreten. Gunnarstranda had eruit begrepen dat de man ooit aan geelzucht had geleden. Bovendien had zijn laatste maaltijd bestaan uit brood, melk en – jawel – rode wijn. Een scherp voorwerp had de halsslagader doorgesneden en het verlengde merg beschadigd. Het lichaam vertoonde ook blauwe plekken en andere verwondingen, maar die waren waarschijnlijk het gevolg van de val van de trap. Klavestad was gestorven tussen drie en vier uur 's nachts.

Gunnarstranda keek nog een keer op de klok, stak een sigaret aan en beet op zijn duimnagel. Daarna wierp hij een blik op de krant, die lag opengeslagen op de tv-pagina. Hij zou naar de Hoffsjef Løvenskiolds vei kunnen rijden om Terje Engelsviken aan de tand te voelen, of misschien het dienstmeisje. Hij zou beiden een cursus blouses dichtknopen kunnen geven en dan maar kijken wat er zou gebeuren. Maar de gedachte aan de autorit stond hem tegen.

Telefoon!

'Gunnarstranda.'

'Ik ben het,' zei Frølich met een stem die duidelijk maakte dat hij al iets gedronken had. Op de achtergrond zat iemand te giechelen. Ineens voelde hij hoe moe hij was. 'Wat is er?' vroeg hij doodmoe.

'Ik heb een wandeling gemaakt.'

Frølich hikte. 'Een paar uur geleden, langs de oever van de Akerselva.' Hij hikte nog een keer.

Gunnarstranda fronste even zijn voorhoofd. Hij hoorde de ander iets fluisteren; waarschijnlijk vroeg hij de vrouw om even weg te gaan.

'Ik heb gezocht naar sporen die Johansen gemaakt kon hebben toen hij in de rivier viel. Tussen Foss en Mølla.'

'Ja!'

'Ik heb niets kunnen vinden.'

Verdorie! Belde hij daarom?

'Daarna liepen we naar het huis van Eva-Britt, met wie ik in Scarlet ben geweest. Zij woont in een collectief, onder andere samen met Gunder, die jouw auto heeft gerepareerd.'

'Kom ter zake, ik heb al een slecht humeur!'

'Ze wonen in een huis vlak bij de garage van Gunder, waar jij het kantoor van advocaat Brick hebt ontdekt.'

'Ter zake!'

'Ik zag daar een jonge man naar buiten komen. Even later kwam er een vrouw, een secretaresse, achter hem aan rennen met een blad papier. Ze riep zijn naam: Joachim Bjerke!'

Gunnarstranda's hersenen draaiden op volle toeren.

'Ben je er nog?'

'Ga door!'

'De vrouw wilde hem het papier geven, maar hij weigerde het aan te nemen. Hij stapte in een dikke BMW en ging er met gierende banden vandoor. Kan dat de Bjerke zijn bij wie jij ook bent geweest?'

'Signalement?'

'Een jaar of 35. Ongeveer één meter tachtig lang. Slank. Leek een preuts type, rechte neus en scherpe blik. Draagt zijn haar met een lange lok van voren en van achteren opgeknipt. Maatpak, blauwe winterjas. Kromme rug. Rijdt in een donkerblauwe BMW 528.'

'Dat is hem.' Gunnarstranda moest zijn keel schrapen om zijn stem kracht te geven. Een diepe rimpel deelde zijn voorhoofd in tweeën.

'Dat wilde ik even zeggen.'

'Goed, Frølich! Je hebt geen idee hoe goed dit is! Waar ben je?'

'Thuis.'

'Oké. Ik bel je als ik iets weet.'

Hij legde neer en bleef een paar tellen voor zich uit zitten staren. Stond toen op en liep langzaam, als een slaapwandelaar naar de kapstok om zijn jas te pakken. Hij pakte zijn portefeuille. Deed hem open.

Zocht, met trillende vingers. Hij vloekte. Zijn portefeuille zat vol papiertjes, oude kwitanties, postzegels en boodschappenbriefjes. Waar had hij het verdorie gelaten? Daar. Rode rand. Gele en rode letters. Het visitekaartje dat hij van Joachim Bjerke had gekregen, die vreselijk belangrijke buurman van Reidun Rosendal. Hardop las hij het visitekaartje: 'Ludo.'

Hij zweeg en keek op. 'Ludo?'

Hij las de volgende regel: 'Financiën, jaarrekeningen, ... Joachim Bjerke ... Directeur.'

Hij bleef even staan. Met een hoek van het visitekaartje maakte hij een knippend geluid.

Hij draaide zich langzaam om, liep naar de kast tegenover zijn bureau en pakte een ordner met de naam Reidun Rosendal. Hij likte even aan zijn wijsvinger en bladerde langzaam, blad voor blad, de ordner door. Rapporten en bijlagen. Hij wist wat hij zocht. De stapel aan de linkerkant werd steeds dikker. Eindelijk. Geen gewoon blad, maar een grijs kopieervel dat vaak dubbelgevouwen was geweest. De eerste keer had hij het in zijn portefeuille gestopt toen hij bij het gerechtsgebouw was geweest en hij na urenlang zoeken vreselijke trek had gekregen.

De lijst met de tegenpartijen van A/S Software Partners in de rechtszaken van de afgelopen jaren. Zeven namen. Maar een van de namen sprong naar voren. De vierde naam. Met een blauwe balpen geschreven. A/S Ludo.

Ernaast was een vierkantje getekend. Dat betekende dat dat het bedrijf was dat de aanklacht tegen Software Partners weer had ingetrokken.

Hij bleef naar de lijst staan kijken. Zijn mond vertrok in een glimlach. Het laatste puzzelstukje. Het beeld werd steeds duidelijker. Hij ging zitten en staarde wezenloos naar buiten. Over de avondhemel lag een onduidelijke, grijze sluier. Waarom was Joachim Bjerke met Software Partners in conflict geraakt? Waarom had hij dat niet aan de politie verteld? Waarom had hij de aanklacht tegen Software Partners weer ingetrokken?

Na een hele tijd tilde hij moeizaam zijn benen op tafel en stak hij een sigaret aan. Terwijl hij rookte dacht hij over de drie vragen na, zonder een antwoord te vinden. Er zat maar één ding op: Joachim Bjerke opzoeken en het hem zelf vragen. Gunnarstranda keek op zijn horloge. Geen reden voor een slecht geweten. Hij had hun tenslotte de laatste keer al beloofd dat hij terug zou komen.

# 45

Er straalde angst van haar gezicht toen ze de deur opende en hem herkende.

'Daar ben ik weer!'

Ze zei niets.

'We komen vaak nog een tweede keer bij mensen op bezoek,' verklaarde hij vriendelijk, maar dat maakte haar niet minder nerveus. Ze bleef gewoon staan en speelde wat met de deurknop.

'Ik wil uw man graag spreken.'

Ze reageerde niet onmiddellijk, maar wendde haar ogen even af. In een lichtblauwe pyjama en met een fopspeen in zijn mond, dook het jongetje in de gang op. Hij klemde zich aan haar been vast. Zijn moeder droeg een korte, roze rok over een dikke, zwarte maillot die elektrisch knetterde toen het jongetje haar been aanraakte. Ze zag er goed uit.

'Is hij thuis?'

Ze vermande zich en gooide de dikke vlecht met een roze strik op haar rug. 'Jawel,' gaf ze aarzelend toe. Ze opende de deur helemaal en liet hem passeren.

Vanuit de kamer was het geluid van de televisie te horen.

Gunnarstranda nam de tijd om zijn mantel op te hangen en liet haar alvast naar binnen gaan om te waarschuwen. Het geluid van de televisie verdween en hij hoorde haar met het kind. Ze gingen naar een andere kamer en even later hoorde hij alleen nog zachte stemmen. Een moeder die haar kind voorlas.

De politieman trok zijn jasje recht en kamde zijn spaarzame haren voor hij naar binnen ging. Joachim Bjerke was opgestaan en stond te wachten tussen de leren bank en de salontafel.

'U bent nog niet veel verder gekomen, heb ik begrepen!'

Spottende toon, net als de vorige keer.

'Tja!'

De politieman gaf niet direct antwoord. Automatisch keek hij op zijn horloge en glimlachte zelf even om die onhebbelijkheid. 'We zijn toch een heel eind gekomen.'

Hij nam plaats op de bank, leunde achterover en sloeg zijn ene been over het andere. Hij keek om zich heen en kwam tot de conclusie dat het appartement net zo netjes was als de vorige keer, hoewel het toch intensief bewoond werd. Hij keek naar een aantal folders van makelaars die in een waaiervorm op tafel lagen. Hij knikte naar de brochures. 'U overweegt te verhuizen?'

De andere man deed alsof hij de vraag niet hoorde. Hij ging zitten, maar bewaarde zorgvuldig zijn afwijzende houding.

'Laten we ter zake komen,' zei hij rustig.

Arrogant als altijd, akelig mannetje, dacht de politieman en hij glimlachte zijn breedste glimlach.

'Het gaat over de rechtszaak die u had aangespannen tegen Software Partners.'

'Wat hebt u daarmee te maken?'

'Wist u dat Reidun Rosendal daar werkte?'

'Natuurlijk.'

'Toch vertelde u mij niets over de ruzie die u had met haar werkgever.'

'Hoe kon ik weten dat dat meningsverschil van betekenis zou zijn voor uw onderzoek? Reidun Rosendal was een ondergeschikte. En die aanklacht is trouwens weer ingetrokken.'

Gunnarstranda knipperde met zijn zware oogleden. 'Ik kan u verzekeren dat die zaak wel degelijk van betekenis is voor mijn onderzoek,' verzekerde hij. 'Maar dat is niet het belangrijkste. Het punt is dat u meer tot samenwerking bereid had moeten zijn. U had ons ongevraagd op de hoogte moeten stellen.'

'U bedoelt dat ik niet bereid ben om samen te werken?'

'Nog minder: u belemmert het onderzoek.'

Bjerke liet het antwoord even op zich inwerken en glimlachte minzaam. 'U komt hier, zondagavond laat, onaangekondigd op bezoek om mij te koeioneren?'

Zijn glimlach verdween en hij ging verder: 'Ja, ik heb Partners aangeklaagd.'

Partners! Gunnarstranda slikte het jargon. Hij keek over de tafel en hoorde de blaaskaak vertellen dat de aanklacht tegen Partners was ingetrokken en dat de zaak daarom uit de wereld was.

Bjerke, die weer was gaan staan, zwaaide met zijn armen.

'U hebt dus gehoord wat u wilde weten. Verder nog iets van uw dienst?'

Hij torende hoog boven de politieman uit. Met een arrogant gebaar stak hij een hand uit om afscheid te nemen.

Gunnarstranda vroeg zich even af of de man echt zo dom was als hij zich voordeed. Hij leunde achterover om het gewichtigdoenerige optreden gade te slaan en ontdekte een diepe rimpel in zijn jonge huid. Het samengetrokken pruimenmondje. Nee, hij was niet dom. Alleen een bijzonder goed gecamoufleerde klootzak. Na deze conclusie verheugde hij zich al op het vervolg van het gesprek. 'U weet misschien dat in de flat hierbeneden is ingebroken?'

'Ja, zeker! Vrijdagnacht. Ik heb gebeld en het aan de politie doorgegeven. Als u uw werk had gedaan, dan had u dat geweten. En dan had u ook geweten dat ik over die zaak al meer dan genoeg lastiggevallen ben.'

'U moet niet zo slecht over ons denken, Bjerke.'

De andere man ging weer zitten en zuchtte. 'Moeten we nu nog een keer alles doornemen? Mag ik u opmerkzaam maken op het feit dat ik al twee uur lang ben ondervraagd? Omdat ik de aangifte heb gedaan. Maar dacht u dat er iemand kwam toen ik belde? Nee, ze komen liever als andere mensen liggen te slapen! 's Ochtends in alle vroegte, als iedereen nog ligt te slapen!'

Hij zuchtte gelaten. 'Twee idioten van de politie kwamen hier en hebben elk woord dat ik heb gezegd opgeschreven.'

'Hoe hebt u de inbraak ontdekt?'

'Zoals ik zei, dat heb ik al verteld.'

Hij keek demonstratief op zijn horloge. 'Dus als u hier bent gekomen in verband met die inbraak, dan kunnen we misschien verder praten als u zich terdege in de zaak hebt verdiept.'

'U denkt veel te slecht over ons, Bjerke.'

'Weet u eigenlijk wel hoe laat het is?'

Gunnarstranda knipoogde. 'Hoe hebt u de inbraak ontdekt?'

'Ben ik u eerder kwijt als ik antwoord geef?'

'Hoe hebt u de inbraak ontdekt?'

'Ik heb de sporen gezien.'

'Wat hebt u gezien?'

'Ik zag dat iemand de deur naar de flat had opengebroken.'

'Verder niets?'

'Ik heb het natuurlijk ook bij de poort gezien! Maar laten we hier geen tijd meer aan besteden. Ik zie niet in waarom dat nodig is. Zoals gezegd, twee agenten in uniform hebben mijn verklaring opgenomen. Ik heb hun alles verteld. U zou de burger heel wat belastinggeld besparen als u zich van tevoren wat meer in de zaak zou verdiepen.'

De politieman deed alsof hij het commentaar niet hoorde en ging rustig verder: 'Er zijn een paar dingen bij deze inbraak waar ik me over

heb verbaasd. De deur naar de flat was met een klein breekijzer opengebroken, terwijl het slot van de poort kapotgeslagen was met een
voorhamer of een steen.'

'Waarom is dat vreemd?'

'Omdat het een onprofessionele indruk maakt, bijna onbeholpen.'
Gunnarstranda glimlachte, alsof hem ineens iets te binnen schoot.
'Amateuristisch,' voegde hij eraan toe. 'Onze technici zijn van mening
dat de klap tegen het slot van de poort de inbreker nauwelijks geholpen
heeft.'

Hij boog naar voren en verklaarde de theorie van de technici. Het hek
had volgens hen wijd opengestaan toen het slot met een voorhamer
was bewerkt. Dat was af te leiden uit de beschadigingen in het pleisterwerk. 'Het lijkt wel of iemand ons op een dwaalspoor probeert te brengen,' besloot hij. 'Alsof iemand ons wil laten geloven dat de poort werd
opengebroken.'

'Bedoelt u dat er niet in haar flat is ingebroken?'

'De deur naar de flat was opengebroken, dat hebt u zelf geconsta-
teerd, maar het is bij lange na niet zeker dat het hek ook is opengebroken.'

'Dus de braaksporen bij de poort zijn vals?'

'Dat is in elk geval mogelijk.'

'Wat wilt u nu precies zeggen?'

'Ik probeer een verband te ontdekken. Waarom hebt u niet verteld
dat u een zakelijk conflict met Software Partners had?'

'Omdat het u niets aangaat.'

'Daarover verschillen we van mening.'

'De enige logische verklaring voor de valse inbraaksporen bij de
poort is dat de inbreker de poort met een sleutel kon openen. Dat het
dus een van de bewoners van dit woningblok is.'

De politieman wachtte even. 'En dan blijven er niet veel kandidaten
over.'

'Waarschijnlijk niet,' gaf Bjerke kalm toe.

'En dat betekent dat een arme politieman gedwongen is een bepaald
onderzoek te doen.'

'Wat voor onderzoek?'

'Hij moet onderzoeken wat voor contacten er hebben bestaan tussen
een accountant uit Grünerløkka en Terje Engelsviken.'

Gunnarstranda constateerde dat Bjerke nu stijf en geconcentreerd op
de bank zat. Hij had zijn armen op zijn bovenbenen gelegd en boog zijn
bovenlichaam naar voren, alsof hij op het toilet zat.

Het viel de politieman op dat het stil was in de kinderkamer. Hij
draaide zijn hoofd om. Ze stond in de deuropening en had alleen maar

oog voor haar echtgenoot. Bjerke verroerde zich niet. Zelfs niet toen ze door de kamer liep en gespannen ging zitten, met haar benen krampachtig tegen elkaar gedrukt en een verstijfde uitdrukking op haar bleke gezicht. Haar echtgenoot negeerde haar. Hij bleef in zijn verkrampte houding zitten, maar zijn ogen hadden een andere uitdrukking gekregen.

Gunnarstranda knikte haar beleefd toe. Ze was een mooie vrouw, maar de uitdrukking op haar gezicht leek gekunsteld. Ik vraag me af hoeveel jij weet, dacht hij. Of je überhaupt iets weet. Toch merkte de politieman dat haar aanwezigheid effect had op de man op de bank. Hij was nog bleker geworden. De façade brokkelde af. Goed, laat maar komen, dacht hij en hij wendde zich weer tot de man: 'U hebt ons de hele tijd onderschat, Bjerke.'

De ander zweeg.

'Vanavond, een paar uur geleden, heb ik overwogen om u te arresteren.'

De vrouw slikte.

'Dat zou tactisch een goede zet zijn geweest. Zo'n arrestatie zou mijn superieuren én een aantal journalisten tevreden hebben gesteld.'

Gunnarstranda pauzeerde even. Bjerke ontweek de blik van zijn echtgenote.

De politieman ging verder: 'Het wil nog weleens voorkomen dat we iemand oppakken die op de plaats delict is gesignaleerd. Maar omdat we de arrestant meestal weer moeten laten gaan, maken we van tevoren een zorgvuldige afweging.'

Er gebeurde iets tussen de man en de vrouw. Dat ging hem niets aan. Maar hij had de beste kaarten in handen en besloot hoger in te zetten.

Hij keek over de tafel. 'Over het algemeen hebben we dan niet de echte dader te pakken. We hebben echter ook geen invloed op de verwarring die de werkelijke dader moet ervaren als we de verkeerde arresteren. En dan zien we ook de fouten niet die hij vervolgens gaat maken.'

Hij spreidde zijn armen. 'Het enige resultaat is dat de media een slachtoffer hebben. De lezers krijgen een pikant verhaal voorgeschoteld en aan hun behoefte aan sensatie, waarvan we tegenwoordig zo afhankelijk zijn geworden, wordt voldaan.'

Gunnarstranda glimlachte breeduit en dacht bij zichzelf dat het goed was dat hij alleen was, zodat hij later niet door zijn collega's met dit sociale geleuter kon worden getreiterd. Hij strekte zijn benen en stopte zijn handen in zijn broekzakken. 'We zijn verplicht om overal rekening mee te houden.'

Inwendig rilde hij, maar hij ging door: 'Zelfs als de echte dader later wordt gepakt, veroordeeld en gestraft, dan is het lang niet zeker dat de onschuldige van alle blaam wordt gezuiverd. Na een paar jaar weten de mensen toch niet meer wie de echte moordenaar was. Maar ze herinneren zich nog wel – als ze zich überhaupt iets kunnen herinneren – de foto van degene die met zijn jas over zijn hoofd werd afgevoerd, de zondebok. Ze herinneren zich de verhalen over zijn verleden, verhalen die de kranten hebben weten te achterhalen. Verhalen die inzicht moeten geven in het karakter van de arrestant en een verklaring zijn voor zijn wreedheid.'

Hij speelde met een sigaret die hij uit zijn zak had gehaald. Hij vroeg zich af of hij te ver was gegaan met zijn gewauwel. Om dat te testen bleef hij zwijgen. Het werd tijd de kaarten op tafel te leggen. Maar eerst moesten Bjerke en zijn vrouw de preek verteren die hij zojuist had gehouden. Hij besloot hun twee minuten te geven.

'Ik weet wie de zondebok is,' onthulde hij ten slotte. Hij keek Bjerke aan. 'U hebt drie inbraken op uw geweten. Drie weken geleden bent u bij Software Partners binnengedrongen. U hebt de flat van Reidun Rosendal doorzocht, terwijl zij dood op de vloer lag. Vergeet dat vooral niet. Ik zeg dat ze daar al lag. Maar het maakte u zo nerveus dat u er weer vandoor ging. U liet het aan uw vrouw en kind over om het lijk te vinden en ons te bellen. En daarna moest u wachten tot het ergste circus achter de rug was. U moest wachten tot alles weer tot rust was gekomen en u zeker wist dat de flat niet meer in de gaten werd gehouden. Toen hebt u opnieuw ingebroken. Om ons op een dwaalspoor te brengen hebt u het slot van het hek stukgeslagen. Alleen deed u dat terwijl het hek openstond. De beschadiging op de muur maakte ons achterdochtig.'

Bjerke keek naar de vloer.

'Bovendien vergat u de deur naar het trappenhuis open te breken.'

Bjerke glimlachte gelaten. 'Ik heb er niet aan gedacht, die deur stond open.'

De politieman leunde over de tafel naar voren. Hij knipoogde naar de vrouw, die hem onderzoekend aankeek voor hij zich weer op haar man concentreerde.

'Wilt u mij nu alstublieft alles vertellen,' zei hij streng. 'Alles wat er die ochtend gebeurde. Alles! Tot het laatste, kleine detail!'

# 46

Een uur later liep hij vlug de trappen af. Hij wierp niet meer dan een vluchtige blik op de flat van Reidun Rosendal. Zijn gezicht stond hard en gesloten toen hij snel de straat overstak en het huis binnenging. Hij bleef even staan om op zijn horloge te kijken. Het was al elf uur geweest. Het moest maar. Hij liep de trappen op en was toen hij boven kwam nauwelijks buiten adem. Hij maakte het hangslot open dat de deur van Arvid Johansens flat verzegelde en liep naar binnen. Hij deed alle lichten aan en begon te zoeken. Hij moest alle kasten openen voor hij vond wat hij zocht. De verrekijker. Het was een zwaar, zwart apparaat. Een oude 7x50 verrekijker. Hij hing de versleten leren riem om zijn nek, pakte de kale leunstoel en trok hem naar het raam. Hij dacht even na. Johansen was een grote kerel geweest. Groter dan hij. Maar hoe groot? Hij keek om zich heen, schoof een aantal pornobladen van de bank. Natuurlijk, pornobladen. Hij legde de verrekijker weer weg en legde de pornobladen op een stapel. Hij legde de hele stapel op de zitting van de leunstoel en ging erbovenop zitten. Te hoog. Hij pakte er een paar bladen af en ging weer zitten. Goed. Hij pakte de verrekijker en tuurde uit het raam. Het was donker buiten, maar de poort was verlicht. Ook de houten schutting was goed te zien. Maar het was de verkeerde hoek. Hij schoof de stoel wat heen en weer, ging zitten, stond op, verschoof de stoel nog een keer, net zolang tot hij tevreden was.

Zo had hij gezeten, Arvid Johansen. Gunnarstranda zocht in zijn zakken naar een sigaret. Vond er een en stak hem aan. Hij dacht na. De vrouw had de gordijnen dichtgetrokken. Wat was er daarna gebeurd? Het had een tijdje geduurd. Johansen was waarschijnlijk opgewonden geweest, hij had hen zien vrijen voor Sigurd haar verliet. Wat had de oude man gedaan? Had hij zich afgetrokken? Een sigaret gerookt? Misschien was hij opgestaan om iets te eten, de show was over. De man had gezegd dat hij later in de stoel in slaap was gevallen.

Oké, de show was over. Misschien was Johansen naar de keuken gelopen, had hij een snee brood gegeten en was hij teruggekomen.

Gunnarstranda stond op en liep naar de keuken. Liep daarna terug en keek weer naar buiten.

Het was kwart voor zes. Buiten was het al licht. Sigurd Klavestad klom over de schutting en bleef volgens zijn eigen zeggen daarna een tijdje voor de poort staan. Hij is gezien door de hippies die met een taxi thuiskwamen van een feest. Ze maakten het hek open en deden het niet weer op slot. De poort was dus open. Johansen keek. Wat zag hij? Hij zag iemand komen. Iemand die hij later wist te traceren. Iemand die met zijn eigen auto kwam. Gunnarstranda lachte. Hij sloeg met zijn hand tegen zijn voorhoofd, een gewoonte uit zijn jeugd. Johansen had natuurlijk het nummer genoteerd! Het kenteken van de auto van de moordenaar! Zo simpel was het! Het kenteken en vervolgens een telefoontje naar het register.

Maar waar had hij het opgeschreven? De politieman draaide zich om. Hij trok een la open. Potloden. Balpennen. Maar geen papier. Hij keek om zich heen, dacht na. Geen papier. Geen schrijfblok of kladblok. Niets om op te schrijven. Alleen een stapel pornobladen. Natuurlijk. Gunnarstranda's vingers trilden een beetje. Natuurlijk. De pornobladen. Hij glimlachte. Hij tilde de hele stapel op tafel en keek of hij er nog meer kon vinden. Hij kroop op handen en voeten door de kamer, keek onder de bank. Nee. Alleen deze. Hij ging zitten, stond weer op, knipte een lamp aan die aan de wand hing, ging opnieuw zitten en begon langzaam te bladeren in het bovenste tijdschrift.

# 47

Het was ochtend. De zon stond aan een knalblauwe voorjaarshemel en liet zijn licht over de drukke ochtendspits schijnen. Alle rijbanen op de Bispegate slibden dicht met heetgebakerde pendelaars, slaperige bussen en kreunende vrachtwagens.

Frank Frølich zat achter het stuur en voelde de onrust in zijn maag. De verwachting. Er was iets gebeurd. Een doorbraak in het onderzoek. Ze naderden de oplossing. Het klonk in hun woorden door.

Hij stuurde de auto naar de rechterrijbaan, in westelijke richting, de stad uit. Er zat nauwelijks beweging in de file. Hij zat bijna op de achterbumper van zijn voorganger om te voorkomen dat er van rechts werd ingevoegd. Gunnarstranda had hem een halfuur geleden met rode ogen en een ernstig gezicht opgewacht. Zijn chef was niet meer dan een schaduw van zichzelf. Hij had zelfs geen goedemorgen gezegd, had alleen de autosleutels voor hem opgehouden en was met wapperende jas voor hem uit naar de garage gelopen. Gunnarstranda's zwijgen maakte hem nerveus. De gespannen sfeer gaf hem ook het gevoel dat hij zichzelf niet was. Zijn mond was helemaal droog. Gunnarstranda's zwijgen was zo onverdraaglijk dat hij zelf begonnen was met een verslag van het gesprek met de eigenaar van Scarlet. Daarna had hij zijn fantasie de vrije loop gelaten en een theorie uit de doeken gedaan. Misschien geen geweldig verhaal, maar de feiten klopten. Hij had alles doorgenomen. De eigenaar had verteld dat Engelsviken tegelijk met Reidun in Scarlet was geweest. Haar eigen baas, waar ze het bed niet meer mee wilde delen. Hij was tegelijk met haar in de club geweest, vlak voor ze werd vermoord. Engelsviken, een jaloerse en afgewezen minnaar, had toegekeken hoe de vrouw van zijn dromen had gedanst en haar lichaam tegen een vlotte vent van 25 had gedrukt. De directeur had moeten toekijken hoe ze werd versierd, en had zelfs stampei gemaakt toen het stel samen de club verliet. Daarna had hij zich een stuk in de kraag gedronken en om zijn agressiviteit te botvieren had hij om halfvier een glazen deur van meer dan vierduizend kronen in stukken geschopt, twee uur voordat Reidun Rosendal voor het laatst in levenden lijve was gezien.

Schilderachtig beschreef Frølich hoe de man in het zijden pak de club uit was gedragen en in de auto van zijn vrouw was gelegd. Voor wat het waard was. Een dronkenlap die net een glazen deur van meer dan vierduizend kronen had ingetrapt, zat er toch niet op te wachten om door zijn vrouw te worden opgehaald? Waarschijnlijk had hij haar zo snel mogelijk laten stoppen, om daarna de auto weer uit te wankelen, hooguit twee uur voordat Reidun Rosendal aan haar eigen broodmes werd geregen.

Toen hij naar zijn eigen gebabbel zat te luisteren, vond Frank dat zijn verhaal heel overtuigend klonk, hoewel zijn theorie helemaal voorbijging aan de inbraken, waar zijn chef zo mee bezig was. Maar het was ook goed mogelijk dat die inbraken gewoon een dwaalspoor waren. Toch was hij teleurgesteld over de reactie van zijn baas. Gunnarstranda luisterde geduldig naar hem, maar raakte niet bepaald opgewonden. Hij stak ook niet met de gezichtsuitdrukking van een overwinnaar een sigaret op. In plaats daarvan boog hij zijn hoofd. Zijn voorhoofd vertoonde drie diepe rimpels. Even later begon hij te vertellen over Reidun Rosendals buurman, Joachim Bjerke, en een bedrijf met de naam Ludo. Gunnarstranda beweerde dat Bjerke de man was die drie keer had ingebroken, zonder iets te stelen. Alleen maar omdat zijn bedrijf geld te goed had van Engelsviken.

'Waar heeft Joachim Bjerke bij die drie inbraken naar gezocht?' vroeg Frank Frølich toen zijn buurman eindelijk zijn mond hield.

'Een paar brieven en een geluidsbandje.'

Gunnarstranda kauwde op de binnenkant van zijn wang. Hij staarde in gedachten voor zich uit.

'Bewijsmateriaal. Bjerke was Engelsvikens accountant. Het accountantsbedrijf A/S Ludo had Engelsviken als vaste opdrachtgever.'

Frank knikte zwijgend. Hij liet zijn chef over zijn ontdekkingen vertellen. 'Het draait om Engelsvikens achtergrond.' Gunnarstranda vertelde over boze schuldeisers. Mensen die leningen hadden verstrekt, maar geen rente ontvingen of die geen geld beurden voor waren die ze hadden geleverd aan de ingenieur die voortdurend failliet ging.

'Het lukte Terje Engelsviken telkens weer om zijn bedrijven op de fles te laten gaan. En elke keer dat Engelsviken failliet ging, bleven de kredietverstrekkers met lege handen achter.'

Frank glimlachte toen aan de rechterkant een auto toeterde. Een pafferig gezicht met een strakke stropdas en een ringbaardje zat achter de voorruit te vloeken.

'Dan klopt het verhaal van jouw zwager dus helemaal?'

'Ja. Joachim Bjerke heeft me gisteravond alles verteld. De man hield niet meer op. Alsof je de stop uit het bad had getrokken.'

Gunnarstranda vertelde hoe de arrogante blaaskaak op de bank in elkaar was gezakt. Alsof hij lek was geprikt.

De hoofdinspecteur had tijdens Bjerkes voordracht niet laten merken dat hij volledig op de hoogte was van Engelsvikens schuur bij Drammen waar hij zijn waren vlak voor en tijdens de faillissementen verkocht. Ook het feit dat de winst van die zwendel rechtstreeks in de zakken van Engelsviken verdween, was niet nieuw voor hem. Nieuw was wel dat er volgens de accountant maar heel weinig spullen van waarde over waren op het moment dat de deurwaarder op de stoep stond. Er waren slechts een koffiezetapparaat en een kopieermachine voor de crediteuren achtergebleven. Elke keer werd er een aanklacht ingediend tegen Engelsviken & co, tot op het allerlaatste moment allerlei papieren en verzekeringen van A/S Ludo opdoken. Joachim Bjerke verklaarde dat er niets mis was met de jaarrekeningen en dat de spullen op legale wijze al ver voor het faillissement waren verkocht. De deurwaarder had er dan maar genoegen mee te nemen dat de waarde van het bedrijf samen met het eigen vermogen was weggevloeid in de aanloop naar het faillissement.

Gunnarstranda trok met zijn schouders. 'De crediteuren legden zich er natuurlijk niet direct bij neer,' zuchtte hij. 'Ze beweerden dat Engelsviken zich niet aan de termijnen had gehouden, en dat soort dingen.'

Frank knikte even. Hij wist het antwoord al: 'Geseponeerd wegens gebrek aan bewijs.'

'De politie stond elke keer voor een oerwoud van tegenstrijdige beweringen,' verklaarde de politieman. 'Onduidelijke taxaties en kilo's papier en data waar niemand overzicht over kon krijgen. De zaken werden heen en weer geschoven tussen de fiscale recherche en de politie zonder dat het iemand lukte om zover door te dringen dat er een rechtszaak van te maken viel. Ten slotte bleven de zaken op de plank liggen wegens gebrek aan bewijs.'

Hij sloot even zijn ogen. 'Maar het werd steeds moeilijker voor Engelsviken om vertrouwen te winnen. Er deden steeds meer geruchten de ronde. Hij werd nauwelijks nog serieus genomen en belandde op de zwarte lijst. Lang voordat hij op de proppen kwam met het idee van A/S Software Partners, was Engelsviken al de rotte appel in de mand. Omdat de gewone crediteuren niet langer uitgemolken konden worden, moest hij op zoek naar nieuwe slachtoffers, en dat werden computerverkopers. Het was een geniaal idee om aandeelhouders af te zetten. Het enige probleem was om voldoende goedgelovige optimisten bij elkaar te krijgen.'

Hij grijnsde. 'Ik bedoel natuurlijk investeerders. Maar het komt erop neer dat die investeerders hun geld hebben gezet op de nieuwe kleren van de keizer, die dus niet bestaan. En de arme mede-eigenaars hebben geen enkel recht als het bedrijf op de fles gaat. Ze zijn eigenaar en zijn dus zelf verantwoordelijk!'

Frank floot.   –

'Het is precies zo als Svennebye vertelde,' ging de kleine man onvermoeid door. 'Het bedrijf Software Partners bestaat uit twee groepen werknemers. Een groep die weet en een groep die niets weet. De onwetenden vormen de façade voor de buitenwacht, zoals bijvoorbeeld Reidun Rosendal, een mooie vrouw met lange benen en een fijn gezicht, die bij de klanten op bezoek ging en met haar charmes de mensen wist over te halen.'

Frank Frølich dacht aan de pijproker in de fossiele kantoorboekhandel. De man kon wel dag zeggen tegen zijn zuurverdiende spaarcentjes, zoveel was wel duidelijk.

'Het bedrijf had geen geld,' ging Gunnarstranda door. 'Serieuze leveranciers gaven Engelsviken geen krediet meer. En dat betekende het begin van de tango in het rechtssysteem om de producten terug te halen en tegelijk vergoedingen op te strijken.'

Frank werd even Gunnarstranda's blik gewaar, om te zien of hij er nog bij was. 'Dat werd een probleem voor Bjerke en A/S Ludo,' vervolgde zijn chef. 'Bjerke had namelijk 25.000 kronen te goed van Software Partners. Maar hij beurde geen rode cent. Daarom klaagde hij Software Partners aan, zoals hij het zelf vertelde.'

De hoofdinspecteur zwaaide met zijn wijsvinger. 'Toen vond Engelsvikens advocaat dat de tijd rijp was om met oud bewijsmateriaal op de proppen te komen. Snap je?'

Frank knikte. Hij had het rempedaal losgelaten. De file stroomde even door en hij kon de auto een stukje verder rijden.

'Brick herinnerde Bjerke eraan welke risico's een accountant liep die papieren vervalste.'

Gunnarstranda glimlachte droog. 'Lieve Joachim, we hebben je stevig bij je ballen. Als jij niet doet wat wij willen, dan zullen we eens kijken of we een meisje van je kunnen maken.'

Frank draaide het raampje dicht toen ze de Oslotunnel in reden. Hij boog even naar voren om de ventilator uit te zetten, zodat ze geen uitlaatgassen hoefden in te ademen. Ze reden nog steeds in de file, en veertig meter onder straatniveau was er niet echt sprake van schone lucht.

'Bjerke liet de aanklacht tegen Software Partners vallen, in een poging ze weer gunstig te stemmen,' vervolgde de hoofdinspecteur. 'Maar Brick en Engelsviken hadden bloed geroken. Ze hadden al twee processen gewonnen en vermoedden dat ze ook Bjerke nog wel wat geld af konden persen. Daarom eiste Brick net zo gemakkelijk tweehonderdduizend kronen schadevergoeding van A/S Ludo.'

Frank floot nog een keer. Deze keer op een inademing.

'Bjerke zat als een rat in de val. Software Partners was hem 25.000 kronen salaris schuldig, en nu liep hij plotseling het risico zijn vergunning kwijt te raken en te worden veroordeeld als hij die zwijnen geen tweehonderdduizend kronen zou betalen.'

'Wat een linkmiegels!'

'Engelsviken en zijn advocaat. Ja!'

Gunnarstranda zat kort met zijn hoofd te knikken. 'Maar nu is het waarschijnlijk afgelopen. Davestuen en zijn jongens zijn er vanmorgen om acht uur al naartoe gegaan. Controle van de boekhouding en beslaglegging. Davestuen heeft dat besloten nadat hij een paar uur met Svennebye had gesproken en gisteravond nog een uurtje met mij. Dus we moeten maar hopen dat ze genoeg bewijs kunnen verzamelen voor een aanklacht. Het bedrijf Software Partners is in elk geval pure bluf!'

Hij lachte vreugdeloos. 'En waarschijnlijk zijn ze morgen failliet,' voegde hij eraan toe.

'Wat deed Bjerke toen hij hoorde van die schadevergoeding van tweehonderdduizend?'

'Hij begreep dat Engelsviken en Brick overal toe in staat waren. En ze hadden keiharde bewijzen tegen hem in handen!'

'Maar dat is pure chantage!'

'Ja. Bjerke heeft hen bedreigd, hij heeft geprobeerd te onderhandelen, maar hij bereikte niets. Zoals hij gisteravond zei: de enige uitweg was er 's nachts met een breekijzer op uit te gaan. Hij moest de bewijzen in handen zien te krijgen en ze vernietigen. Hij heeft bij Software Partners ingebroken en het kantoor helemaal doorzocht, zonder iets te vinden.'

Frank keek naar links, wisselde optimistisch van rijbaan en kwam met de volgens hem meest wezenlijke vraag: 'Waarom dacht Bjerke dat de bewijzen bij Reidun Rosendal zouden liggen? Waarom heeft hij bij haar ingebroken?'

'Iemand had hem gebeld en verteld dat hij daar moest zoeken.'

Frank leunde naar achteren. De auto stond weer stil. Hij luisterde naar de droge stem van zijn baas: 'Dat gebeurde op de zondag dat Reidun was vermoord. Joachim Bjerke werd die ochtend in alle vroegte door de telefoon gewekt. Door het geruis begreep Bjerke dat er iemand met een mobiele telefoon belde.'

Gunnarstranda keek de ander aan. 'De stem aan de telefoon zei maar vier woorden: Reidun heeft de originelen. De zin werd twee keer herhaald en toen werd de verbinding verbroken.'

Gunnarstranda zweeg.

'Bjerke heeft er een tijdje over nagedacht,' zei hij aarzelend. 'Hij vertelde mij dat hij al maandenlang nergens anders aan had kunnen denken dan aan die papieren.'

Gunnarstranda vertelde het hele verhaal dat hij van Bjerke had gehoord. Zou een ondergeschikte de originele papieren in huis hebben? Zijn eigen buurvrouw? Zou dat waar zijn? In eerste instantie had hij gedacht dat dat niet het geval was. Dat het telefoongesprek gewoon een nieuwe stap was in de oorlogvoering van Brick en Engelsviken. Dus was Joachim Bjerke gewoon in bed blijven liggen. Daarna had hij zijn sportkleren aangetrokken om te gaan hardlopen.

'Dat iemand zoiets leuk vindt!' zei Gunnarstranda verbaasd. 'Je in alle vroegte helemaal in het zweet lopen, nog voordat een normaal mens opstaat om te pissen. Elke dag! Stel je eens voor hoe je die energie positief zou kunnen gebruiken!'

Gunnarstranda pakte een sigaret uit zijn zak.

'Nu niet!'

Frank hield zijn hand boven de aansteker. 'We zitten onder de grond en we moeten zuinig zijn met zuurstof!'

Gunnarstranda stopte de sigaret weer weg. 'Omdat de man aan de Drammensveien niets had kunnen vinden, zou het misschien toch wel zo kunnen zijn dat de bewijzen in bewaring waren gegeven aan een van de medewerkers. De vrouw hoefde zelf niet eens te weten wat ze bewaarde. Uiteindelijk werd het rondje hardlopen wat korter dan gewoonlijk. Hij ging terug. Hij belde aan bij Reidun Rosendal, maar ze deed niet open. Toen keek hij naar binnen, en dat was het!'

'Sympathieke vent,' zei Frank.

'Je hebt gelijk,' zei Gunnarstranda koel. 'Bjerke is ook een doortrapt mannetje. En nu heeft hij er nog een probleem bij gekregen.'

Frank trok zijn wenkbrauwen op.

'Zijn echtgenote. De dingen die haar man gisteren vertelde, bevielen haar helemaal niet.'

Gunnarstranda draaide zijn hoofd om. Hij keek uit het raampje en vertelde hoe woedend ze was geweest. De beschuldigingen. Dat haar man hun eigen kind in het trappenhuis aan zo'n beproeving had blootgesteld. Haar man, de blaaskaak met zijn lange lok, had al zijn arrogantie verloren. Onder zijn oksels had hij grote zweetplekken gekregen en van zijn stem was niet meer overgebleven dan een nauwelijks verstaanbaar gepiep: 'Mia! Begrijp het dan, Mia!'

'Ze komt er wel uit,' zei Gunnarstranda zacht. 'Ze verdient beter dan een boekhouder. Weet je waar hij mij aan doet denken?'

'Nee.'

'Zo'n gladde jongen die aan wedstrijddansen doet. Hagelwitte glim-lach en het haar keurig in model, zelfs als hij op zijn muil valt en vier keer in de rondte rolt. Hij springt gewoon weer overeind en danst de foxtrot met een stralende tandpastaglimlach.'

'Tandpastaglimlach?' Frank Frølich grijnsde. 'Hoe is zijn vrouw?'

Gunnarstranda keek een moment uit het raampje. 'Oké,' besloot hij. 'Beursspeculanten zouden haar een goede investering noemen.'

'En nu?'

'Ik heb ze verzekerd dat hij niet wordt verdacht.'

'Hoe weet je dat zo zeker?' Franks stem klonk scherp.

'Omdat Bjerke haar niet heeft vermoord.'

'Wie heeft dat dan wel gedaan?'

'Daar zit ik op te wachten.'

Frank zweeg.

'Ik wacht op een telefoontje. Dan krijgen we het antwoord.'

Hij keek naar rechts. Grote, rode cijfers op de wand van de tunnel gaven aan hoe diep ze zaten.

'Maar dat telefoontje krijgen we in elk geval niet hier,' zei hij droog.

# 48

'Davestuen is al aan het werk,' mompelde Gunnarstranda toen ze naar het kantoorgebouw reden. Vier donkere auto's stonden geparkeerd voor de ingang van Rentoffice. Vier onmiskenbare auto's. Donkerblauw, precies hetzelfde model, dezelfde kleur, en de kentekens vormden een serie. Je had van een afstandje al door dat het om politie ging. Er was niet veel ruimte meer over. Frank moest eerst een kleine blauwe Honda met een skibox op het dak laten wegrijden voor hij de auto de parkeerplaats op reed. 'Zag je dat?' vroeg hij.

'Wat?'

'Sonja Hager. Met een skibox op het dak.'

De ander schrok op. 'Weet je dat zeker?'

'Ja, zij was het. Raar dat Davestuen haar laat vertrekken.'

Frank zwaaide even naar de geüniformeerde agent die tegen de eerste auto leunde.

Gunnarstranda zat met gefronst voorhoofd. 'Het bevalt me helemaal niet dat Davestuen haar laat gaan,' mompelde hij en hij trommelde met zijn knokkels tegen zijn tanden.

'Zullen we naar boven gaan?'

Gunnarstranda gaf niet direct antwoord. 'Ik moet nadenken,' fluisterde hij ten slotte. 'En ik moet op dat telefoontje wachten.'

Frank parkeerde de auto tussen twee andere. Ze bleven naar de betonnen muur zitten kijken. De stilte was voelbaar. Gunnarstranda's aansteker klikte. Frank zag dat de handen van de hoofdinspecteur trilden toen hij inhaleerde.

'Is je weleens opgevallen hoe saai dat soort gebouwen eruitziet?' zei Gunnarstranda terwijl hij met zijn sigaret naar de betonnen muur wees.

'Nee.'

'Mensen zijn niet meer op de totaliteit gericht. Vroeger waren steenhouwers vaklui die meer konden dan alleen grafstenen maken. Ze maakten zelfs brugpijlers van graniet. Droge granietblokken, en die bruggen staan er vandaag de dag nog.'

Frank aarzelde. Hij hoorde hoe droog en hol de stem van zijn baas klonk. Het gesprek kwam een beetje gezocht over. 'Tot ze worden gesloopt,' antwoordde hij.

'Maar graniet heeft structuur, kleur en patronen, afhankelijk van hoe de blokken elkaar overlappen en samenvallen. In beton zit geen structuur. Het is gewoon een grijs vlak. Kijk eens naar die muur!' Gunnarstranda wees.

Frank draaide zich naar zijn baas om en vroeg zich af waar hij mee bezig was. 'Maar er is toch niemand die naar zo'n muur kijkt?'

'O, jawel. Natuurlijk wordt daarnaar gekeken!' wierp de hoofdinspecteur tegen. 'Die muur is het halve landschap. Kijk eens naar die droge takken die over de muur vallen. *Kransspirea*, een heester. Het probleem is dat de tuinman zo'n plant kiest omdat het de bedoeling is dat die planten over muren hangen. Daar zijn ze voor gekweekt. Maar de ontwerpers van dit complex hebben niet zover gedacht. Die hebben gewoon een betonwand gegoten, die gegarandeerd gaat barsten na een winter met dertig graden vorst. De vorst dringt zover in het beton door dat het ijs het volgende voorjaar de muur oprekt. En dan gaat hij breken, omdat beton niet beweeglijk is. Daarom zal de muur elk jaar verder vervallen. Dat had voorkomen kunnen worden als ze wat meer naar het geheel hadden gekeken en dat gezien hadden voor wat het was, een deel van het landschap. Als ze granietblokken hadden gebruikt, hadden ze het landschap mooi, beweeglijk en houdbaar gemaakt.'

Frank keek hem geërgerd aan. 'Kom ter zake,' zei hij. 'Wie heeft haar vermoord?'

'Ik zei al dat het hier gaat om totalitair denken. We moeten niet de fout maken dat we het geheel uit het oog verliezen.'

Frank gaf een klap op het stuur. 'Ja,' zei hij vertwijfeld, gevolgd door een geïrriteerd: 'Totalitair!'

'Ik moet aan die kleine blauwe auto denken met die skibox op het dak,' vervolgde Gunnarstranda met dezelfde droge en gemaakte stem. 'Ik vind het helemaal niets dat Sonja Hager opeens in een auto met een skibox op het dak rijdt. Omdat Sonja Hager eigenlijk in een zilvergrijze Mercedes rijdt. En in de skibox waarover ik heb gehoord, ligt een dubbelloops jachtgeweer. Er klopt iets niet. Sonja Hager heeft de sleutels van het archief daarboven; ik kan me niet voorstellen dat Davestuen haar laat gaan.'

'Er is in elk geval niemand achter haar aan gegaan.'

Ze keken allebei naar de ingang van de iglotempel waarin Software Partners was ondergebracht. Er was niets te zien.

'Thuis in de Bergensgata,' zei Gunnarstranda opeens, 'aan de andere kant van de straat, woont een man die al jarenlang een verhouding heeft met een weduwe die aan Sagene woont.'

Frank gaf geen antwoord. Hij draaide zich zwijgend om en staarde hem aan. In Gunnarstranda's gezicht kon hij geen spoor van vrolijkheid ontdekken.

'Eén keer in de week gaat hij bij de weduwe op bezoek. Zijn vrouw maakt elke keer de grootste ruzie. Dat wordt in elk geval verteld.'

Gunnarstranda glimlachte vermoeid. 'Elke keer. En als hij thuiskomt, dan huilt ze een tijdje, totdat ze weer met hem aanpapt.'

Aanpappen, dacht Frank en hij reageerde met een beleefd: 'O?'

'Af en toe denk ik aan hen,' ging de ander verder. 'Ik begrijp niet dat ze het uithoudt. Ze moet toch ook weten dat er over hen wordt geroddeld?'

Hij inhaleerde diep. 'Ze had hem al jaren geleden kunnen vermoorden.'

Frank knikte meelevend. Hij had even aan het verstand van zijn baas getwijfeld, maar was weer gerustgesteld toen het verhaal eindigde met de gewone frustraties over de natuur van misdadigers.

'Maar toen bedacht ik ineens dat die vrouw nooit haar man van het leven zou willen beroven!'

Frank schrok op. 'Waar wil je naartoe?' vroeg hij geïrriteerd.

Gunnarstranda draaide zijn hoofd langzaam naar hem toe.

'Laten we zeggen dat Reidun vermoord is door Engelsviken of zijn vrouw,' begon hij aarzelend.

'Ja?'

'Dan hebben we één persoon uit het totale plaatje buiten beschouwing gelaten.'

'Wie?'

'De hulp in de huishouding.'

Frank zag haar voor zich. De blouse die eerst scheef was dichtgeknoopt, maar daarna niet meer. Hij voelde dat het zweet op zijn rug stond. Hij zag Sonja Hagers bloedeloze lippen voor zich toen ze sprak over goede en slechte dagen.

'Zal ik naar boven gaan?' vroeg hij rusteloos. Hij knikte naar de ingang.

Gunnarstranda hoorde de vraag niet. Hij drukte zijn sigaret uit. 'Ik ben trouwens gisteren nog in de flat van Johansen geweest,' deelde hij mee.

'Wanneer?'

'Nadat ik met de heer en mevrouw Bjerke had gesproken.'

'Waarom?'

'Om het kenteken te zoeken.'

De ander zweeg.

'Bjerke werd gebeld met een mobiele telefoon,' herhaalde Gunnarstranda. 'De moordenaar wilde dat hij Reidun Rosendals flat zou doorzoeken en vingerafdrukken zou achterlaten, zodat hij zou worden verdacht. Bjerke durfde te zweren dat hij met een mobiele telefoon was gebeld. De beller zat in een auto. Dat zou betekenen dat de auto in de straat stond en dat Johansen zowel de auto als de moordenaar had gezien! De oude man kreeg geld van iemand die betaalde voor informatie over Klavestad – wie hij was en waar hij woonde. Johansen verkocht Sigurd Klavestads adres voor vijftigduizend zilverlingen. Restte alleen de vraag hoe hij met de chauffeur van de auto in contact was gekomen.'

Franks nekharen gingen overeind staan. Restte alleen de vraag? Wat bedoelde hij in vredesnaam met 'Restte alleen de vraag'?

'Johansen had het kenteken opgeschreven en de eigenaar van de auto opgespoord. Ik ben anderhalf uur lang in zijn flat geweest om naar dat kenteken te zoeken. Hij moest het wel hebben opgeschreven, maar waar? En weet je wat?'

'Nee.'

Frank Frølich had een droge mond gekregen.

'Ik zat de hele tijd op een grote stapel pornobladen! Ik kreeg een idee. Ik heb ze allemaal doorgebladerd. Ik heb meer tieten gezien dan ik planten in mijn herbarium heb. Herinner je je trouwens nog dat ik die zaterdag tien goed had in de toto?'

'Welke zaterdag?'

'De zaterdag dat Reidun werd vermoord. Dat wil zeggen, ze werd zondagmorgen vermoord. Maar ik had tien goed in mijn vaste rijtje.'

'Nee, kan ik me niet herinneren. Maar wat heeft dat ermee te maken?'

'Tja, over de borsten van een van die vrouwen in zo'n blad stond een heel rijtje toto-uitslagen. Twaalf in totaal. Tien ervan staan ook in mijn rijtje.'

'Ja, en?'

'Naast de toto-uitslagen stond een kentekennummer.'

Frank Frølich knikte.

'Dat hoeft niet te betekenen dat dat het nummer was van de auto van de moordenaar,' zei Gunnarstranda.

'Nee, natuurlijk niet,' gaf Frank nerveus toe. Hij voelde dat zijn rug helemaal klam werd.

'Maar het zou kunnen dat Johansen die zaterdag juist dat blad voor zich had liggen, want die dag noteerde hij de toto-uitslagen. Daarna kan hij van alles hebben gedaan. Misschien is hij in slaap gevallen. Hij was tenslotte de hele nacht wakker geweest om naar Reidun en Sigurd te kijken. In elk geval bestaat er een kans dat het nummer dat ik vond, hoort bij de auto van de moordenaar. Maar in een rechtszaak is dat nooit voldoende bewijs!'

'Maar zeg nu eindelijk eens van wie die auto is!'

'Dat weet ik nog niet. Die dikke tante van het uitzendbureau zou dat voor me uitzoeken.'

'Zij?'

Frank wilde nog iets zeggen, maar hij werd onderbroken. Eindelijk ging de telefoon. De hoofdinspecteur boog naar voren en schreef iets op. Hij legde weer neer. Zonder een woord te zeggen, liet hij zijn collega het papiertje zien.

# 49

De hoofdinspecteur had de microfoon in zijn hand en voerde een druk gesprek. De vrouw die de mededeling aannam, reageerde volkomen rustig. Net als een trambestuurder vlak voordat de deuren dichtgaan. Toch was de spanning voelbaar. Haar toon was net even te beleefd. Geen gegiechel, geen grapjes. Dit was serieus.

Frank dacht aan het dienstmeisje dat haar blouse scheef dichtknoopte.

De ander legde de microfoon weg.

'Daarom was de hulp in de huishouding zo bang,' barstte Frank los en hij zette de sirene uit toen ze de Hoffsjef Løvenskiolds vei bereikten. 'Ze moet het geweten hebben.'

De ander knikte grimmig.

'Sonja heeft haar dronken echtgenoot die nacht om halfvier bij Scarlet opgehaald. De eigenaar vertelde dat Engelsviken niet meer op zijn benen kon staan. Vermoedelijk is het meisje wakker geworden toen ze thuiskwamen.'

'En Sonja Hager had tijdens die autorit zo veel nonsens moeten aanhoren dat het genoeg was,' fluisterde Gunnarstranda. 'Nadat ze haar man in bed had gestopt, is ze naar de stad gereden. De hulp heeft vast gemerkt dat ze terugkwam, misschien hebben ze samen gesproken. Sonja met bloed op haar kleding. Verdomme, hoe konden we die hulp vergeten?'

Frank gaf geen antwoord. Hij zag op tegen de dingen die komen zouden. De mannen in militaire uniformen die over het gras kropen. Het hele drama.

'En toen kwamen vandaag Davestuen en de jongens opdraven,' ging de ander door. 'Toevallig was zij aanwezig. Zij en Bregård. Ze moet begrepen hebben dat de razzia met ons te maken had.'

Frank zweeg. Dus ging ze ervandoor om de klus af te maken, dacht hij.

Daar.

Een kleine, blauwe Honda stond voor een van de garagedeuren. De skibox stond open, net als het portier. Frank parkeerde. Vreemd dat een machoman als Bregård zo'n kleine auto had, dacht hij. Hij stapte uit. Een autoradio stond op volle sterkte aan: *Fishing in Vælesj, fishing in Vælesj.*

Hij wierp een blik in de dakkoffer. Leeg. Hij bukte zich en keek in de auto. Een doos met hagel voor het jachtgeweer. Eley Grand Prix kaliber twaalf. De doos was nog halfvol. Hij had het wel gedacht. Het geweer was net zo macho als de eigenaar. Gunnarstranda kwam achter hem aan. Frank liet hem de halfvolle doos hagelpatronen zien en sloot het portier. De muziek was nauwelijks nog te horen. In de verte hoorde hij sirenes naderen. Dan hebben ze ook hier in de buurt iets om over te praten, dacht hij. Hij dacht ook weer even aan het dienstmeisje met de scheef dichtgeknoopte blouse. En hij dacht aan Clint Eastwood. Sigaar in zijn mond en een Magnum 44. *Drop it angel, or I'll make you fly!* Geen vragen! Dirty Harry hoefde nooit iets te verklaren. Tenminste niet als hij zijn Magnum 44 achter zijn riem had gestoken. En Dirty Harry werd ook nooit geschorst. Dirty Harry zou zijn baan niet kwijtraken als hij de regels aan zijn laars lapte. Frank opende het portier weer en zette de radio uit. De stilte daalde neer over de villawijk. Woonden hier geen kinderen? Hij zag dat Gunnarstranda terug was gelopen naar de auto en was ingestapt. Hij was druk bezig met de microfoon. De sirenes kwamen dichterbij.

Frank keek naar het huis en dacht aan haar. Tussen alle idioten in deze zaak was Sonja Hager een van de weinigen geweest die over echte gevoelens had gesproken. Sommige mensen nemen hun beloftes serieus, had ze gezegd. Nadat ze een moord had gepleegd.

Zijn ogen dwaalden van het huis naar de politieauto, en terug. Onzeker. Hij vroeg zich af wat ze dacht. Of ze bang was? Ze was in elk geval emotioneel. En ze had ze niet allemaal op een rijtje, als je tenminste zag hoeveel haat ze kon oproepen, alleen om zichzelf in bescherming te nemen.

Tot op zekere hoogte was haar handelingspatroon ook rationeel. Systematisch had ze de getuigen uit de weg geruimd. Misschien was ze nu wel weer bezig. Als de klus al niet geklaard was.

Was ze toerekeningsvatbaar? Ja, maar ze was niet bereid haar straf te aanvaarden. En dan kan er van alles gebeuren, dacht hij terwijl hij langzaam naar het huis wandelde.

# 50

Hij keek naar de bruine voordeur. De stilte lag als een allesverstikkende deken over het huis. Even later werden de sirenes uitgezet. Alleen het geluid van de dieselmotoren van de terreinwagens die over de weg dichterbij kwamen, was nog te horen. Ze stopten. Portieren sloegen dicht. Stilte.

Hij dacht aan Reidun. Ze had de deur geopend en Sonja binnengelaten. Ze was moe, zo moe. Waarschijnlijk had ze Sonja Hager gevraagd op te donderen en later, als ze een beetje uitgeslapen was, nog eens terug te komen om over haar huwelijk te praten.

Totdat ze met een mes in haar borst op de vloer lag.

Daarna had Sonja Hager Sigurd Klavestad nog opengereten en had ze zich waarschijnlijk ook nog ontdaan van Arvid Johansen. Een voor een had ze hen te grazen genomen. Iedereen die haar ten val kon brengen. Het dienstmeisje moest haar die nacht gehoord hebben. De laatste getuige. Was ze al dood?

De stilte duurde voort. Frank dacht aan Sonja's lach, die geen lach was. Maar wat wel? Shock? Omdat Frank Frølich haar had verteld dat Øyvind Bregård een verhouding had met de vrouw die zij juist had vermoord? Of was haar de ernst duidelijk geworden van de daad die ze had begaan? Had ze ingezien dat de komst van de politie betekende dat ze aangehouden zou worden en voor haar daden veroordeeld zou worden?

Hij liep de trap op. Voelde aan de deur. Hij was open. Op dat moment hoorde hij rennende voetstappen. Kampenhaug en twee anderen in vol ornaat. Natuurlijk Kampenhaug. Zijn gezicht groen gekleurd. Machinepistolen en helmen. Ze bleven staan.

'Frølich!'

Kampenhaugs stem.

Zijn mond stond open en zijn groene kin glom vochtig. Hij stond achteraan. Waarschijnlijk was er niemand hier voor wie hij in zijn kruis kon krabben.

Frank glimlachte de anderen rustig toe en ging de woning binnen. Het grote raam in de woonkamer leek een ansichtkaart van de Oslofjord. De eilanden lagen bruin in het fonkelende water.

Kampenhaugs mannen kwamen de kamer binnen. Een van hen rolde de grote terrasdeur open en vertoonde zich aan de mensen buiten. Opgeheven machinepistool. Helm, geen bivakmuts. Het leek wel een scène tijdens de Olympische Spelen in München.

Frank keek om zich heen. Zwaar leren meubilair in Engelse stijl. Open haard van natuursteen die het evenwicht van de kamer dreigde te verstoren. Boekenkast met meters boeken achter glas. Olieverfschilderijen zonder lijst en een groot aquarium met enorme sluierstaarten die hun platte vissenbek tegen het opvallend schone glas duwden.

Het gebubbel van het aquarium was het enige geluid in de kamer. Bubbels en het happen van de vissen die aan de andere kant van het glas druk aan het eten waren. Frank Frølich draaide zich om naar de soldaten, onder de indruk dat ze zo stil konden zijn.

De vloer kraakte even toen hij in beweging kwam en naar een deur liep die op een kier was geopend.

'Frølich!'

Kampenhaug weer.

Frank bleef staan, draaide zich om en keek de man aan. Kampenhaug leunde met zijn hand tegen het kozijn van de terrasdeur. In de andere hand had hij zijn geweer. Stil, ademend met open mond. Frank Frølich glimlachte. Wat viel er te zeggen? Dat de vrouw gevaarlijk was? Natuurlijk was ze gevaarlijk. Ze was vertwijfeld en kende geen grenzen. Dus vraag mij niet hoe dit af gaat lopen!

Hij kon beter zijn mond houden en die sukkel niet lastigvallen met gecompliceerde zaken. Je hebt toch te veel haar op je armen om ook maar iets te kunnen begrijpen, dacht hij rustig. Hij draaide zich weer om, schoof voorzichtig de deur open en keek naar binnen. Duwde toen de deur helemaal open.

Engelsviken lag op de vloer. Naakt. Een vrij dikke man, maar het vet concentreerde zich rond zijn buik en borst. Hij had opvallend magere benen, maar tussen zijn benen was hij goed uitgerust. Hij was in zijn hoofd geschoten en zo dood als een pier.

Zij leefde. Ze zat in het bed. Geen scheef dichtgeknoopte blouse. Helemaal geen kleren. Net zo naakt als de zonde die ze met haar baas had begaan. Haar knieën voor haar borst opgetrokken, in een hoekje gedrukt. Ze zag hem niet, nam überhaupt niets waar. Haar starre blik op de deur gericht. Maar ze leefde.

Frank stond stil in de deuropening. Sonja had hen op heterdaad betrapt.

Hij hief zijn arm op en gaf de infanterist die met het geweer in de aanslag het dichtst bij hem stond een teken. Frank liep de kamer binnen. Hij stapte over de dode heen en knielde neer bij het meisje in de hoek van het bed.

Haar oriëntaalse gezicht was verstard in een grijns waaruit hij niets kon opmaken. Twee bruine ogen staarden voor zich uit, haar mond beefde. Waarschijnlijk was ze in shock.

'Waar is ze?' vroeg hij.

Geen reactie.

'Alles komt goed,' fluisterde hij terwijl hij haar over haar wang streelde. Haar huid voelde koud aan. Ze was net een pop, verkeerde in een andere wereld.

'Waar ... *Where is she?*'

'Hier!'

Op het moment dat hij haar stem hoorde, besefte hij dat hij met zijn rug naar de deur toe zat. Een fractie van een seconde verstreek.

Hij kon niet meer roepen. Kon alleen zijn hoofd omdraaien, haar zien. Toen sloot hij zijn ogen ter verdediging. Het beeld stond op zijn netvlies gegrift. Sonja Hagers grote, waanzinnig glanzende ogen. Ze hief de loop van het jachtgeweer op. Haar wijd open mond boven de dubbele loop en haar vinger die beide lopen tegelijk afvuurde.

Op hetzelfde moment, of misschien iets later, klonk het schot en Frank Frølich voelde ontelbare deeltjes in zijn gezicht prikken.

# 51

In zijn val trok hij het dienstmeisje met zich mee. Op de vloer. Hij rolde met haar in het rond. Ze gilde. Niet vreemd, hij woog tenslotte negentig kilo. Maar hij hoorde het niet. Haar schreeuw verdronk in het geluid van de schoten. De ondergang van de wereld. Hij zag alleen haar wijd open mond en voelde hoe haar schreeuw zich in zijn borst voortplantte. Tegen de wand gedrukt bleef ze liggen. Hij bedekte haar met zijn lichaam en voelde een intense pijn in zijn borst.

Eindelijk werd het stil. Doodstil.

Hij opende zijn ogen en keek op haar neer. Ze deed hem aan Katrine denken. Hij had Katrine tijdens een midzomernachtfeest leren kennen, en op een klein eilandje hadden ze met elkaar gevreeën. Het moest het zwarte haar zijn. Het haar en haar naakte huid tegen zijn kleding. Wat deed zijn borst pijn! Verrek! Ze beet hem! 'Laat dat!' mompelde hij en hij schudde haar van zich af. Ze keek op. Eindelijk hield ze op met bijten. Keek hem met open mond aan.

Hij rolde van haar weg en keerde zich om. De wand tegenover de deur was aan flarden geschoten. In de deuropening stonden drie mannen met camouflagekleuren op hun gezicht, een starende blik in hun ogen en lege machinepistolen. De antiterreurgroep. Deze keer hadden ze een wand geraakt.

'Ik geef me over,' fluisterde hij. 'Vrijwillig. Schrijf dat maar op, in drievoud.'

Hij ging op zijn knieën zitten. Keek naar het dode echtpaar.

Langzaam draaide hij zijn hoofd naar de deur, waar Kampenhaug ruw opzij werd geschoven door een klein mannetje met een bijna kale schedel. Frank Frølich zag hoe Gunnarstranda geïrriteerd zijn gezicht vertrok, hem even aankeek, zijn jas uittrok, neerknielde naast Sonja Hagers dode lichaam en de jas zo goed mogelijk over het tweetal uitspreidde.

Alleen de kolf van het geweer en Engelsvikens magere benen kwamen eronderuit.

Frank schraapte zijn keel.

Niemand zei iets.

Wanhoop. Dat woord had nu betekenis gekregen. Hij stond op. Hij zag eerder dan hij hoorde dat Gunnarstranda zacht en intens stond te vloeken. Hij keerde zich naar de jonge vrouw toe, deed zijn jas uit en wreef over zijn borst waar ze hem had gebeten. Hij gaf haar zijn jas aan.

Waanzin. Haar ronde borsten. Twee lichtrode tepels staarden hem woedend aan, tot ze achter de ritssluiting verdwenen. Zijn grote jas reikte bijna tot haar knieën. Vijf lange, roodgelakte nagels grepen zijn arm vast.

'Frølich,' hoorde hij de kleine, kale man achter zich.

Frank Frølich had geen zin om te luisteren. Hij trok het dienstmeisje mee naar de andere kamer en droeg haar over aan een van de agenten. Hij liep naar buiten, de tuin in. Hij zoog de frisse lucht diep in zijn longen, leunde tegen een boomstam en bekeek de activiteit om zich heen, tot Gunnarstranda met zijn handen in zijn zakken langzaam naar hem toe kwam. In zijn mondhoek hing een sigaret.

Ze keken elkaar aan.

Gunnarstranda pakte de sigaret uit zijn mond. 'Ging het snel?'

Frank knikte even.

'Het was waarschijnlijk niet mogelijk om dit te voorkomen.'

'Nee.'

Gunnarstranda keek om zich heen. 'Dat wordt een hele hoop papierwerk.'

'Ja, waarschijnlijk wel.'

Gunnarstranda ging opzij om de ambulancebroeders te laten passeren. 'We moeten een tolk vinden voor het verhoor van dat meisje dat jouw jas heeft gekregen.'

Komisch gebabbel, dacht Frank. Hij antwoordde: 'Ja.'

Ze liepen samen de helling af en bleven bij het hek staan.

'Het moet hoe dan ook verschrikkelijk zijn geweest om met zo'n man te leven,' zuchtte Gunnarstranda.

Frank gaf geen antwoord.

'Kijk eens naar de hele façade. De auto's, het huis, de tuin ... En de eenzaamheid,' voegde hij eraan toe. 'Hij had haar ... maar zij had niemand.'

Ze kwamen bij de auto.

'Die nacht moet de laatste druppel zijn geweest.'

'Onzin,' onderbrak Frank hem geërgerd. 'Ongeveer een derde van alle huwelijken gaat op een keurige manier ten onder. Ze had gewoon van hem kunnen scheiden!'

Gunnarstranda haalde diep adem. Frank meende een glimp van vrolijkheid in zijn ogen te zien. 'Ze had zichzelf dus al die ellende kunnen besparen?'

Zijn toon klonk spottend, maar een montere opluchting was van zijn gezicht af te lezen. 'Soms kom je in een zaak nooit tot op de bodem, Frølich. Laat staan bij mensen!'

Nee, misschien niet, dacht Frank vermoeid. Maar hij ging er toch op in: 'Als Sonja Hager zich zo gekwetst voelde, waarom kon ze haar woede dan niet botvieren op iemand die daar logischerwijze veel beter voor in aanmerking kwam?'

Gunnarstranda keek even naar het huis. Hij opende het portier. 'Dat heeft ze uiteindelijk ook gedaan,' zei hij grijnzend en hij stapte in.